2.20

Albert Auger, Inc.

DE RIMBAUD AU SURRÉALISME
Panorama critique

DU MÊME AUTEUR

Poésie

Temps des Héros (Cahiers de l'École de Rochefort).
Le Paysan Céleste (Édit. Robert Laffont).
Journal Parlé (Édit. René Rougerie).
Terre Secrète (Édit. Pierre Seghers).
L'Autre Rive (Édit. René Rougerie).
Vrai Visage (Édit. Pierre Seghers).
Une Voix (Édit. Gallimard).
Évidence (Édit. du Mercure de France).

Essais

André Frénaud (Édit. Pierre Seghers, coll. « Poètes d'Aujourd'hui »).
De Chénier à Baudelaire, panorama critique de la Poésie française (
Pierre Seghers).

Romans

Quadrille sur la Tour (Édit. du Mercure de France).
La Couronne de Vie (Édit. Charlot).
Secours au Spectateur (Édit. Robert Laffont).
Dernière Heure (Édit. Gallimard).
Le Pain Noir, cycle romanesque (Édit. Robert Laffont).
* *Le Pain Noir.*
** *La Fabrique du Roi.*
*** *Les Drapeaux de la Ville.*
**** *La Dernière Saison.*

Georges-Emmanuel Clancier

DE RIMBAUD AU SURRÉALISME

Panorama critique

SEGHERS

AVANT-PROPOS

Le rêve est une seconde vie.
GÉRARD DE NERVAL.

« Avec Rimbaud nous entrons dans la langue moderne de la Poésie », observe à juste titre Pierre Jean Jouve.

L'attention à ce verbe nouveau aura été notre seul guide pour découvrir puis esquisser ce « panorama ». Où ne se trouve point cette « langue moderne de la Poésie » nous ne nous attarderons pas, ce serait perdre de vue la voie royale qui va de Rimbaud au Surréalisme; nous laisserons donc de « côté » Parnasse et Néo-Parnasse, cependant notre souci de survoler tout le voyage qu'accomplit la poésie française des Illuminations *à* La vie immédiate *ne nous fera pas oublier quelques haltes, aussi quelques dissidences gracieuses ou violentes en marge de cette longue quête d'une « vraie vie » dont mots et images attesteraient la présence.*

Si Rimbaud crée une langue, c'est grâce à Baudelaire, à Nerval, à Hugo, et derrière ces poètes chantent encore les Romantiques anglais et allemands, Edgar Poe. Tels sont les lointains horizons de ce panorama; un romantisme, qui est à la fois blessure et révolte, l'éclaire en entier. Je crois ici la blessure première, due à cet exil que la seconde moitié du siècle passé impose aux poètes et que leur orgueil ensuite transformera en volontaire retrait du monde, en refus et défi. La plupart des grandes œuvres poétiques de ce temps soumis aux « vertus » d'économie, « d'ordre », en fait à l'avidité de l' « enrichissez-vous », portent la marque de cette blessure et de cette révolte : en elles, un désespoir s'allie ou alterne avec un mouvement de rébellion.

Ce sera l'honneur de Rimbaud, de Verlaine, de Nouveau, de Corbière, de Mallarmé, de Cros, de Lautréamont, d'avoir transposé, à la suite de Baudelaire, leur étrangeté sociale en une solitude victorieuse. Blessure et révolte sont devenues la source même de leur chant. La poésie, à laquelle toute place est refusée dans le monde quotidien, découvre un nouvel espace qui tend à l'infini, un temps illimité qui figure l'éternel; à la raison qui pense l'éliminer elle répond en se chargeant de tous les pouvoirs de l'irrationnel : ceux du rêve, ceux de cet inconscient où l'homme « séparé » par l'état de veille rejoint les « autres », ce qui fut, ce qui est, dans une unité cosmique.

Au temps de la « mort de dieu » sous le scepticisme des uns, et plus encore l'hypocrite simulacre religieux des autres, les meilleurs poètes post-romantiques se font démiurges, prométhéens « voleurs d'étincelles », à l'univers logique du sens commun, ils substituent l'univers magique de leur imagination, parfois en ricanant, comme Lautréamont — ou plus tard Jarry, — parfois en s'effaçant derrière leur œuvre comme Mallarmé, parfois en saluant l'avenir comme Rimbaud, Cros — plus tard Apollinaire.

Prométhée dérobe le feu, ensuite la foudre le frappe : Nerval se pend, Baudelaire meurt hébété, Rimbaud choisit le silence, Lautréamont, Corbière, Laforgue sont des morts jeunes. A l'origine, sociale, la réprobation se transmuerait-elle en « malédiction » ?

La blessure n'aurait-elle pas été plus forte que la révolte ? Le mal, le malheur, plus encore le malaise permanent que ressent un être au sein d'une société d'abord, d'une vie ensuite, qu'il ne reconnaît pas pour siennes, cette trilogie noire me paraît avoir provoqué l'échec intérieur des grands poètes que j'ai nommés. Pour qu'il pût en être autrement il n'eût fallu rien moins que « changer la vie » comme le rêvait Rimbaud et pour cela « réinventer l'amour » et, comme encore le savait Rimbaud et le formulait Marx « transformer le monde ».

Cependant, qu'on y prenne garde, si défaite il y eut, ce ne put être qu'aux yeux mêmes de ces poètes, dans la confrontation de leur ambition spirituelle et d'obstacles non surmontés issus soit de leur temps, soit de la condition humaine.

A nos yeux, il n'y a que victoire : celle des œuvres, incomparablement belles et libératrices, dont se trouve jalonné l'élan poétique menant de Rimbaud, de Nouveau, de Verlaine, de Mallarmé, de Cros, de Lautréamont, de Corbière, de Laforgue ou de Jarry à Guillaume Apollinaire, à Valéry, Reverdy, Max Jacob, Fargue, Supervielle, Jouve, Milosz, Breton, Eluard, Aragon, Soupault ou Tzara.

Je ne crois guère à la signification des classements appliqués aux poètes, toutefois, j'ai cru utile d'organiser dans ce panorama critique, certaines parties et certains chapitres qui me semblent répondre à des lignes sous-jacentes à la poésie française. C'est ainsi qu'on trouvera sous le titre baudelairien Les Phares, *les études consacrées aux poètes du dix-neuvième siècle, dont l'œuvre, à mon sens, « éclaire » toute l'évolution ultérieure de la poésie; après « le Symbolisme » me paraît s'ouvrir l'ère des « Temps modernes » que marquent à la fois, aussi bien sur le plan de la poésie que sur celui de l'histoire, une ivresse du pouvoir humain et l'angoisse des civilisations qui, selon le mot de Valéry, se savent désormais mortelles — avec la secrète tentation de hâter l'avènement de cette mort. J'ai placé ces temps modernes de la poésie sous le signe d'Alfred Jarry, cependant qu'au sein de cette « modernité » l'athée Valéry, le chrétien Péguy, le catholique Claudel, m'ont semblé témoigner d'une permanence des « Traditions », tandis que les élégiaques de Jammes à la comtesse de Noailles et à ses sœurs en poésie, demeurent en marge de cette dualité ambiguë d'hier et de demain. A cette pause succède* « l'Esprit Nouveau », *qui se manifeste chez Apollinaire certes, mais encore chez Jacob, Fargue, Reverdy, et bien d'autres poètes. La partie intitulée* « L'après-guerre » *concerne, est-il besoin de le préciser, les lendemains de l'Armistice de 1918. Le commun dénominateur à des poètes comme Supervielle, Jouve, Milosz, Saint-John Perse, n'est-ce pas leur* « Haute Solitude » *outre cette « langue moderne de la poésie » sur laquelle j'ai cru devoir fonder l'unité de cet ouvrage ? Le dernier chapitre consacré au* Surréalisme *n'appelle pas d'avertissement particulier si ce n'est cette remarque : j'ai omis volontairement d'étudier certains poètes importants, je pense par exemple à Artaud, à Char, à Desnos, à Queneau, à Michaux aussi, que j'eusse volontiers placés dans le chapitre des* « Hautes solitudes », *parce que cette étude eût fait double emploi avec celle que leur a consacrée Jean Rousselot dans son* Panorama critique des Nouveaux Poètes Français .

G.-E. C.

LES PHARES

« Je pense à présent que tout le monde a raison, excepté les poètes. »

ALFRED DE VIGNY (*Chatterton*).

« Ceux qui se risquent à ces profondeurs en ramènent ces œuvres singulières et durables qui conservent de leur auteur, non point son être accidentel et périssable, mais son essence et sa figure mythique. »

ALBERT BÉGUIN.

ARTHUR RIMBAUD

« La poésie est silence parce qu'elle est langage pur, voilà le fondement de la certitude poétique. »

MAURICE BLANCHOT.

La violence intérieure de l'adolescence, l'absurdité de la guerre, la révolte de la Commune font soudain s'épanouir, mieux vaudrait dire exploser, le plus singulier génie poétique que la France ait jamais connu, celui d'Arthur Rimbaud[1] qui, à seize ans, passe du climat enfantin de l'école et de l'école buissonnière à l'exaltation de l'aventure. Vagabond déjà, dans ses fugues vers Paris ou la Belgique, il vit ses poèmes où brille l'innocence d'un regard neuf porté sur le monde.

Le temps de sa liaison avec Verlaine sera pour lui le temps de la poésie : celui des espoirs les plus audacieux, celui aussi, pour finir, du désespoir. Une vie et un génie brûlés en trois ans, et issue de ce feu, une œuvre brève — quelques centaines de pages — mais chargée d'une révolution spirituelle dont l'efficacité demeure inaltérée.

Puis le silence, si abrupt et si total qu'il paraîtra aux gé-

1. Né en 1854 à Charleville, mort en 1891 à Marseille. Œuvres principales : *Une saison en Enfer* (Ed. Originale, Poot et Cie, 1873; Ed. Mercure de France, 1941); *Les Illuminations* (Ed. Originale de la Vogue, 1886; Ed. Mercure de France, 1941); *Poésies complètes* (préface de Verlaine, Vanier, 1895); *Œuvres complètes* (Ed. N.R.F., en 1946). Références : *Arthur Rimbaud*, par Claude-Edmonde Magny (Ed. P. Seghers, « Poètes d'aujourd'hui »); *Rimbaud le Voyant*, par Rolland de Renéville (Paris, Au Sans Pareil); *Rimbaud*, par André Dhotel (Gallimard); *Rimbaud et le Problème des Illuminations*, par H. de Bouillane de Lacoste (Mercure de France, 1949); *Flagrant délit*, par André Breton (Thésée, 1949); *Le Mythe de Rimbaud*, par Etiemble (Paris, Gallimard, 1952); *Le Premier visage de Rimbaud*, par E. Noulet (Bruxelles, Palais des Académies, 1953); *L'Evolution statistique du style de Rimbaud*, par Pierre Guiraud (Mercure de France, octobre 1954); *Rimbaud ou le Génie impatient*, par Henri Mondor (Gallimard, 1955); *Arthur Rimbaud ou le Jules Verne de la Poésie*, par Luc Decaunes (Seghers, 1955), *Préface aux Œuvres de Rimbaud*, par René Char (Club Français du livre, 1957).

nérations suivantes aussi exemplaire que la voix à laquelle il succède étrangement.

Dix-huit années plus tard, lorsque Rimbaud revient d'Abyssinie où il a mené l'existence du trafiquant d'armes, lorsque, amputé d'une jambe, il meurt à l'hôpital de Marseille, il semble n'avoir eu de commun avec le poète des *Illuminations* que le nom. Le poète est mort à dix-neuf ans, que sait-on en fait de l'homme qui lui a survécu ? L'énigme de cette dualité a donné jour à bien des mythes intéressants et contradictoires, ce qui importe pour nous c'est que par sa destinée aussi bien que par son œuvre, Rimbaud n'a cessé d'éclairer et d'inquiéter depuis plus d'un demi-siècle tous ceux pour qui la poésie est indissolublement tentation du verbe et nostalgie du silence.

« Voleur d'étincelles », nul ne l'est plus que Rimbaud, poète prométhéen : impatient de se libérer et de libérer l'homme de tous les préjugés, de toutes les insuffisances, de retrouver en lui une pureté sauvage égale à celle des éléments.

Pour l'adolescent Rimbaud se confondent poésie et soif de la révolution, d'une révolution totale, engageant l'être dans son intégrité; immense, aventureuse entreprise de libération sur le plan social comme sur le plan moral ou métaphysique. Le poète est l'annonciateur de toutes les libertés : celles de la femme et de l'amour :

L'amour est à réinventer...
Quand sera brisé l'indéfini servage de la femme...

celles qui pourraient donner enfin un sens à cette vie enlisée en la faisant départ perpétuel ainsi que l'a rêvé le « Poète de Sept ans » :

... seul, et couché sur des pièces de toile
Écrue, et pressentant violemment la voile!...

Les entraves, les interdits, les limites, il n'est pas un mot, pas une image rimbaldienne qui ne tendent à les détruire.

Dans cette lutte le poète manie les armes les plus diverses : celles de la déraison aussi bien que de la raison, de l'imagination aussi bien que des sens, de l'art aussi bien que du rêve. Lucidité ou délire, Rimbaud les embrasse avec une égale ardeur. C'est sa lucidité qui le pousse d'abord à nier ce monde irrecevable (« Nous ne sommes pas au monde ») pour lui substituer un univers de l'imagination dont il serait le Créateur, un univers poussé jusqu'à l'extrême élan du délire, mais c'est encore sa lucidité qui, plus tard, lui fera rejeter la poésie dont il dénoncera l'impuissance à « changer la vie ».

Dès ses premiers vers, avant même *Le Bateau Ivre* ou *Les Poètes de Sept ans* où il remarque, insurgé de naissance :

Il n'aimait pas Dieu, mais les hommes, qu'au soir fauve,
Noirs, en blouse, il voyait rentrer dans le faubourg...

Rimbaud a conscience de la démesure comme des dangers de la tâche qu'il se fixe, de la fierté et de l'audace qu'elle implique, de la découverte enfin qu'il en espère : celle d'une *vraie vie* ouverte à l'infini. (« Ce qu'on ne sait pas, c'est peut-être terrible. Nous saurons », ou bien encore : « Notre pâle raison nous cache l'infini! », « Tes grandes visions étranglaient ta parole. Et l'infini terrible effara ton œil bleu! ») Une aspiration violente à transgresser les communes frontières et, au service de cette passion, un orgueil et un courage exemplaires, tels sont dès ses premiers poèmes les signes qui marqueront pendant trois années la vie aussi bien que l'œuvre de Rimbaud, et qui soutiendront aussi bien ses paroles de pure intensité mystique, que ses cris de dégoût, de volontaire cruauté ou d'horreur.

Dans sa lettre, dite du « Voyant » — 15 mai 1871, — Rimbaud définit la fonction du poète selon son cœur et son esprit : « Je dis qu'il faut être *voyant*, se faire *voyant*... Le Poète se fait *voyant* par un long, immense et raisonné *dérèglement de tous les sens*... il devient entre tous le grand malade, le grand criminel, le grand maudit, — et le suprême savant! — car il arrive à l'*inconnu!*... et quand affolé, il finirait par perdre l'intelligence de ses visions, il les a vues! qu'il crève dans son bondissement par les choses inouïes et innommables : viendront d'autres horribles travailleurs; ils commenceront par les horizons où l'autre s'est affaissé! » Et Rimbaud continue : « Donc le poète est vraiment voleur de feu. Il est chargé de l'humanité, des *animaux mêmes*; il devra faire sentir, palper, écouter ses inventions; si ce qu'il rapporte de *là-bas* a forme, il donne forme; si c'est informe, il donne de l'informe... La Poésie ne rythmera plus l'action; elle *sera en avant.* » Un demi-siècle plus tard, les Surréalistes feront leur ce programme, disons plutôt cette passion — dans la double acception du terme — et parmi eux Antonin Artaud connaîtra jusqu'à l'ultime péril le sort de ces « horribles travailleurs » qu'appelait Rimbaud. Mais la poésie n'est pas exigence d'inconnu et d'absolu, elle est *poèmes,* et l'exigence rimbaldienne ne serait ni convaincante ni suffisante si elle ne nous avait donné des poèmes d'un ton absolument neuf, riches d'images fascinatrices, d'une langue où rigueur et souplesse se conjuguent aussi bien dans l'invective que dans la tendresse, dans l'extase que dans l'ironie, dans le lyrisme le plus ample que dans une brutale concision.

Dans ces poèmes, une allégresse, une jeune impatience, une innocence résonnent, même au sein du combat. Lorsqu'il a, par quelques images fulgurantes, mis en pièces le vieux monde : ses duperies, ses lâchetés ou ses trahisons, Rimbaud fait entendre dans la joie comme dans l'ironie, dans la douleur comme dans la colère, un chant vif et fier, non pas hymne, mélopée, litanie mais élans irrépressibles, bonds qu'il élève au-dessus des ruines.

LES MAINS DE JEANNE-MARIE

Jeanne-Marie a des mains fortes,
Mains sombres que l'été tanna,
Mains pâles comme des mains mortes,
— Sont-ce des mains de Juana ?

Ont-elles pris les crèmes brunes
Sur les mares des voluptés ?
Ont-elles trempé dans des lunes
Aux étangs de sérénités ?

Ont-elles bu des cieux barbares,
Calmes sur les genoux charmants ?
Ont-elles roulé des cigares
Ou trafiqué des diamants ?

Sur les pieds ardents des Madones
Ont-elles fané des fleurs d'or ?
C'est le sang noir des belladones
Qui dans leur paume éclate et dort.

Mains chasseresses des diptères
Dont bombinent les bleuisons
Aurorales, vers les nectaires ?
Mains décanteuses de poisons ?

Oh! quel Rêve les a saisies
Dans les pandiculations ?
Un rêve inouï des Asies,
Des Khenghavars ou des Sions ?

— Ces mains n'ont pas vendu d'oranges,
Ni bruni sur les pieds des dieux :
Ces mains n'ont pas lavé les langes
Des lourds petits enfants sans yeux.

Ce ne sont pas mains de cousine
Ni d'ouvrières aux gros fronts
Que brûle, aux bois puant l'usine,
Un soleil ivre de goudrons.

Ce sont des ployeuses d'échines,
Des mains qui ne font jamais mal,
Plus fatales que des machines,
Plus fortes que tout un cheval!

Remuant comme des fournaises,
Et secouant tous ses frissons,
Leur chair chante des Marseillaises
Et jamais des Eleisons!

Ça serrerait vos cous, ô femmes
Mauvaises, ça broierait vos mains,
Femmes nobles, vos mains infâmes
Pleines de blancs et de carmins.

L'éclat de ces mains amoureuses
Tourne le crâne des brebis!
Dans leurs phalanges savoureuses
Le grand soleil met un rubis!

Une tache de populace
Les brunit comme un sein d'hier;
Le dos de ces Mains est la place
Qu'en baisa tout Révolté fier!

Elles ont pâli, merveilleuses,
Au grand soleil d'amour chargé,
Sur le bronze des mitrailleuses
A travers Paris insurgé!

Ah! quelquefois, ô Mains sacrées,
A vos poings, Mains où tremblent nos
Lèvres jamais désenivrées,
Crie une chaîne aux clairs anneaux!

Et c'est un Soubresaut étrange
Dans nos êtres, quand, quelquefois,
On veut vous déhâler, Mains d'ange,
En vous faisant saigner les doigts!

Rimbaud c'est une clarté, des rythmes de marche tour à tour flâneuse et fébrile, une ivresse; c'est encore le goût direct, franc de la nature chaude, lieu de liberté.

Regret des bras épais et jeunes d'herbe pure!
Or des lunes d'avril au cœur du saint lit! Joie
des chantiers riverains à l'abandon, en proie
aux soirs d'août qui faisaient germer ces pourritures!

Qu'elle pleure à présent sous les remparts! l'haleine
des peupliers d'en haut est pour la seule brise.
Puis, c'est la nappe, sans reflets, sans source, grise :
un vieux, dragueur, dans sa barque immobile, peine.

*

Jouet de cet œil d'eau morne, je n'y puis prendre,
ô canot immobile! Oh! bras trop courts! ni l'une
ni l'autre fleur : ni la jaune qui m'importune,
là; ni la bleue, amie à l'eau couleur de cendre.

Ah! la poudre des saules qu'une aile secoue!
Les roses des roseaux dès longtemps dévorées!
Mon canot, toujours fixe; et sa chaîne tirée!
au fond de cet œil d'eau sans bords, — à quelle boue?

LARME

Loin des oiseaux, des troupeaux, des villageoises,
Je buvais, accroupi dans quelque bruyère
Entourée de tendres bois de noisetiers,
Par un brouillard d'après-midi tiède et vert.

Que pouvais-je boire dans cette jeune Oise,
Ormeaux sans voix, gazon sans fleurs, ciel couvert.
Que tirais-je à la gourde de colocase?
Quelque liqueur d'or, fade et qui fait suer.

Tel, j'eusse été mauvaise enseigne d'auberge.
Puis l'orage changea le ciel, jusqu'au soir.
Ce furent des pays noirs, des lacs, des perches,
Des colonnades sous la nuit bleue, des gares.

L'eau des bois se perdait sur des sables vierges.
Le vent, du ciel, jetait des glaçons aux mares...
Or! tel qu'un pêcheur d'or ou de coquillages,
Dire que je n'ai pas eu souci de boire!

Rimbaud c'est aussi le triomphe de l'enfance qui a fait éclater toutes les défenses des adultes (et des « assis »), c'est une grâce, un bonheur qui font du poète, vraiment, le « Petit Poucet rêveur » dont il parle. Cette grâce triomphe au mois de mai 1872 qui voit éclore une floraison de poèmes énigmatiques, légers, dont plusieurs ont une allure de chanson. La vitesse, la vivacité extrêmes sont leurs privilèges; le bond et la souplesse dans le rythme, l'ellipse dans le surgissement des images, en font les armes étincelantes de l'esprit. S'ils ne se laissent pas aisément pénétrer, ce n'est point par obscurité mais, au contraire par l'éblouissement qu'ils nous procurent et qui est dû tantôt à l'extrême violence d'une expérience brûlant les étapes, dépassant dans une lumière d'extase les contradictions, tantôt à l'insolence de cette parole qui dédaigne de se faire accessible ou apprivoisée. De cette parole, Rimbaud, lui-même dit : « Qu'elle fuie et vole! » ainsi le poème à la fois fuit notre soif et s'élève, avec nous dans son sillage, si nous en sommes dignes, sinon seul.

O saisons, ô châteaux,
Quelle âme est sans défauts ?

O saisons, ô châteaux,

J'ai fait la magique étude
Du bonheur, que nul n'élude.

O vive lui, chaque fois
Que chante le coq gaulois

Mais je n'aurai plus d'envie,
Il s'est chargé de ma vie.

Ce charme! il prit âme et corps,
Et dispersa tous efforts.

Que comprendre à ma parole ?
Il fait qu'elle fuie et vole!

O saisons, ô châteaux!

CHANSON DE LA PLUS HAUTE TOUR

Oisive jeunesse
A tout asservie,
Par délicatesse
J'ai perdu ma vie.
Ah! Que le temps vienne
Où les cœurs s'éprennent.

Je me suis dit : laisse,
Et qu'on ne te voie :
Et sans la promesse
De plus hautes joies.
Que rien ne t'arrête,
Auguste retraite.

J'ai tant fait patience
Qu'à jamais j'oublie;
Craintes et souffrances
Aux cieux sont parties.
Et la soif malsaine
Obscurcit mes veines.

Ainsi la Prairie
A l'oubli livrée,
Grandie, et fleurie
D'encens et d'ivraies
Au bourdon farouche
De cent sales mouches.

Ah! Mille veuvages
De la si pauvre âme
Qui n'a que l'image
De la Notre-Dame!
Est-ce que l'on prie
La Vierge Marie ?

Oisive jeunesse
A tout asservie,
Par délicatesse
J'ai perdu ma vie.
Ah! Que le temps vienne
Où les cœurs s'éprennent!

L'ÉTERNITÉ

Elle est retrouvée.
Quoi ? — L'Éternité.
C'est la mer allée
Avec le soleil.

Ame sentinelle,
Murmurons l'aveu
De la nuit si nulle
Et du jour en feu.

Des humains suffrages,
Des communs élans
Là tu te dégages
Et voles selon.

Puisque de vous seules,
Braises de satin,
Le Devoir s'exhale
Sans qu'on dise : enfin.

Là pas d'espérance,
Nul orietur.
Science avec patience,
Le supplice est sûr.

Elle est retrouvée.
Quoi ? — L'Éternité.
C'est la mer allée
Avec le soleil.

On l'a remarqué, il n'est pas sans désenchantement parfois, ce ton souverain, on soupçonne une blessure dans son feu. C'est que le triomphe voulu par le poète est dévorant, durer ne peut lui suffire ou plutôt il ne peut durer sans s'étendre sans fin et s'approfondir. Echapper aux bornes entre lesquelles se jouent la plupart des existences ne saurait combler Rimbaud, il lui faut tenter frénétiquement d'assumer toutes les possibilités qu'il pressent en lui-même, quitte à se perdre au terme de cette chasse qui métamorphose l'enfant prodige en héros et en damné. Son avidité maintes fois éclate dans ses vers, son impossibilité de sacrifier un seul de ses possibles : « Je suis le saint (...) Je suis le savant (...) Je suis le piéton de la grand-route (...) », et, au cœur de cette ambition multiple, la secrète peine de celui que sa grandeur exile, la probabilité de la détresse :

« Je serais bien l'enfant abandonné ». Il faut à cet esprit militant, et non seulement pour lui mais pour la communauté humaine, dresser à la place du monde habituel et logique qu'il dénonce l'univers magique qu'il appréhende en lui-même et dont il souhaite expérimenter par l'imagination et les sens, et révéler par une « langue qui sera de l'âme pour l'âme, résumant tout, parfums, sons, couleurs, de la pensée accrochant la pensée et tirant », par un verbe nouveau les ressources profondes, qu'elles soient joies ou, au contraire, angoisses.

Les poèmes en prose des *Illuminations* témoignent du plus haut degré atteint par cette ambition : « La mémoire et les sens ne seront que la nourriture de ton impulsion créatrice, quant au monde, quand tu sortiras, que sera-t-il devenu ? En tout cas, rien des apparences actuelles. » Pourtant, malgré une exaltation farouche, malgré la colère, la cruauté, le goût de la destruction :

Qu'est-ce pour nous, mon cœur, que les nappes de sang
Et de braise, et mille meurtres, et les longs cris
De rage, sanglots de tout enfer renversant
Tout ordre; et l'Aquilon en or sur les débris.

malgré cette insurrection permanente, force est bien au poète de reconnaître sa défaite : (« Ce n'est rien: j'y suis; j'y suis toujours ») et qu'au sortir d'une période conquérante, ou qui se voulait et se croyait telle, il retrouve le monde avec ses « apparences actuelles », tel qu'il l'avait, avec défi, quitté. « Ah! songer est indigne — Puisque c'est pure perte », avouera-t-il.

Délibérément, il s'était écarté de la voie commune pour découvrir une route prodigieuse. *Sa route* où il échapperait à « la honte de notre inhabileté fatale »; il entendait trouver « le lieu et la formule » susceptibles de rendre l'homme « à son état primitif de fils du soleil », d'ailleurs il pensait ainsi être fidèle aux signes de l'avenir : ceux de la science et de la révolution (« que les accidents de féerie scientifique et des mouvements de fraternité sociale soient chéris comme restitution progressive de la franchise première »). Mais, cette quête d'un âge d'or qui ne se pourrait retrouver que par une recréation s'est muée en une chute infernale. *Une saison en enfer* semble être ainsi le sombre verso des

Illuminations, et l'adieu de Rimbaud à la poésie[1]. Désormais, il n'aura plus que mépris pour cette « alchimie du verbe » au nom de laquelle il « écrivai(t) des silences, des nuits (il) notai(t) l'inexprimable », il semblera ne plus se souvenir d'être devenu un « opéra fabuleux » : lui qui avait connu l'enivrement du démiurge, enivrement qui le faisait s'écrier : « J'ai créé toutes les fêtes, tous les triomphes, tous les drames. J'ai essayé d'inventer de nouvelles fleurs, de nouveaux astres, de nouvelles chairs, de nouvelles langues. J'ai cru acquérir des pouvoirs surnaturels », le voici brutalement retombé, Icare dont meurent les ailes, archange foudroyé, Prométhée rivé à son roc : « Moi! moi qui me suis dit mage ou ange, dispensé de toute morale, je suis rendu au sol, avec un devoir à chercher, et la réalité rugueuse à étreindre! Paysan. »

Pourtant, cet aveu d'humilité demeure ambigu comme l'entière *Saison en enfer* où la détresse alterne avec la révolte, la souffrance avec la haine; si le poète déclare : « J'attends Dieu avec gourmandise », ou « Le monde est bon », à la phrase prochaine il reprend son défi de réprouvé. C'est dans une telle ambiguïté que s'achève l'œuvre poétique, la plus riche de résonances futures, avec celle de Baudelaire, que l'Europe ait connue. Alors qu'il a désespéré de la poésie pour n'avoir pu par elle, comme il le voulait ardemment, *changer la vie*, alors qu'il a conclu pour lui à un échec, pour nous Arthur Rimbaud aura réussi à transfigurer cette vie, à révéler un nouveau monde mental et verbal qui l'autorise à affirmer par-delà sa double mort : « Je suis un inventeur bien autrement méritant que tous ceux qui m'ont précédé, un musicien même qui ai trouvé quelque chose comme la clef de l'amour. » Voici quelques-unes de ses *Illuminations :*

H

Toutes les monstruosités violent les gestes atroces d'Hortense. Sa solitude est la mécanique érotique; sa lassitude, la dynamique amoureuse. Sous la surveillance d'une enfance, elle a été, à des époques nombreuses, l'ardente

1. M. Bouillane de Lacoste, se basant sur des études graphologiques, juge la *Saison* antérieure aux *Illuminations*. Pourtant par ses références à un *passé* de magie poétique qu'elle abandonne et condamne, la *Saison* me paraît bien conserver son sens d'ultime adieu.

hygiène des races. Sa porte est ouverte à la misère. Là, la moralité des êtres actuels se décorpore en sa passion ou en son action. — O terrible frisson des amours novices sur le sol sanglant et par l'hydrogène clarteux! trouvez Hortense.

MATINÉE D'IVRESSE

O mon Bien! O mon Beau! Fanfare atroce où je ne trébuche point! Chevalet féerique! Hourra pour l'œuvre inouïe et pour le corps merveilleux, pour la première fois! Cela commença sous les rires des enfants, cela finira par eux. Ce poison va rester dans toutes nos veines même quand, la fanfare tournant, nous serons rendu à l'ancienne inharmonie. O maintenant, nous si digne de ces tortures! rassemblons fervemment cette promesse surhumaine faite à notre corps et à notre âme créés : cette promesse, cette démence! L'élégance, la science, la violence! On nous a promis d'enterrer dans l'ombre l'arbre du bien et du mal, de déporter les honnêtetés tyranniques, afin que nous amenions notre très pur amour. Cela commença par quelques dégoûts et cela finit, — ne pouvant nous saisir sur-le-champ de cette éternité, — cela finit par une débandade de parfums.

Rire des enfants, discrétion des esclaves, austérité des vierges, horreur des figures et des objets d'ici, sacrés soyez-vous par le souvenir de cette vieille. Cela commençait par toute la rustrerie, voici que cela finit par des anges de flamme et de glace.

Petite veille d'ivresse, sainte! quand ce ne serait que pour le masque dont tu nous as gratifié. Nous t'affirmons, méthode! Nous n'oublions pas que tu as glorifié hier chacun de nos âges. Nous avons foi au poison. Nous savons donner notre vie tout entière tous les jours.

Voici le temps des ASSASSINS.

VEILLÉES

I

C'est le repos éclairé, ni fièvre ni langueur, sur le lit ou sur le pré.
C'est l'ami ni ardent ni faible. L'ami.
C'est l'aimée ni tourmentante ni tourmentée. L'aimée.
L'air et le monde point cherchés. La vie.
— Était-ce donc ceci ?
— Et le rêve fraîchit.

II

L'éclairage revient à l'arbre de bâtisse. Des deux extrémités de la salle, décors quelconques, des élévations harmoniques se joignent. La muraille en face du veilleur est une succession psychologique de coupes de frises, de bandes atmosphériques et d'accidents géologiques. — Rêve intense et rapide de groupes sentimentaux avec des êtres de tous les caractères parmi toutes les apparences.

III

Les lampes et les tapis de la veillée font le bruit des vagues, la nuit, le long de la coque et autour du steerage.

La mer de la veillée, telle que les seins d'Amélie.

Les tapisseries, jusqu'à mi-hauteur, des taillis de dentelle teinte d'émeraude, où se jettent les tourterelles de la veillée.

. . . .

La plaque du foyer noir, de réels soleils des grèves : ah! puits des magies; seule vue d'aurore, cette fois.

LAUTRÉAMONT

Les Chants de Maldoror sont-ils poèmes ou roman ? Et qui les écrivit ? A la première question, sans doute peut-on répondre que l'œuvre tient à la fois de l'épopée et du feuilleton. A la seconde, rappeler le nom de l'auteur : Isidore Ducasse et son pseudonyme : Comte de Lautréamont[1]. Cependant les *Chants* demeurent si étranges, si solitaires, si ambigus, qu'ils n'entrent en fait dans aucun genre littéraire : de même la figure morale aussi bien que physique de l'adolescent qui les signa se révèle si insaisissable, si insolites enfin les rapports du créateur et de sa création qu'on ne sait trop qui désigner sous le triple masque de Ducasse, de Lautréamont et de Maldoror. Le premier des six chants paraît en août 1868 sous l'anonymat et depuis, peut-on affirmer que celui-ci ait été réellement percé ? Une fois qu'on a dit : Isidore Ducasse quitta Montevideo pour la France, où il fit ses études à Tarbes, à Pau, puis à Paris où il meurt à vingt-trois ans après avoir renié son inquiétant génie, on a bien peu avancé dans la connaissance de l'être responsable, à travers un jeune homme de vingt ans, de la machine infernale qui fut insérée au cœur de la *littérature*. Je ne pense pas que ce soit par hasard que ces chants de révolte et de dévastation aient vu le jour grâce à un adolescent précisément dans le temps où un ridicule, tyrannique et sénile Empire s'apprêtait à s'écrouler dans le feu

---

1. Né en 1846 à Montevideo, mort en 1870 à Paris. Œuvres principales : *Les Chants de Maldoror* (publiés à la Librairie Albert Lacroix en 1869, et réédités par la Sirène en 1920); *Poésies* (Ed. Au Sans Pareil, 1917); *Œuvres complètes*, avec introduction par André Breton et illustrations de Brauner, Max Ernst, etc... (Ed. G.L.M., 1938); *Œuvres complètes*, Essai de Julien Gracq (Ed La Jeune Parque). Références : *Lautréamont*, par G. Bachelard (Ed. Corti, 1939) ; *Lautréamont*, par Marcel Jean et Arpad Mazéi (Le Pavois) ; *Lautréamont*, par Philippe Soupault (Ed. Seghers, Coll. Poètes d'aujourd'hui, 1946) ; *Lautréamont et Sade*, par Maurice Blanchot (Paris, 1950).

et le sang de la guerre, puis du massacre de la Commune, et je ne pense pas que ce soit par hasard que dans le même temps, un autre adolescent se soit engagé sur une semblable voie de violence spirituelle.

Enfin, ce n'est pas par hasard non plus si Rimbaud comme Lautréamont passèrent l'un presque, l'autre tout à fait inaperçus, et disparurent, reniant leur itinéraire poétique conduit jusqu'aux limites de la déraison, l'un dans le silence, l'autre dans la mort, et que leurs œuvres, bombes à retardement, trouvèrent leur explosion, leur expansion majeure à l'issue d'une autre guerre, au sein d'un chaos aggravé, alors qu'enfin non plus seulement un ou deux êtres d'exception, mais toute une jeune brûlante équipe ressentait la nécessité d'une « révolution surréaliste » capable de faire jaillir des ruines d'une société stupide, injuste, hypocrite et meurtrière, un homme libre et vrai.

A leur naissance, qui eût pu aimer *Les Chants de Maldoror* sinon Rimbaud et comprendre *Une Saison en Enfer* sinon Isidore Ducasse ? Mais le sort n'a pas voulu la rencontre de ces deux enfants qui prennent aisément par-delà leur mort, figure mythique de deux archanges frères et maudits.

Je l'ai dit : il n'est guère possible de définir le livre d'Isidore Ducasse : à la fois épopée, roman noir, plongée aux enfers, parodie géniale des textes romantiques mais aussi des procédés, des situations et des caractères du feuilleton.

On a fait deux remarques sur le vocable même de Lautréamont qui me paraissent bien éclairer les tendances opposées des *Chants* : d'une part, un personnage d'Eugène Sue se nommait Latréamont — voilà peut-être l'indice d'une source moderne, ironiquement transposée de l'œuvre : la séduction du héros ultra-romanesque qui échappe au réel —, d'autre part, le pseudonyme de Ducasse peut se lire : « L'Autre est Ammon » — le dieu solaire égyptien, et voici peut-être le signe de la tentation du démiurge : celui qui anime ou brûle le réel.

Animée et brûlante, telle est bien l'œuvre de Lautréamont, animée par un esprit de feu dans sa profusion, sa prolifération, le grouillement de sa faune cruelle : du monstre à tête humaine au pou, en passant par le tigre et le requin; œuvre pleine de démesure, de fièvre, de tumulte en même temps que soumise à une solennité glaciale. Sous un climat de violence sans pareille, l'ironie voisine avec la vision : la caricature énorme trouble soudain la pureté du chant; le plagiat, le pastiche, la parodie s'insèrent sans les rompre dans les pages les plus lyriques. Malgré cette diversité, ces mélanges, il n'est pas une page, une ligne qui n'ait ici le ton lautréamontien somptueux, abondant et précis, et lorsque le jeune écolier Isidore Ducasse s'approprie les descriptions d'histoire naturelle du Dr Chenu et à travers elles, d'importants passages de Buffon, ainsi que le montre M. Maurice Viroux dans un essai publié par le *Mercure de France* en décembre 1952, il le fait à si bon escient que la mystification même est dépassée, on se trouve en présence d'un *vol parfait* qui souligne la volonté de dérision, l'humour noir, la farce vengeresse d'écolier prodige et désespéré qui ne cessent de saper de l'intérieur le lyrisme inouï et pourtant constamment maîtrisé des Chants. Une fureur spirituelle, une détermination rigoureuse règnent, contradictoires, implacables à travers ce déroulement serré d'images, d'aventures, de blasphèmes : les nobles périodes dont les classiques usaient pour évoquer un monde ordonné, Lautréamont les retrouve perfidement pour dresser la vision à la fois romantique et ironique d'un désordre sacré :

J'ai fait un pacte avec la prostitution afin de semer le désordre dans les familles. Je me rappelle la nuit qui précéda cette dangereuse liaison. Je vis devant moi un tombeau. J'entendis un ver luisant, grand comme une maison, qui me dit : « Je vais t'éclairer. Lis l'inscription. Ce n'est pas de moi que vient cet ordre suprême. » Une vaste lumière couleur de sang, à l'aspect de laquelle mes mâchoires claquèrent et mes bras tombèrent inertes, se répandait dans les airs jusqu'à l'horizon. Je m'appuyai contre une muraille en ruine, car j'allais tomber, et je lus : « Ci-gît un adolescent qui mourut poitrinaire : vous savez pourquoi. Ne priez pas pour lui. » Beaucoup d'hommes n'auraient peut-être pas eu autant de courage que moi. Pendant ce temps, une belle femme nue vint se coucher à mes pieds. Moi, à elle, avec une figure triste : « Tu peux te relever. » Je lui tendis la main avec laquelle le fratricide égorge sa sœur. Le ver luisant, à moi : « Toi, prends une pierre et tue-la. — Pourquoi ? » lui dis-je. Lui, à moi : « Prends garde à toi; le plus faible, parce que je suis le plus fort. Celle-ci s'appelle PROSTITUTION. *» Les larmes dans les yeux, la rage dans le cœur, je sentis naître en moi une force inconnue. Je pris* *une grosse pierre; après bien des efforts, je la soulevai avec peine jusqu'à la hauteur de ma poitrine; je la mis sur l'épaule avec les bras. Je gravis une montagne jusqu'au sommet : de là, j'écrasai le ver luisant. Sa tête s'enfonça sous le sol d'une grandeur d'homme; la pierre rebondit jusqu'à la hauteur de six églises. Elle alla retomber dans un lac, dont les eaux s'abaissèrent un instant, tournoyantes, en creusant un immense cône renversé. Le calme reparut à la surface; la lumière de sang ne brilla plus. « Hélas! hélas! s'écria la belle femme nue; qu'as-tu fait ? » Moi, à elle : « Je te préfère à lui; parce que j'ai pitié des malheureux. Ce n'est pas ta faute, si la justice éternelle t'a créée. » Elle, à moi : « Un jour, les hommes me rendront justice; je ne t'en dis pas davantage. Laisse-moi partir, pour aller cacher au fond de la mer ma tristesse infinie. Il n'y a que toi et les monstres hideux qui grouillent dans ces noirs abîmes, qui ne me méprisent pas. Tu es bon. Adieu, toi qui m'as aimée! » Moi, à elle : « Adieu! Encore une fois : adieu! Je t'aimerai toujours!... Dès aujourd'hui, j'abandonne la vertu. » C'est pourquoi, ô peuples, quand vous entendrez le vent d'hiver gémir sur la mer et près de ses bords, ou au-dessus des grandes villes, qui, depuis longtemps, ont pris le deuil pour moi, ou à travers les froides régions polaires, dites : « Ce n'est pas l'esprit de Dieu qui passe : ce n'est que le soupir aigu de la prostitution, uni avec les gémissements graves du Montévidéen. » Enfants, c'est moi qui vous le dis. Alors, pleins de miséricorde, agenouillez-vous; et que les hommes, plus nombreux que les poux, fassent de longues prières.*

Notons que l'intuition de Rimbaud, selon laquelle « Je est un autre » semble s'appliquer d'une façon assez troublante à l'apparition des *Chants de Maldoror* sous la plume d'un adolescent : *un autre* (l'autre est Ammon) ne parle-t-il pas à travers cet enfant : Isidore Ducasse, même si le collégien prétend garder jusqu'au ricanement, voire jusqu'au plagiat mystificateur, le contrôle de son œuvre effarante, *un autre* qui est à la fois lui-même et une force psychique, une animation mythique dépassant la subjectivité du poète. « C'est un cauchemar qui tient la plume », écrira plus tard Isidore Ducasse. On ne peut mieux exprimer par quelle irrépressible pulsion onirique l'œuvre se trouve être *dictée* à qui doit l'écrire, et que l'exécution de cette œuvre révèle maintes fois une extrême lucidité ne change rien au caractère souterrain de ses sources : la force de l'inconscient peut être assez grande pour utiliser les armes de la conscience, on le voit bien dans certaine paranoïa où observation, déduction, logique sont utilisées par le délire qui ainsi paré des clartés de la raison n'en acquiert qu'une plus dangereuse acuité.

Ce « cauchemar qui tient la plume », quel est-il ? Quel est ce personnage, ce monstre qui semble autant créer l'auteur qu'être créé par lui ? Isidore Ducasse l'a voulu comme lui-même montévidéen — et ce choix montrerait encore si cela était nécessaire la primauté du subjectif dans les Chants quelle que soit la réalisation objective : écriture étudiée, pastiches ou emprunts de certains passages. — Les faces hideuses, terribles et diverses de Maldoror sont moins les masques d'Isidore Ducasse que ses visages de rêve; peut-être à l'origine les visages de ses peurs transmuées pour les conjurer en ses propres visages d'agression. Oui, quel est-il ce Maldoror (ce mal d'aurore) ? Ne serait-ce pas, comme son nom semble le suggérer, le mal à l'état naissant, le mal absolu et pur dont la vocation est d'anéantir l'homme, médiocre impureté, et au-delà d'attaquer le responsable, l'être qui fit, dit-on, l'homme à son image, Dieu. « Ma poésie, affirme Ducasse, ne consistera qu'à attaquer, par tous les moyens, l'homme, cette bête fauve, et le créateur qui n'aurait pas dû engendrer une pareille vermine ». On peut encore déceler à partir de cette déclaration, le processus par lequel le jeune poète a pu tirer de ses propres effrois son désir, sa volonté d'effrayer. Il entend « attaquer (...) l'homme cette bête fauve » et il le fait précisément en peuplant son œuvre de bêtes fauves, c'est-à-dire en *devenant* lui-même ces bêtes de proie, en s'identifiant complaisamment avec les animaux dont l'essence même semble être la férocité : le tigre, l'aigle, le requin, le crabe, le pou — bête maldororienne par excellence car elle est à la fois objet de crainte, de dégoût et de dérision. — Vraisemblablement enfermé en soi-même, au cœur de son malaise, de sa solitude, de sa passion d'adolescent exilé, perdu dans une ville dont il ressent l'indifférence, l'hostilité — « Ils ne m'aiment pas, eux! » — et dont il pressent quelle énorme jungle d'instincts elle compose, Isidore Ducasse de proie virtuelle qu'il pouvait être s'est changé, sur le plan de la création poétique, en Maldoror, bête de proie. Les Chants évoquent l'implacable guerre que son double imaginaire mène à l'homme et à Dieu; leur agressivité : celle du croc, de la griffe, de la pince, du dard est sans bornes. Par là, le comte de Lautréamont rejoint le « divin marquis » de Sade. Mais, aussi acharné que ce dernier dans l'affabulation du mal, poète, il échappe à la monotonie sadique, grâce à l'invention lyrique, au dynamisme de ses images, à la beauté de son style. C'est à juste titre qu'il affirme : « Moi, je fais servir mon génie à peindre les délices de la cruauté ». De telles « délices » abondent à chaque page, en voici quelques-unes parmi tant d'autres, qui témoignent de l'invincibilité de Maldoror, surhomme, trompe-la-mort, bourreau et défi aux bourreaux.

Comme la conscience avait été envoyée par le Créateur, je crus convenable de ne pas me laisser barrer le passage par elle. Si elle s'était présentée avec la modestie et l'humilité propres à son rang, et dont elle n'aurait jamais dû se départir, je l'aurais écoutée. Je n'aimais pas son orgueil. J'étendis une main, et sous mes doigts broyai les griffes; elles tombèrent en poussière sous la pression croissante de ce mortier de nouvelle espèce. J'étendis l'autre main, et lui arrachai la tête. Je chassai ensuite, hors de ma maison, cette femme, à coups de fouet, et je ne la revis plus. J'ai gardé sa tête en souvenir de ma victoire... Une tête à la main, dont je rongeais le crâne, je me suis tenu sur un pied, comme le héron, au bord du précipice creusé dans les flancs de la montagne. On m'a vu descendre dans la vallée, pendant que la peau de ma poitrine était immobile et calme, comme le couvercle d'une tombe! Une tête à la main, dont je rongeais le crâne, j'ai nagé dans les gouffres les plus dangereux, longé les écueils mortels, et plongé plus bas que les courants, pour assister, comme un étranger, aux combats des monstres marins; je me suis écarté du rivage, jusqu'à le perdre de ma vue perçante; et les crampes hideuses, avec leur magnétisme paralysant, rôdaient autour de mes membres, qui fendaient les vagues avec des mouvements robustes, sans oser approcher. On m'a vu revenir, sain et sauf, dans la plage, pendant que la peau de ma poitrine était immobile et calme, comme le couvercle d'une tombe! Une tête à la main, dont je rongeais le crâne, j'ai franchi les marches ascendantes d'une tour élevée. Je suis parvenu, les jambes lasses, sur la plate-forme vertigineuse. J'ai regardé la campagne, la mer; j'ai regardé le soleil, le firmament;

repoussant du pied le granit qui ne recula pas, j'ai défié la mort et la vengeance divine par une huée suprême, et me suis précipité, comme un pavé, dans la bouche de l'espace. Les hommes entendirent le choc douloureux et retentissant qui résulta de la rencontre du sol avec la tête de la conscience, que j'avais abandonnée dans ma chute. On me vit descendre, avec la lenteur de l'oiseau, porté par un nuage invisible, et ramasser la tête, pour la forcer à être témoin d'un triple crime, que je devais commettre le jour même, pendant que la peau de ma poitrine était immobile et calme, comme le couvercle d'une tombe! Une tête à la main, dont je rongeais le crâne, je me suis dirigé vers l'endroit où s'élèvent les poteaux qui soutiennent la guillotine. J'ai placé la grâce suave des cous de trois jeunes filles sous le couperet. Exécuteur des hautes œuvres, je lâchai le cordon avec l'expérience apparente d'une vie entière; et le fer triangulaire, s'abattant obliquement, trancha trois têtes qui me regardaient avec douceur. Je mis ensuite la mienne sous le rasoir pesant, et le bourreau prépara l'accomplissement de son devoir. Trois fois, le couperet redescendit entre les rainures avec une nouvelle vigueur; trois fois, ma carcasse matérielle, surtout au siège du cou, fut remuée jusqu'en ses fondements, comme lorsqu'on se figure en rêve être écrasé par une maison qui s'effondre. Le peuple stupéfait me laissa passer, pour m'écarter de la place funèbre; il m'a vu ouvrir avec mes coudes ses flots ondulatoires, et me remuer, plein de vie, avançant devant moi, la tête droite, pendant que la peau de ma poitrine était immobile et calme, comme le couvercle d'une tombe! J'avais dit que je voulais défendre l'homme, cette fois; mais je crains que mon apologie ne soit pas l'expression de la vérité; et, par conséquent, je préfère me taire. C'est avec reconnaissance que l'humanité applaudira à cette mesure!

Pauvre conscience, on songe un peu au triste sort que lui fera subir Ubu, mais Ubu sera grotesque, Maldoror, lui, est beau jusque dans sa hideur, ou plus justement fascinant. Et les adolescents ne résistent pas à cette terrible attraction. La peinture de ces jeunes garçons — Lautréamont est misogyne; le crime le plus atroce qu'il invente, il le fait perpétrer sur une vierge — cette peinture ne va pas sans une certaine tendresse qui détonne dans tant d'horreur sans merci. Maldoror se plaît, certes, à torturer ses jeunes adorateurs, mais on le sent, en fait, prosterné dans une curieuse et souffrante adoration devant leur noblesse et leur grâce. Si le bien n'est pas, la beauté ne se peut nier, et à travers elle, n'est-ce pas le bien qu'inconsciemment le héraut et le héros du mal convoite ? Plus d'une fois, au comble d'une jubilation infernale se devine la nostalgie d'une vie autre que la vie, transparente; et là encore, comme chez Baudelaire, comme chez Rimbaud se retrouve « la passion d'atteindre à l'infini par les moyens les plus insensés ».

La beauté d'âme et de corps des adolescents aimés, déchirés, satisfait l'angélisme de l'esprit maldororien qui choisit la méchanceté par désespoir d'obtenir jamais la pureté dont il rêve. Angélisme luciférien cette vision, par exemple, sur laquelle s'achève l'hymne aux poux : « Si la terre était couverte de poux, comme de grains de sable le rivage de la mer, la race humaine serait anéantie, en proie à des douleurs terribles; quel spectacle! Moi, avec des ailes d'ange, immobile dans les airs, pour le contempler! »

Et encore, cette séparation après le combat (étreinte) avec l'ange, instant d'ambiguïté profonde entre le Bien et le Mal; l'ange et Maldoror noués « d'une amitié éternelle ».

Ils se regardent tous les deux, pendant que l'ange monte vers les hauteurs sereines du bien, et que lui, Maldoror, au contraire, descend vers les abîmes vertigineux du mal... Quel regard! (...). Ce regard les noua d'une amitié éternelle. Il s'étonne que le Créateur puisse avoir des missionnaires d'une âme si noble. Un instant, il croit s'être trompé, et se demande s'il aurait dû suivre la route du mal, comme il l'a fait. Le trouble est passé; il persévère dans sa résolution...

Il persévère, parce que faute d'atteindre la pureté angélique, inhumaine, par la voie d'en-bas il réalise du moins un dessein inverse, mais symétrique, passionnément poursuivi à travers le lyrisme de l'horreur, dessein systématisé dans ce cri de superbe défi : « Objet de mes vœux, je n'appartenais plus à l'humanité! »

Mais si Maldoror a « persévéré », Isidore Ducasse, lui, semble avoir cédé à l'appel de l'ange. Il écrivit sous le titre de *Poésies* une « Préface à un livre futur », où il renia l'esprit des Chants, l'esprit sans doute : la volonté du mal, mais moins strictement, la forme, car l'ironie, l'humour, la mystification familiers aux Chants se retrouvent dans la condamnation des Chants qu'est la « Préface à un livre futur ». Et même alors qu'il entend décrier le lyrisme noir, il arrive à Ducasse pour ce faire de donner à ses attaques une allure tout aussi lyrique que celle des Chants. Ainsi classicisme et romantisme ont-ils toujours conçu une étrange alliance ou fomenté un douteux combat dans l'œuvre du Montévidéen. Quoi qu'il en soit, c'est bien le procès de Maldoror — qui est un peu aux héros du romantisme ce que Don Quichotte est à ceux du roman de chevalerie : une apothéose ironique — qu'on croit lire dans les aphorismes qui assignent pour but à la poésie « la vérité pratique » et mettent cette poésie impersonnelle qui serait « la géométrie par excellence » au service du bien.

> *Je remplace la mélancolie par le courage, le doute par la certitude, le désespoir par l'espoir, la méchanceté par le bien, les plaintes par le devoir, le scepticisme par la foi, les sophismes par la froideur du calme et l'orgueil par la modestie.*

Les gémissements poétiques de ce siècle ne sont que des sophismes.

Les premiers principes doivent être hors de discussion.

. . . .

Repoussez l'incrédulité : vous me ferez plaisir.

. . . .

La poésie n'est pas la tempête, pas plus que le cyclone. C'est un fleuve majestueux et fertile.

Ce n'est qu'en admettant la nuit physiquement, qu'on est parvenu à la faire moralement. O nuits d'Young! vous m'avez causé beaucoup de migraines!

On ne rêve que lorsque l'on dort. Ce sont des mots comme celui du rêve, néant de la vie, passage terrestre, la préposition peut-être, le trépied désordonné, qui ont infiltré dans vos âmes cette poésie moite des langueurs, pareille à de la pourriture. Passer des mots aux idées, il n'y a qu'un pas.

Les perturbations, les anxiétés, les dépravations, la mort, les exceptions dans l'ordre physique ou moral, l'esprit de négation, les abrutissements, les hallucinations servies par la volonté, les tourments, la destruction, les renversements, les larmes, les insatiabilités, les asservissements, les imaginations creusantes, les romans, ce qui est inattendu, ce qu'il ne faut pas faire, les singularités chimiques de vautour mystérieux qui guette la charogne de quelque illusion morte, les expériences précoces et avortées, les obscurités à carapace de punaise, la monomanie terrible de l'orgueil, l'inoculation de stupeurs profondes, les oraisons funèbres, les envies, les trahisons, les tyrannies, les impiétés, les irritations, les acrimonies, les incartades agressives, la démence, le spleen, les épouvantements raisonnés, les inquiétudes étranges, que le lecteur préférerait ne pas éprouver, les grimaces, les névroses, les filières sanglantes par lesquelles on fait passer la logique aux abois, les exagérations, l'absence de sincérité, les scies, les platitudes, le sombre, le lugubre, les enfantements pires que les meurtres, les passions, le clan des romanciers de cours d'assises, les tragédies, les odes, les mélodrames, les extrêmes présentés à perpétuité, la raison impunément sifflée, les odeurs de poule mouillée, les affadissements, les grenouilles, les poulpes, les requins, le simoun des déserts, ce qui est somnambule, louche, nocturne, somnifère, noctambule, visqueux, phoque parlant, équivoque, poitrinaire, spasmodique, aphrodisiaque, anémique, borgne, hermaphrodite, bâtard, albinos, pédéraste, phénomène d'aquarium et femme à barbe, les heures soûles du découragement taciturne, les fantaisies, les âcretés, les monstres, les syllogismes démoralisateurs, les ordures, ce qui ne réfléchit pas comme l'enfant, la désolation, ce mancenillier intellectuel, les chancres parfumés, les cuisses aux camélias, la culpabilité d'un écrivain qui roule sur la pente du néant et se méprise lui-même avec des cris joyeux, les remords, les hypocrisies, les perspectives vagues qui vous broient dans leurs engrenages imperceptibles, les crachats sérieux sur les axiomes sacrés, la vermine et ses chatouillements insinuants, les préfaces insensées, comme celles de Cromwell, *de* Mademoiselle de Maupin *et de Dumas fils, les caducités, les impuissances, les blasphèmes, les asphyxies, les étouffements, les rages, — devant ces charniers immondes, que je rougis de nommer, il est temps de réagir enfin contre ce qui nous choque et nous courbe si souverainement.*

Non pas la recherche, mais la hantise du bien, serait-ce là un commun dénominateur à la révolte des Chants et au conformisme — en vérité, conformisme peu rassurant, vite moqueur — des « Poésies » ?

Les Chants ne se plaçant sous le signe du mal que par dépit vis-à-vis d'un bien introuvable ? Et n'est-ce pas au nom d'une complicité paradoxale entre les *Chants* et les *Poésies* que les Surréalistes, en disciples ardents d'Isidore Ducasse, fonderont leur mouvement aussi bien, par exemple, sur une recherche de la « beauté convulsive » des Chants, de cette beauté qui se confond avec l'insolite, l'inquiétant (« beau comme la rencontre fortuite sur une table de dissection d'une machine à coudre et d'un parapluie ») que sur cette affirmation de « La Préface à un livre futur », véritable déclaration des droits de l'homme à la poésie : « la poésie doit être faite par tous — non par un. »

Isidore Ducasse s'adressant au lecteur demandait : « Ne soyez pas sévère pour celui qui ne fait encore qu'essayer sa lyre : elle rend un son si étrange. » Fausse humilité peut-être mais fierté et crainte mêlées sans doute, car le jeune Montévidéen prenant conscience de la nouveauté, du caractère unique de son œuvre, pouvait être à la fois plein d'orgueil et de trouble, plein de la joie et de la frayeur d'oser ainsi révéler, lui, seul, inconnu, par un jeu d'une stupéfiante audace, les domaines jusqu'alors interdits de l'âme, aussi vastes, aussi redoutables que le « vieil océan » symbole du lyrisme lautréamontien.

Vieil océan, aux vagues de cristal, tu ressembles proportionnellement à ces marques azurées que l'on voit sur le dos meurtri des mousses; tu es un immense bleu, appliqué sur le corps de la terre: j'aime cette comparaison. Ainsi, à ton premier aspect, un souffle prolongé de tristesse, qu'on croirait être le murmure de ta brise suave, passe, en laissant des ineffaçables traces, sur l'âme profondément ébranlée, et tu rappelles au souvenir de tes amants, sans qu'on s'en rende toujours compte, les rudes commencements de l'homme, où il fait connaissance avec la douleur, qui ne le quitte plus. Je te salue, vieil océan!

Vieil océan, ta forme harmonieusement sphérique, qui réjouit la face grave de la géométrie, ne me rappelle que trop les petits yeux de l'homme, pareils à ceux du sanglier pour la petitesse, et à ceux des oiseaux de nuit pour la perfection circulaire du contour. Cependant, l'homme s'est cru beau dans tous les siècles. Moi, je suppose plutôt que l'homme ne croit à sa beauté que par amour-propre; mais qu'il n'est pas beau réellement et qu'il s'en doute; car, pourquoi regarde-t-il la figure de son semblable avec tant de mépris ? Je te salue, vieil océan!

Vieil océan, tu es le symbole de l'identité : toujours égal à toi-même. Tu ne varies pas d'une manière essentielle, et si tes vagues sont quelque part en furie, plus loin, dans quelque autre zone, elles sont dans le calme le plus complet. Tu n'es pas comme l'homme, qui s'arrête dans la rue, pour voir deux bouledogues s'empoigner au cou, mais qui ne s'arrête pas quand un enterrement passe; qui est ce matin accessible, et ce soir de mauvaise humeur; qui rit aujourd'hui et pleure demain. Je te salue, vieil océan!

VERLAINE

On peut déceler plus d'une fois dans les strophes de Verlaine[1] un écho de Rimbaud. La rencontre de ce poète, si elle brûla un moment la vie du « pauvre Lélian » communiqua aussi à sa poésie un feu nouveau qui en accrut singulièrement la puissance. C'est, par exemple, au passage de l'adolescent luciférien que Verlaine doit d'avoir écrit dans *Jadis et Naguère,* ce poème d'une rare beauté : « Crimen Amoris » qui témoigne de l'expérience des *Illuminations* et de la *Saison en enfer* vue — et partiellement vécue — par *l'autre.*

CRIMEN AMORIS

Dans un palais, soie et or, dans Echatane,
De beaux démons, des satans adolescents,
Au son d'une musique mahométane,
Font litière aux Sept Péchés de leurs cinq sens.

C'est la fête aux Sept Péchés : ô qu'elle est belle!
Tous les Désirs rayonnaient en feux brutaux;
Les Appétits, pages prompts que l'on harcèle,
Promenaient des vins roses dans des cristaux.

Des danses sur des rythmes d'épithalame
Bien doucement se pâmaient en longs sanglots

---

1. Né en 1844 à Metz, mort en 1896 à Paris. Œuvres principales : *Poèmes Saturniens* (Ed. Lemerre, 1866; Cluny, 1939); *Fêtes Galantes* (Ed. Lemerre, 1874); *La Bonne Chanson* (Ed. Lemerre, 1870); *Romances sans paroles* (Ed. Lemerre, 1874 et 1939); *Sagesse* (Ed. Palmé, 1881); Messein, 1951); *Jadis et Naguère* (Vanier, 1884); *Amour* (Vanier, 1888); *Parallèlement* (Vanier, 1889); *Chansons pour elle* (Vanier, 1891); *Œuvres complètes* (N.R.F., 1951). Références : *Verlaine,* par Claudel (N.R.F.); *Verlaine,* par Edmond Lepelletier (Mercure de France); *Verlaine tel qu'il fut,* par François Porché (Paris, Flammarion); *Paul Verlaine,* par Jean Richer (Ed. Seghers, « Poètes d'aujourd'hui »).

Et de beaux chœurs de voix d'hommes et de femmes
Se déroulaient, palpitaient comme des flots,

Et la bonté qui s'en allait de ces choses
Était puissante et charmante tellement
Que la campagne autour se fleurit de roses
Et que la nuit paraissait en diamant.

Or, le plus beau d'entre tous ces mauvais anges
Avait seize ans sous sa couronne de fleurs.
Les bras croisés sur les colliers et les franges,
Il rêve, l'œil plein de flammes et de pleurs.

En vain la fête autour se faisait plus folle,
En vain les satans, ses frères et ses sœurs,
Pour l'arracher au souci qui le désole,
L'encourageaient d'appels de bras caresseurs :

Il résistait à toutes câlineries,
Et le chagrin mettait un papillon noir
A son cher front tout brûlant d'orfèvreries.
O l'immortel et terrible désespoir!

Il leur disait : « O vous, laissez-moi tranquille! »
Puis, les ayant baisés tous bien tendrement,
Il s'évada d'avec eux d'un geste agile,
Leur laissant aux mains des pans de vêtement.

Le voyez-vous sur la tour la plus céleste
Du haut palais avec une torche au poing?
Il la brandit comme un héros fait d'un ceste :
D'en bas on croit que c'est une aube qui point.

Qu'est-ce qu'il dit de sa voix profonde et tendre
Qui se marie au claquement clair du feu
Et que la lune est extatique d'entendre?
« Oh! je serai celui-là qui créera Dieu! »

. . . .

Verlaine évoque l'échec de son compagnon puis se résigne :

Et du palais aux cents tours aucun vestige,
Rien ne resta dans ce désastre inouï,

Afin que par le plus effrayant prodige
Ceci ne fût qu'un vain rêve évanoui...

L'aventure spirituelle avec Rimbaud s'éloignera; alors, comme elle semblera sage, rassurante l'ambition poétique de Paul Verlaine à côté de celle que professait son ami. L'évasion demandée aux poèmes ne dépassera plus les distances d'un tendre ou charnel voyage; ici peu de plongées vers l'infini, mais des embarquements — doux ou brûlants — pour Cythère, plus de rêverie que de rêve, de sensations que de visions, de simple croyance que de mystique, de fantaisie que de révolte. Avec bonheur, Verlaine chante sa peine, sa joie ou son plaisir, et parfois vraie, parfois feinte, sa spontanéité nous enchante.

« J'idolâtre François Villon, avait écrit le jeune poète — mais être lui, comment donc faire ? » Il le fut par sa vagabonde destinée, et se montra digne de son idole par la touchante inflexion de sa voix assez souple pour passer de la sensualité à la douleur; il retrouvera encore la fraîcheur d'un autre poète ancien : Charles d'Orléans, qui lui aussi vécut emprisonné. Quant à sa propre influence sur ses successeurs, elle est loin d'être négligeable si elle n'est pas pour autant reconnue : la chanson de Verlaine résonne plus d'une fois dans Laforgue et dans la chanson des « fantaisistes » et dans celle d'Apollinaire. « De la musique avant toute chose », demandait le Pauvre Lélian. Musicien, certes il l'est comme nul autre. Il joue avec grâce de l'allitération, de l'assonance, il assouplit le rythme : enjambements, rejets désarticulant à plaisir ses vers. La musique, nous la rencontrons dès les premiers *Poèmes Saturniens*, par exemple dans cette entêtante « Chanson d'Automne » :

CHANSON D'AUTOMNE

Les sanglots longs
Des violons
De l'automne
Blessent mon cœur
D'une langueur
Monotone.

Tout suffocant
Et blême, quand
Sonne l'heure,
Je me souviens
Des jours anciens
Et je pleure;

Et je m'en vais
Au vent mauvais
Qui m'emporte
Deçà, delà,
Pareil à la
Feuille morte.

Le thème de la mélancolie sied bien à cette poésie de demi-teinte, à demi-voix et qui tire saveur de la tristesse même et tisse ses fines arabesques sur une peine savamment écoutée. Le romantisme français trouve là son subtil prolongement. Sur une impression, un sentiment ténu, la poésie devient l'art de faire rimer les images indécises, les sons feutrés. Verlaine a condamné la rime; en fait, il la glisse, discrètement, au cœur même du vers, l'accorde au ton général du poème qui devient ainsi tout bruissant d'échos légers, à l'instar de ceux qui s'appellent, se répondent autour de la consonne *V* et de la voyelle *O* dans les premières strophes de « Nevermore ».

NEVERMORE

Souvenir, souvenir, que me veux-tu ? L'automne
Faisait voler la grive à travers l'air atone
Et le soleil dardait un rayon monotone
Sur le bois jaunissant où la bise détone.

Nous étions seul à seule et marchions en rêvant,
Elle et moi, les cheveux et la pensée au vent.
Soudain, tournant vers moi son regard émouvant :
« Quel fut ton plus beau jour ? » fit sa voix d'or vivant,

Sa voix douce et sonore, au frais timbre angélique.
Un sourire discret lui donna la réplique,
Et je baisai sa main blanche, dévotement.

— Ah! les premières fleurs, qu'elles sont parfumées!
Et qu'il bruit avec un murmure charmant
Le premier oui qui sort des lèvres bien-aimées!

A-t-on remarqué que l'Impair prôné par Verlaine est le symbole du désaccord, du brisé, de ce qui échappe à la norme, à l'harmonie conventionnelle, à l'équilibre ? Ainsi, le poète de *La Bonne Chanson* collabore-t-il sur le mode mineur, à l'entreprise de libération soutenue par la poésie française dans la seconde moitié du XIXe siècle. Il fait œuvre de novateur en jetant l'interdit sur l'éloquence que ni Hugo, ni Lamartine, ni Vigny n'avaient dédaignée. De même, en préférant le halo d'un mot incertain aux frontières, au cerne d'un terme précis, il ne laisse pas de poursuivre indirectement la mise à jour baudelairienne des analogies, des « correspondances » qui relient toutes choses. Grâce à une volontaire gaucherie, comme aussi à une féminité du langage, Verlaine n'isole pas un être, un objet, un sentiment en le nommant, il estompe les limites, efface les écarts, fait du poème un tissu ininterrompu où chaque chose est prise, confondue bientôt avec celle qui la précède et celle qui lui succède comme si les unes et les autres, à l'image du vers verlainien idéal, étaient « soluble(s) dans l'air ».

Un des traits essentiels de la poésie verlainienne est ainsi d'être « soluble dans l'air », ou plus exactement dans le silence : par la fluidité du langage une osmose s'opère entre les mots et par la légèreté impalpable du poème un échange constant s'effectue entre celui-ci et le silence qui l'entoure. Le poème ne brise pas le silence, à peine en émerge-t-il que doucement il y replonge; ce n'est point par hasard que Verlaine donne pour prétextes à sa poésie des instants où la réalité est prête à céder le pas à l'irréel comme en ce *Colloque Sentimental*.

COLLOQUE SENTIMENTAL

Dans le vieux parc solitaire et glacé
Deux formes ont tout à l'heure passé.

Leurs yeux sont morts et leurs lèvres sont molles,
Et l'on entend à peine leurs paroles.

Dans le vieux parc solitaire et glacé
Deux spectres ont évoqué le passé.

— Te souvient-il de notre extase ancienne ?
— Pourquoi voulez-vous donc qu'il m'en souvienne ?

— Ton cœur bat-il toujours à mon seul nom ?
Toujours vois-tu mon âme en rêve ? — Non.

— Ah! les beaux jours de bonheur indicible
Où nous joignions nos bouches! — C'est possible.

— Qu'il était bleu, le ciel, et grand, l'espoir!
— L'espoir a fui, vaincu, vers le ciel noir.

Tels ils marchaient dans les avoines folles,
Et la nuit seule entendit leurs paroles.

Il est significatif encore du goût du poète pour la primauté du silence ce titre *Romances sans paroles*, et c'est le murmure, la plainte, la complainte qui inspirent l'art verlainien de ce recueil ou de celui de *La Bonne Chanson*, à l'écart des éclats de voix de Hugo ou de la somptueuse incantation baudelairienne.

La lune blanche
Luit dans les bois;
De chaque branche
Part une voix
Sous la ramée...

O bien-aimée.

L'étang reflète
Profond miroir,
La silhouette
Du saule noir
Où le vent pleure...

Rêvons, c'est l'heure.

Un vaste et tendre
Apaisement
Semble descendre
Du firmament
Que l'astre irise...

C'est l'heure exquise.

Le parti pris du flou, du brumeux et du mélodieux n'était certes pas sans danger, et Verlaine a sacrifié parfois, à certaines *exquisités*, la force, l'émotion, le vrai; il s'est choisi un masque frêle, pas toujours adapté à sa nature instinctive, à un appétit rude et franc de la vie; mais lorsqu'il atteint l'équilibre entre ses dons de musicien et de peintre, lorsqu'il n'est pas seulement tendre mais rigoureux, robuste comme il sait l'être soit dans de simples notations drues, empreintes de franchise, de saveur, de vivacité (croquis de paysages, de saisons, de villes) soit dans les aveux que lui dicte une chair obsédante, quelle voix alors inoubliable.

CHARLEROI

Dans l'herbe noire
Les Kobolds vont.
Le vent profond
Pleure, on veut croire.

Quoi donc se sent ?
L'avoine siffle
Un buisson gifle
L'œil au passant.

Plutôt des bouges
Que des maisons.
Quels horizons
De forges rouges!

On sent donc quoi ?
Des gares tonnent,
Les yeux s'étonnent,
Où Charleroi ?

Parfums sinistres!
Qu'est-ce que c'est ?
Quoi bruissait
Comme des sistres ?

Sites brutaux!
Oh! votre haleine,
Sueur humaine,
Cris des métaux!

Dans l'herbe noire
Les Kobolds vont.
Le vent profond
Pleure, on veut croire.

SPLEEN

Les roses étaient toutes rouges,
Et les lierres étaient tout noirs.

Chère, pour peu que tu bouges,
Renaissent tous mes désespoirs.

Le ciel était trop bleu, trop tendre,
La mer trop verte et l'air trop doux.

Je crains toujours, — ce qu'est d'attendre! —
Quelque fuite atroce de vous.

Du houx à la feuille vernie
Et du luisant buis je suis las,

Et de la campagne infinie,
Et de tout, fors de vous, hélas!

Il est encore d'autres composantes dans la voix de Verlaine, l'une des plus essentielles est celle de l'inquiétude. Celle-ci se laisse percevoir dans la question, le cri, l'appel qui souvent surgissent dans un poème jusqu'alors paisible, le brisent comme ils brisent son rythme, son souffle égal, révèlent un marais ou un fossé constamment côtoyés là où d'abord l'on n'avait vu que la fraîcheur ou la grâce.

Déjà dans certains *Poèmes Saturniens* apparaît la forme interrogative, on la retrouve dans les *Fêtes Galantes,* et les recueils suivants. Le « n'est-ce pas ? » se glisse en maint poème, attente d'un mot qui tranquilliserait l'âme craintive.

Interrogations, reproches, exhortations, maintes fois le poète se les adresse à lui-même comme s'il tenait par là à se dédoubler : sur une rive, l'être faible, enfantin, voué à suivre tous les courants, toutes les tentations, sur l'autre, celui qui entend échapper à cette perpétuelle faiblesse et tente de ressembler à l'image ancienne des parents ou de l'ange, ou du dieu paternel qui juge, sermonne et pardonne.

Cette inquiétude et la réponse divine et naïve qu'elle se donne suscitent l'accent nouveau de *Sagesse,* livre de la conversion que Verlaine écrivit, en majeure partie, dans sa geôle de Belgique. Un ton plus grave, plus ample, un choix des images sévères, un chant soutenu, une volontaire simplicité confèrent à ce recueil de la grandeur, exception faite de quelques poèmes non sans platitude, ni pauvreté. Il faut bien le dire, c'est aux instants d'angoisse, de tourment, de passion que la poésie de *Sagesse* est source vive et non quand Verlaine s'endort dans une foi touchante sans doute, mais bornée.

Malheureusement peut-être pour sa vie, heureusement pour sa poésie, Verlaine, même dans sa cellule de prison et dans la cellule de sa foi, continue à entendre en lui tous les appels de l'espérance et du désespoir, de la solitude et des joies terrestres, du ciel et du désir, tous les appels qui tour à tour l'éclairent ou le déchirent.

Du fond du grabat
As-tu vu l'étoile
Que l'hiver dévoile ?
Comme ton cœur bat,
Comme cette idée,
Regret ou désir,
Ravage à plaisir
Ta tête obsédée,
Pauvre tête en feu,
Pauvre cœur sans Dieu!

L'ortie et l'herbette
Au bas du rempart
D'où l'appel frais part
D'une aigre trompette,
Le vent du coteau,
La Meuse, la goutte
Qu'on boit sur la route
A chaque écriteau,
Les sèves qu'on hume,
Les pipes qu'on fume!

Un rêve de froid :
« Que c'est beau la neige
Et tout son cortège
Dans leur cadre étroit!
Oh! tes blancs arcanes,
Nouvelle Archangel,
Mirage éternel
De mes caravanes!
Oh! ton chaste ciel,
Nouvelle Archangel! »

Cette ville sombre!
Tout est crainte ici...
Le ciel est transi
D'éclairer tant d'ombre.
— Les pas que tu fais
Parmi ces bruyères
Lèvent des poussières

Au souffle mauvais...
Voyageur si triste,
Tu suis quelle piste ?

C'est l'ivresse à mort,
C'est la noire orgie,
C'est l'amer effort
De ton énergie
Vers l'oubli dolent
De la voix intime,
C'est le seuil du crime,
C'est l'essor sanglant.
Oh! fuis la chimère!
Ta mère, ta mère!

Dans une humble et tragique appréhension de la vie « simple et tranquille », Verlaine dépasse son savoir et son savoir-faire, il atteint à une bouleversante simplicité :

Le ciel est, par-dessus le toit,
Si bleu, si calme!
Un arbre, par-dessus le toit,
Berce sa palme.

La cloche, dans le ciel qu'on voit,
Doucement tinte.
Un oiseau sur l'arbre qu'on voit
Chante sa plainte.

Mon Dieu, mon Dieu, la vie est là,
Simple et tranquille.
Cette paisible rumeur-là
Vient de la ville.

— Qu'as-tu fait, ô toi que voilà
Pleurant sans cesse,
Dis, qu'as-tu fait, toi que voilà,
De ta jeunesse ?

L'ampleur du registre verlainien est grande : du plain-chant à la romance, du grave au capricieux, sans oublier le ton gouailleur, l'alacrité de langage parlé qui chez Verlaine comme chez Rimbaud, Laforgue ou Corbière coupent soudain les ailes à l'envolée lyrique; et dans ce heurt, cette rupture le poème acquiert une puissance accrue, la poésie reprend élan dans une syncope, rejaillit en se dénigrant.

Tour à tour, ou à la fois, allusif et direct, pur et ambigu, gauche et léger, naïf et rusé, naturel et savant, dans son chant d'une souplesse et d'une justesse jamais en défaut, l'auteur de *Sagesse* et de *Parallèlement* est sans doute le plus doué des poètes français. Il est grand lorsqu'une émotion s'empare de lui, en profondeur, et qu'alors sa science du langage, de la musique, des images se laisse oublier pour nous livrer un poème fragile, transparent comme un cristal et qui résonne discrètement mais sans fin dans notre silence intérieur.

GERMAIN NOUVEAU

Rimbaud, Verlaine, Nouveau[1], trinité poétique. Je serais presque tenté de dire : un poète en trois personnes tant s'appellent, se répondent, se complètent les œuvres de ces amis.

En tout cas, voilà bien une sorte de système planétaire poétique. Et que Rimbaud soit ici le soleil sans doute, Verlaine, Nouveau les satellites, n'enlève rien à l'originalité, à la couleur, à la musique particulière, en un mot à la liberté irréductible de la poésie verlainienne comme de celle de Nouveau. Celui-ci moins inquiétant, moins tragique, moins *voyant* aussi que l'auteur de la *Saison en Enfer* partage avec lui pourtant la vivacité, la rigueur, le beau feu pur de l'image, le souci d'un monde rendu à la transparence originelle; et, plus direct, plus naïf et plus dru que l'auteur de *Sagesse,* il est comme lui sensuel et enfant, profane et religieux.

Germain Nouveau avait vingt-deux ans, et Rimbaud dix-neuf lorsqu'ils se rencontrèrent à Paris en 1873. Verlaine était alors en prison à Mons, *Une Saison en Enfer* venait d'être imprimée à Bruxelles. Les deux jeunes poètes partirent pour Londres. « Ce fut un enlèvement » si l'on en croit Richepin. Déjà Rimbaud reniait la poésie; chemins imprévus de la grâce, il semble que cette poésie condamnée par l'impitoyable adolescent renaisse chez son nouvel ami. Qu'on ne parle pas de simple influence : si elle paraît sœur de la voix rimbaldienne, celle de Nouveau n'en est pas

---

1. Né en 1852 à Pourrières (Var), mort en 1920 à Pourrières. Œuvres principales : *Poésies d'Humilis et vers inédits* (Messein, 1925) ; *Valentines et autres vers* (Messein, 1922) ; *Œuvres poétiques,* 2 vol., préface et notes de Jacques Brenner et Jules Mouquet (Gallimard, 1953).

moins personnelle, avec son harmonie plus légère, plus féminine, même dans la violence :

AU PAYS

De la nuit bleue et blanche
Il résulte qu'on aime,
En dansant tout de même
Parce que c'est dimanche.

Jean, la lune s'écrème,
A penser qu'on en mange;
Et, fausse comme un ange,
La musique est suprême!

Dérubannez, ô notes,
Les mazurkas menées
Autour des foins en bottes;

Et qu'il semble à nos joies
Qu'il y ait des années
Qu'on a couché les oies.

CIELS

Le Ciel a de jeunes pâturages
Tendres, vers un palais triste et vermeil :
Un Essaim d'Heures sauvages
Guide Pasiphaé, petite-fille du Soleil.

Des troupeaux silencieux du ciel,
Un nuage, un doux taureau s'écume,
Se détache, avec le souci réel
Du Baiser qui l'arrose et la parfume.

Et ces neiges, fraîcheur et ferveur,
Au ciel des étreintes fatales,
S'unissent, ô Douleur!
Le taureau roule sur la prairie idéale.

La Passion plus doucement encore a lui.
Sous le Baiser qui les parfume et les arrose,
Ils s'absorbent au ciel qui les absorbe en lui.
Reste seule la bave du Baiser, amère et rose.

Le Couchant a brûlé comme un palais.
Et le ciel s'aveugle avec les cendres
Qu'un Dieu noir chasse avec un balai.
Vénus, diamant et feu, au jardin d'amour, va prendre.

★

Autour de la jeune église,
Par les prés et les clôtures
Et les vieilles routes pures,
La nuit comme une eau s'épuise.

C'est l'aube toute divine
Et la plage violette,
Avec des voiles en fête
Au ciel tel qu'une marine.

Guerre et semaille, avalanches
De nos thèmes et nos mythes,
Par les labours sans limites
Sommeillent pour les revanches.

Mais le sang petit et pâle
Que l'aurore a dans les veines,
O Seigneur! est-ce nos peines
Ou votre pitié fatale ?

Nos vœux des vôtres sont frères,
Vous tous dont le cœur murmure
Depuis l'ancienne aventure :
Montez, Aubes et Colères!

La vie séparera Rimbaud et Nouveau, ces « fils du soleil », ces perpétuels vagabonds; le futur *mendiant* par sainteté dira adieu à cette existence de *mendiants* damnés par soif de l'aventure que Rimbaud et lui ont quelque temps menée.

MENDIANTS

Pendant qu'hésite encor ton pas sur la prairie,
Le pays s'est de ciel houleux enveloppé.
Tu cèdes, l'œil levé vers la nuagerie,
A ce doux midi blême et plein d'osier coupé.

Nous avons tant suivi le mur de mousse grise
Qu'à la fin, à nos flancs qu'une douleur emplit,
Non moins bon que ton sein, tiède comme l'église,
Ce fossé s'est ouvert aussi sûr que le lit.

Dédoublement sans fin d'un typique fantôme,
Que l'or de ta prunelle était peuplé de rois!
Est-ce moi qui riais à travers ce royaume ?
Je tenais le martyre, ayant les bras en croix.

Le fleuve au loin, le ciel en deuil, l'eau de tes lèvres,
Immense trilogie amère aux cœurs noyés.
Un goût m'est revenu de nos plus forts genièvres,
Lorsque ta joue a lui, près des yeux dévoyés!

Et pourtant, oh! pourtant, des seins de l'innocente
Et de nos doigts, sonnant, vers notre rêve éclos
Sur le ventre gentil comme un tambour qui chante,
Diane aux désirs, et charger aux sanglots,

De ton attifement de boucles et de ganses,
Vieux Bébé, de tes cils essuyés simplement,
Et de vos piétés, et de vos manigances
Qui m'auraient bien pu rendre aussi chien que l'amant,

Il ne devait rester qu'une ironie immonde,
Une langueur des yeux détournés sans effort.
Quel bras, impitoyable aux Échappés du monde,
Te pousse à l'Ouest, pendant que je me sauve au Nord!

Dans sa nouvelle prison, Verlaine se convertit, de même Nouveau un peu plus tard viendra se placer sous la protection religieuse; déjà il affirme — et je songe à Lautréamont dressant dans *Poésies* le procès de son œuvre antérieure :

« Plus rien de macabre, de bizarre, d'étrange (ces naïvetés se valent) mais le pur, le simple, le choisi; aller toujours à la plus grande lumière qui est le soleil! — Pouah! les lunes!... »

Sans doute est-ce Verlaine qui convertira Nouveau séjournant à Arras chez la mère du poète et visitant dans les environs la maison natale de saint Benoît Labre, sous le signe duquel il placera plus tard sa vocation de dénuement absolu. Mais le temps du renoncement n'est pas encore venu, Nouveau demeure fidèle à un sens exquis de la beauté, de la lumière, de la saveur amoureuse du monde, qui, d'ailleurs, soutiendra son œuvre entière aussi bien dans les poèmes érotiques des *Valentines* que dans les vers catholiques de *La Doctrine de l'Amour*.

La princesse gagne le Bois. Sa voiture, grande, aux panneaux clairs, emporte un reflet du paysage apoplectique. Muettes sont les roues, et seul le pied des chevaux sonne lorsque l'élan rythmé pétrifie les attelages grossiers, coupe en deux des serpents de pensionnat. La livrée est bleu de nuit avec de grands boutons de nacre, qui sont comme de petites lunes dans l'azur. Le Crépuscule est aristocratique. Un petit rayon, attardé sous ces feuillages, allume son oreille, bijou d'or rose. Elle rend le salut au duc de la Mésopotamie, celui-là « boit du sang d'un chat noir ». Beauté sans âge, hygiène royale, et mise à jeter la honte dans le bétail des Vénus sans voiles. La voici revenir, reine des contes bleus, vue au pâle incendie de la nuit d'été. En janvier, c'est le Théâtre, trois mille archets sourds ainsi qu'un bourdonnement d'âmes, un village de l'Illyrie au fond de la scène, et le rebord des hautes loges, combles, comme garni de têtes de décapités. Elle lit les nouveautés les moins vieilles : « Qui me rendra la fumée du brasier, le joyeux matin de Navassart. » Les mains « frêles comme des fleurs »; pourtant de son coup de poing, Jean, sous sa livrée d'Elbeuf, garde, autant que l'épaule, l'âme meurtrie. Elle cravache ses amants. Baden-Baden : elle est toujours un peu par là. Il y a aussi la Provence d'hiver, le ciel de lapis-lazuli, la promenade sur les mornes, et le château dans les rochers, où elle descend le perron, à l'encontre de Mlle de Grignan qui remonte, la main à la rampe, un peu affaissée. Elle est née au bord du Volga, à moins que la Suède ne la revendique, ou que la Grèce ne réclame. Elle chante en pali, mâche de l'aneth, et ne s'empoisonne pas avec de la décoction de laurier-rose. Elle se grise avec du vin de Babel. Détail sacré : jusqu'à mi-jambe, les chaussures gris perle sur le bas de marbre, montent. Puis, comme on est un peu grasse, oh! sur les deux côtés, l'empeigne légèrement avachie.

Ce païen plein d'innocence, ce sensuel sans péché écrira avec *La Doctrine de l'Amour* un remarquable recueil de poésie religieuse. Marcel Arland a raison de parler « du goût de la beauté et de ses pompes » dans la religion de Nouveau, et aussi de comparer cette poésie à « une enluminure ajoutée aux innombrables splendeurs de la cathédrale catholique ».

Oui, enluminure par la fraîcheur, le vif coloris, le charme, la naïveté, mais à condition que ce terme d'enluminure n'évoque pas une fragilité mineure. Le catholicisme de la *Doctrine de l'Amour* est, sans ombres ni terreurs, une religion de la terre et du ciel non menacés par l'enfer, une croyance d'avant le péché; le paradis terrestre est là, tout proche, derrière cet arbre, cette fleur, ce fruit, cet homme ou cette femme dont le poète continue à chanter la chair selon un paganisme qui, sans doute, songe moins à détruire qu'à *sauver* en mariant la terre et le ciel, les dieux terrestres au Dieu Céleste :

Plus charmants que les Dieux de marbre Pentélique,
C'est l'Olympe, ô Seigneur, rangé sous votre loi;
C'est Apollon chrétien, c'est Vénus catholique,
Se levant sur le monde enchanté par sa foi.

Et Jésus-Christ, à son tour, ne devient-il pas un mythe panthéiste ? « Seigneur, roi des Printemps! Seigneur, roi des Étés! » Plus que Dieu qu'il croit révérer, c'est la nature qu'adore Nouveau, mère et amante :

Voyez la terre avec chaque printemps léger,
Ses verts juillets en flamme ainsi que l'oranger,
Ses automnes voilés de mousselines grises,
Ses neiges de Noël tombant sur les églises,
Et la paix de sa joie et le chant de ses pleurs.
Dans la saveur des fruits et la grâce des fleurs,
La vie aussi nous aime, elle a ses heures douces,
Des baisers dans la brise et des lits dans les mousses.

On a cru pouvoir remplacer le titre de *La Doctrine de l'Amour* par celui des *Poésies d'Humilis* et certes l'humilité est, si je puis dire paradoxalement, éclatante dans ce chant d'amour, d'acceptation, de confiance; non pas fausse humilité avec sa fadeur louche, ses réticences, mais humilité spontanée d'un être comblé, grâce à son parfait défaut d'arrogance, d'envie, par son accord immédiat avec le rêve et le réel :

Je ne suis qu'un rêveur et je n'ai qu'un désir :
Dire ce que je rêve.

Un homme heureux est sans chemise, dit le conte. Ainsi de Nouveau pauvre, nu :

Qui donc fera fleurir toute la pauvreté ?

demande-t-il. Ce sont bien d'heureuses fleurs et non les blessures des mortifications que Germain Nouveau, à l'âge de raison, semble attendre de la pauvreté. Verlaine dit alors de lui : « Nouveau est charmant, n'est-ce pas, mais quel *janséniste.* » Ce janséniste, s'il vantait les joies de la chasteté, ne méprisait pas la chair :

Si l'âme est un oiseau, le corps est l'oiseleur...
. . . .
Sachez aimer votre âme en aimant votre corps...
. . . .

Son amour de la Création englobe la divinité aussi bien que les êtres, il appartient au domaine des sens comme à celui de l'esprit. On le voit bien lorsque, trois ou quatre ans après avoir achevé la *Doctrine de l'Amour*, Nouveau compose les madrigaux des *Valentines.* Il y a dans ces poèmes une sorte d'enivrement amoureux, une liesse érotique que je ne trouve pas si éloignée, malgré les apparences, des poèmes de la *Doctrine.* C'est bien le même homme qui écrivait : « Dieu, c'est la beauté... » qui entonne à présent un hymne triomphal au « Baiser » :

N'est-elle pas semblable au Monde,
Pareille au globe entouré d'air,
Ta croupe terrestre aussi ronde
Que la montagne et que la mer ?

N'est-il pas infini le râle
De bonheur pur comme le sel,
Dans ta matrice interastrale
Sous ton baiser universel.

Et par la foi qui me fait vivre
Dans ton parfum et dans ton jour,
N'entre-t-elle pas, mon âme ivre,
En plein, au plein de ton amour ?

Dans ses vers religieux, Nouveau exaltait l'omniprésence de l'amour :

Tout nous aime et sourit, jusqu'aux veines des pierres
La forme de nos cœurs tremble aux feuilles des lierres
L'arbre, où le couteau grave un chiffre amer et blanc
Fait des lèvres d'amour de sa blessure au flanc;

L'aile de l'hirondelle annonce le nuage;
Et le chemin nous aime : avec nous il voyage;
La trace de nos pas sur le sable, elle aussi
Nous suit; elle nous aime et l'air dit : « Me voici! »

Est-ce si différent de cette vue sur un érotisme universel ?

LE BAISER

« Tout fait l'amour. » Et moi, j'ajoute,
Lorsque tu dis « tout fait l'amour » :
Même le pas avec la route,
La baguette avec le tambour.

Même le doigt avec la bague,
Même la rime et la raison,
Même le vent avec la vague,
Le regard avec l'horizon.

Même le rire avec la bouche,
Même l'osier et le couteau,
Même le corps avec la couche,
Et l'enclume sous le marteau.

Même le fil avec la toile,
Même la terre avec le ver,
Le bâtiment avec l'étoile,
Et le soleil avec la mer.

Comme la fleur et comme l'arbre,
Même la cédille et le ç,
Même l'épitaphe et le marbre,
La mémoire avec le passé.

La molécule avec l'atome,
La chaleur et le mouvement,
L'un des deux avec l'autre tome,
Fût-il détruit complètement.

Un anneau même avec sa chaîne,
Quand il en serait détaché,
Tout enfin, excepté la Haine,
Et le cœur qu'Elle a débauché.

Oui, tout fait l'amour sous les ailes
De l'Amour, comme en son Palais,
Même les tours des citadelles
Avec la grêle des boulets.

Même les cordes de la harpe
Avec la phalange du doigt.
Même le bras avec l'écharpe,
Et la colonne avec le toit.

Le coup d'ongle ou le coup de griffe,
Tout, enfin tout dans l'univers,
Excepté la joue et la gifle
Car... dans ce cas c'est à l'envers.

La suite des *Baisers* trahit une fièvre croissante, une exaspération dans l'amour de l'amour, et celui-ci finit par se confondre en une passion ambiguë, avec la haine, avec la guerre, avec la mort :

La Caresse en colère est celle de l'Amour :
Car l'Amour, c'est la guerre,
Battez, battez tambour.

Le Baiser qu'on redoute est celui de l'Amour :
Pour écarter le doute,
Battez, battez tambour.

L'art de jouir ensemble est celui de l'Amour :
Or, mourir lui ressemble ;
Battez, battez tambour.

L'art de mourir ensemble est celui de l'Amour :
Battez fort pour qui tremble,
Battez, battez tambour.

Le Baiser le plus calme est celui de l'Amour :
Car la paix, c'est sa palme,
Battez, battez tambour.

La souffrance, la pire, est d'être sans Amour :
Battez pour qu'elle expire,
Battez, battez tambour.

Le Baiser qui délivre est celui de l'Amour :
Battez pour qui veut vivre,
Battez, battez tambour.

La Caresse éternelle est celle de l'Amour :
Battez, la mort est belle,
Battez, battez tambour.

La guerre est la plus large des portes de l'Amour :
Pour l'assaut et la charge,
Battez, battez tambour.

La porte la plus sainte est celle de la mort :
Pour étouffer la plainte
Battez, battez plus fort.

L'atteinte la moins grave est celle de la mort :
L'Amour est au plus brave,
La Victoire... au plus fort!

Le poète va revenir vers la religion, ce sera au cours d'une crise mystique. Il a quarante ans, exerce tant bien que mal son métier de professeur de dessin. En pleine classe, il tombe à genoux, s'écrie : « Ah! mes enfants, que Dieu est grand!... » Un peu plus tard, il s'agenouille encore dans la rue, baise la chaussée. Vite on l'interne à Sainte-Anne puis à Bicêtre d'où il écrit *Aux Saints.*

Une fois libéré, Nouveau déclare à ses amis, avec une pertinente ironie, que désormais il se gardera bien « de s'agenouiller en public pour prier »... « ce qui m'a conduit à Bicêtre ».

Dès lors, Germain Nouveau se livrera sans retour à sa vocation, envers et contre tout il entendra que son christianisme prêche d'exemple. Il connaîtra non seulement la pauvreté, mais la misère (« ... Je souffre aussi d'une maladie cruelle, qui s'appelle la misère », écrit-il à Léon Dierx). Il enverra une lettre d'appel à Rimbaud à Aden; il ignore que son ami est mort depuis deux ans. Il finira par rompre tout à fait avec cette société à laquelle il a dédaigné de s'adapter, renonçant à l'enseignement qui longtemps lui a valu quelques maigres ressources, il vivra dans un dépouillement total, invectivant l'Europe où la pauvreté est maudite : « La pauvreté, cette vertu du chrétien, cet état de Notre-Seigneur, cette vocation de saint Labre, sont aujourd'hui *punies de la prison* en Europe. Pauvre malheureuse Europe! »

Sans gloire, se refusant à publier son œuvre, sans nom même, il erre de ville en ville. La « Belle Époque » le voit à Aix-en-Provence où il mendie sous le porche de Saint-Sauveur et où, si l'on en croit la légende, chaque dimanche, Paul Cézanne lui donne cent sous! Le voici encore à Paris logeant dans un grenier sur un sac, cherchant sa nourriture dans les poubelles. Pèlerinages à Saint-Jacques-de-Compostelle; en Italie; mais aux yeux conformistes, un pèlerin seul, sans feu ni lieu n'est autre — horreur — qu'un vagabond. (« Avec leur infâme loi de Mendicité et leur infâme loi de Vagabondage, avec laquelle ils ont atteint notre sainte religion au cœur (...) ils me déshonorent (comme tant d'autres) et me ridiculisent aux yeux de mes parents (...) mais je préfère ma place, si mauvaise qu'elle soit, à la leur. »

La place de ce grand poète, de cet homme libre, fidèle à l'esprit d'enfance, c'est ce grabat sur lequel on le trouve mort, à Pourrières, sa ville natale, le jour de Pâques 1920.

CHARLES CROS

Génie, dit Verlaine, en parlant de Cros[1]. Oui, génie, gentil génie — je pense aux deux sens du mot car ils lui conviennent bien, — pourtant, il ne figure ni parmi nos poètes officiels, ni parmi nos savants officiels, cet inventeur du phonographe, de la photographie des couleurs, des signaux interplanétaires, ce frère de Lewis Carroll, de Nerval, de Rimbaud, comme eux prince du rêve et du réel. Mais, bien sûr, l'université nous parlait fort peu de ces gens-là, comment alors oserait-elle nommer cet amuseur, ce farceur : on ne se moque pas de Coppée François ni des solennels parnassiens quand on a pour tout bagage un petit in-octavo : *Le Coffret de Santal* et un recueil posthume : *Le Collier de Griffes.* Les enfants l'aimeraient, son sourire leur ferait aimer plus encore le visage de la poésie, ce visage qu'on leur dérobe sous quels masques. Tant pis.

Verlaine, lui, le connaît. Rimbaud se réfugie dans son laboratoire lorsqu'en 1871 il gagne Paris. A sa mort, Félix Fénéon le loue. Viennent les surréalistes : grâce à eux, Charles Cros recouvre sa grandeur : Breton, Eluard, Aragon, Queneau le remettent à son rang; ce n'est pas l'un des moindres mérites du surréalisme que d'avoir ainsi ramené à la lumière les plus purs de nos poètes.

Comment se présente-t-il à nous, cet animateur du groupe « zutiste » auquel appartiennent Verlaine et Rimbaud ? Ce compagnon des « hydropathes » ? Caché sous trop de roses, trop de gentillesses, caché même par son humour qui,

---

1. Né en 1842 à Fabrezan (Aude), mort en 1888 à Paris. Œuvres principales : *Le Collier de Griffes* (Ed. Stock, 1908); *Le Coffret de Santal* (poèmes) (Ed. Originale, A. Lemerre, 1873); *Poèmes et Proses*, présentés par Henri Parisot (Ed. Gallimard, 1944). Références : *Histoire de la littérature française contemporaine*, par René Lalou; *Charles Cros*, par Paul Verlaine (Ed. Vanier); *Charles Cros*, par Jacques Brenner (Ed. Seghers, « Poètes d'aujourd'hui », 1955).

cependant, est une dominante de son art. Ces grâces et ce sourire préservent Charles Cros de ce qu'un premier contact a de rapide et d'erroné; songeons également aux vers « inoffensifs » de Nerval avant que les pouvoirs de la Nuit eussent établi leur règne sur chaque parcelle de son être. Ainsi, *Le Coffret de Santal* recèle-t-il des bijoux un peu polis, un peu précieux, un peu parfumés, il ne faut pas écarter vite cette monnaie de mots : un romantisme naïf et pur s'en dégage parfois et s'exprime en des chansons dont la fraîcheur est celle même de l'aube :

L'ORGUE

Sous un roi d'Allemagne, ancien,
Est mort Gottlieb le musicien.
On l'a cloué sous les planches.
Hou! hou! hou!
Le vent souffle dans les branches.

Il est mort pour avoir aimé
La petite Rose-de-Mai.
Les filles ne sont pas franches.
Hou! hou! hou!
Le vent souffle dans les branches.

Chanson encore ce poème qui se termine soudain par pudeur; (cette lassitude finale figure assez bien l'œuvre et la vie de Cros) :

CONCLUSION

J'ai rêvé les amours divins,
L'ivresse des bras et des vins,
L'or, l'argent, les royaumes vains.

Moi, dix-huit ans, Elle, seize ans.
Parmi les sentiers amusants
Nous irions sur nos alezans.

Il est loin le temps des aveux
Naïfs, des téméraires vœux!
Je n'ai d'argent qu'en mes cheveux.

Les âmes dont j'aurais besoin
Et les étoiles sont trop loi
Je vais mourir saoul, dans un coin.

Devant la disproportion accablante entre sa pureté et l'impureté du monde, et devant l'échec qu'elle lui impose, Cros réagit non par la colère mais par l'humour : cette façon élégante et pudique d'exprimer un désarroi profond. Les bourgeois, les pontifes vous écrasent de leur indifférence, on se moquera donc de ces monstres qui rendent tout simplement l'air irrespirable, on les égratignera cependant qu'ils vous poussent vers le désespoir, on écrira l'histoire du « Hareng Saur » :

LE HARENG SAUR

Il était un grand mur blanc — nu, nu, nu,
Contre le mur une échelle — haute, haute, haute,
Et, par terre, un hareng saur — sec, sec, sec,

Il vient, tenant dans ses mains — sales, sales, sales,
Un marteau lourd, un grand clou — pointu, pointu, pointu,
Un peloton de ficelle — gros, gros, gros,

Alors il monte à l'échelle — haute, haute, haute,
Et plante le clou pointu — toc, toc, toc,
Tout en haut du grand mur blanc — nu, nu, nu,

Il laisse aller le marteau — qui tombe, qui tombe, qui tombe,
Attache au clou la ficelle — longue, longue, longue,
Et, au bout, le hareng saur — sec, sec, sec,

Il redescend de l'échelle — haute, haute, haute,
L'emporte avec le marteau — lourd, lourd, lourd;
Et puis, il s'en va ailleurs, — loin, loin, loin,

Et, depuis, le hareng saur — sec, sec, sec,
Au bout de cette ficelle — longue, longue, longue,
Très lentement se balance — toujours, toujours, toujours.

J'ai composé cette histoire, — simple, simple, simple,
Pour mettre en fureur les gens — graves, graves, graves,
Et amuser les enfants — petits, petits, petits.

Oui, simple histoire pour amuser les enfants qui sont la beauté de ce monde noir, qui sont du parti de la poésie. Et parce que l'humour est un subtil démon qui n'épargne rien, ni personne, ni surtout ce qui lui est le plus cher, ce qui est sa vie même, Charles Cros non seulement, en fidèle « zutiste » dira zut aux mauvais poètes, à Coppée par exemple, qu'il pastiche admirablement :

Enclavé dans les rails, engraissé de scories,
Leur petit potager plaît à mes rêveries.
Le père est aiguilleur à la gare de Lyon.

mais encore il s'attachera à faire descendre de son piédestal la poésie, il se plaira à faire rire et ricaner ce langage par quoi il sait atteindre les plus hauts moments de l'homme. Manque de sérieux noble et attachant, geste de prodigue, d'enfant prodigue, qui lui fait écrire sa *Chanson des Sculpteurs* :

Proclamons les princip's de l'art!
Que tout l'mond' s'entende!
Les contours des femm's, c'est du lard,
La chair, c'est d'la viande.

Ainsi, par ces jeux, le pouvoir poétique du langage — et par là même la sincérité du poète — se trouve préservé de cette sclérose qui toujours de l'intérieur le menace, de cette tendance à glisser de la proie à l'ombre, du prophétique à l'éloquent, de l'authentique au poncif.

Passés gentillesse et humour, Cros se révèle comme l'un des poètes les plus attentifs et les plus sensibles à l'inépuisable fantastique de notre domaine : aussi bien du rêve que du réel, l'un et l'autre étant d'ailleurs pour lui vases communicants.

Ses poèmes en prose créent un univers musical, riche

de fantaisie, et qui a le caractère troublant de ce qui est à la fois l'inattendu et l'inconnu.

« Il m'a fallu avoir le regard bien rapide, l'oreille bien fine, l'attention aiguisée », ainsi commence *Le Meuble*, et l'on est bien assuré que Charles Cros, en effet, eut ces qualités, car c'est ravi — au sens fort — qu'on le suit dans sa délicate exploration à travers un meuble, à travers la nuit, à travers lui-même; il entrouvre sans bruit les portes de l'imaginaire, et l'on voit :

Alors d'étranges scènes se passent dans le salon du meuble; quelques personnages de taille et d'aspect insolites sortent des petites glaces; certains groupes, éclairés par des lueurs vagues, s'agitent en ces perspectives exagérées.

Des profondeurs de la marqueterie, de derrière les colonnades simulées, du fond des couloirs postiches ménagés dans le revers des battants,

S'avancent, en toilettes surannées, avec une démarche frétillante et pour une fête d'almanach extra-terrestre,

Des élégants d'une époque de rêve, des jeunes filles cherchant un établissement en cette société de reflets et enfin les vieux parents, diplomates ventrus et douairières couperosées.

Sur le mur de bois poli, accrochées on ne sait comment, les girandoles s'allument. Au milieu de la salle, pendu au plafond qui n'existe pas, resplendit un lustre surchargé de bougies roses, grosses et longues comme des cornes de limaçons. Dans des cheminées imprévues, des feux flambent comme des vers luisants.

Peut-être même quelques baisers d'amour fictif s'échangent à la dérobée, des sourires sans idée se dissimulent sous les éventails en ailes de mouche, des fleurs fanées dans les corsages sont demandées et données en signe d'indifférence réciproque.

L'Alice de Lewis Carroll ne serait pas ici dépaysée, mais c'est notre raison qui l'est devant ces mondes qu'elle se refusait jusqu'alors à reconnaître et que Cros le *voyant* l'oblige à parcourir.

EFFAREMENT

Au milieu de la nuit, un rêve. Une gare de chemin de fer. Des employés portant des caractères cabalistiques sur leurs casquettes administratives. Des wagons à claire-voie chargés des dames-jeannes en fer battu. Les brouettes ferrées roulent avec des colis qu'on arrime dans les voitures du train.

Une voix de sous-chef crie : La raison de M. Igitur, à destination de la lune! Un manœuvre vient et appose une étiquette sur le colis désigné — une dame-jeanne semblable à celles des wagons à claire-voie. Et, après la pesée à la bascule, on embarque. Le coup de sifflet du départ résonne, aigu, vertigineux et prolongé.

Réveil subit. Le coup de sifflet se termine en miaulement de chat de gouttière. M. Igitur s'élance, crève la vitre et plonge son regard dans le bleu sombre où plane la face narquoise de la lune.

Que la raison — la nôtre, celle de M. Igitur — s'incline devant l'étonnante *Reine des Fictions* qui vit sur le vaisseau-piano :

Le vaisseau file avec une vitesse éblouissante sur l'océan de la fantaisie,

Entraîné par les vigoureux efforts des rameurs, esclaves de diverses races imaginaires.

Mais la nuit, après ses mirages attrayants, ne tarde pas à inspirer une sorte d'horreur sacrée à qui s'est livré à son emprise.

... à cette heure-là, on étoufferait, on râlerait, on sentirait son cœur se rompre et le sang tiède, fade monter à la gorge, dans un dernier spasme, que personne ne pourrait entendre, ne voudrait sortir du sommeil pesant et sans rêves qui empêche les terrestres de sentir l'heure froide.

Et voilà qu'apparaît, toute gentillesse, tout humour et toute charmante magie tombés, le dernier visage de Cros, que nous verrons aussi guetter au fond de ses poésies, celui, hagard, de la lassitude et de la mort :

Pendant de longues périodes dans la vie courte, je m'efforce à rassembler mes pensées qui s'enfuient, je cherche les visions des bonnes heures.

Mais je trouve que mon âme est comme une maison désertée par les serviteurs.

Le maître parcourt inquiet les corridors froids, n'ayant pas les clefs des pièces hospitalières où sont les merveilles qu'ils a rapportées de tant de voyages.

Les ravissements, les instants où je savais tenir l'univers en ma main royale, ont été bien courts et bien rares. Presque aussi rares sont pour moi les périodes de pensée normale. Le plus souvent je suis impuissant, je suis fou; ce dont je me cache au dehors, sous les richesses conquises aux bonnes heures.

Quelle drogue me rendra plus fréquente la pensée normale ? Quand je l'ai, quand elle se prolonge, ma poitrine puissante me permet de monter là où nulle senteur terrestre n'arrive plus, là où, dans le ravissement, j'exerce la royauté.

Après de mauvais sommeils (d'où viennent-ils ?) voici que je ne suis plus là-haut. Je n'ai plus que le regret de ce que j'y ai senti. A peine me reste-t-il assez de lucidité et de courage pour rendre compte aux hommes de ce que j'y ai fait et me justifier auprès d'eux.

J'ai eu toutes les fiertés; j'ai dédaigné les comptes à rendre et les justifications.

Mais quand la fièvre pesante m'a égaré et fait redescendre, puis-je vivre seul et sans soleil entre les murs de haine ?

Pourtant, les efforts que je consens à faire, malgré ma lassitude, loin de m'être comptés, ne me désignent-ils pas plutôt à la fureur des empressés qui s'agitent en bas ?

Texte tragique et capital, où toute la grandeur et les servitudes du génie sont encloses. Clef de cette destinée à la fois royale et fragile, avec, dans ses contradictions finales comme le halètement du poète traqué.

Le signe distinctif de Cros c'est une spontanéité — accouplée plus tard à une lassitude fondamentale — qui le pousse à suivre les voies que lui offrent son imagination, la puissance de son esprit, sans se tenir longtemps à aucune, d'où le caractère fragmentaire, épars, de ses œuvres, leurs fréquents changements de ton, d'où encore leur pureté, mais aussi leurs limites.

La conscience d'être roi par la poésie et, en même temps le pressentiment d'un échec fatal se rencontrent dans la plupart des meilleurs poèmes de Cros. C'est à cette antinomie : affirmation d'un pouvoir de démiurge sur les choses, et aveu d'impuissance en face de la société, qu'obéissent de nombreuses strophes acquérant ainsi un subtil halo né des images qui se combattent en leur sein, et suggérant un drame à la fois solennel et secret.

Dans l'*Inscription* qui ouvre *Le Collier de Griffes*, Charles Cros a confessé ses dons et ses ambitions, retracé l'étendue de son domaine lyrique et scientifique :

INSCRIPTION

Mon âme est comme un ciel sans bornes;
Elle a des immensités mornes
Et d'innombrables soleils clairs;
Aussi, malgré le mal, ma vie
De tant de diamants ravie
Se mire au ruisseau de mes vers.

Je dirai donc en ces paroles
Mes visions qu'on croyait folles,
Ma réponse aux mondes lointains
Qui nous adressaient leurs messages,
Éclairs incompris de nos sages
Et qui, lassés, se sont éteints.

Dans ma recherche coutumière,
Tous les secrets de la lumière,
Tous les mystères du cerveau,
J'ai tout fouillé, j'ai su tout dire,
Faire pleurer et faire rire
Et montrer le monde nouveau.

J'ai voulu que les tons, la grâce,
Tout ce que reflète une glace,
L'ivresse d'un bal d'opéra,
Les soirs de rubis, l'ombre verte
Se fixent sur la plaque inerte.
Je l'ai voulu, cela sera.

Comme les traits dans les camées,
J'ai voulu que les voix aimées
Soient un bien qu'on garde à jamais
Et puissent répéter le rêve
Musical de l'heure trop brève;
Le temps veut fuir, je le soumets.

Et les hommes, sans ironie
Diront que j'avais du génie
Et dans les siècles apaisés,
Les femmes diront que mes lèvres,
Malgré les luttes et les fièvres,
Savaient les suprêmes baisers.

Cette sérénité dans le triomphe est bien rare chez Cros. Déjà, dans ce sonnet, pourtant d'un orgueil magistral, une blessure familière se laisse deviner :

Je sais faire des vers perpétuels. Les hommes
Sont ravis à ma voix qui dit la vérité.
La suprême raison dont j'ai, fier, hérité
Ne se payerait pas avec toutes les sommes.

J'ai tout touché : le feu, les femmes et les pommes;
J'ai tout senti : l'hiver, le printemps et l'été;
J'ai tout trouvé, nul mur ne m'ayant arrêté.
Mais Chance, dis-moi donc de quel nom tu te nommes ?

Je me distrais à voir à travers les carreaux
Des boutiques, les gants, les truffes et les chèques
Où le bonheur est un suivi de six zéros.

Je m'étonne, valant bien les rois, les évêques,
Les colonels et les receveurs généraux,
De n'avoir pas de l'eau, du soleil, des pastèques.

Vers éclatants, et non pas dans la couleur, la surcharge comme ceux des Parnassiens, vers éclatants du feu qu'ils recèlent.

Mais la blessure qu'ils ne pouvaient cacher s'élargit, s'avive, parfois elle est amèrement dominée, elle semble nourrir de son sang noir l'orgueil du poète qui gagne ainsi une farouche liberté . celle de la solitude et de l'absurde, comme en ce poème étrange qui a la violence d'un coup :

LIBERTÉ

Le vent impur des étables
Vient d'Ouest, d'Est, du Sud, du Nord.
On ne s'assied plus aux tables
Des heureux, puisqu'on est mort.

Les princesses aux beaux râbles
Offrent leurs plus doux trésors.
Mais on s'en va dans les sables,
Oublié, méprisé, fort.

On peut regarder la lune
Tranquille dans le ciel noir
Et quelle morale ? . aucune.

Je me console à vous voir,
A vous étreindre ce soir,
Amie éclatante et brune.

Poignant cri de détresse qui résonne comme s'il était proféré d'un autre monde, cet aveu de Cros sur la mort de son pouvoir spirituel et de son bonheur avant même que vienne la mort ·

On ne s'assied plus aux tables
Des heureux puisqu'on est mort.

— « Mieux vaut s'avouer mort que malheureux », note à ce propos Eluard.

Ce distique encore, si terrible dans sa suavité :

Je suis un homme mort depuis plusieurs années;
Mes os sont recouverts par les roses fanées

et qui révèle la même présence d'un abîme que celle suggérée par les vers de Nerval: « Je suis le ténébreux, le veuf, l'inconsolé, — Le Prince d'Aquitaine à la tour abolie. » Cros arrive parfois à accepter cette chute dans les ténèbres, et même à l'appeler, il s'abandonne à la tentation du néant, au désir amer de volontairement se perdre : l'amour, la mort lui paraissent alors recouvrir la même réalité :

HIÉROGLYPHE

J'ai trois fenêtres à ma chambre :
L'amour, la mer, la mort,
Sang vif, vert calme, violet.

O femme, doux et lourd trésor!

Froids vitraux, cloches, odeurs d'ambre,
La mer, la mort, l'amour,
Ne sentir que ce qui me plaît...

Femme, plus claire que le jour!

Par ce soir doré de septembre,
La mort, l'amour, la mer,
Mè noyer dans l'oubli complet.

Femme! femme! cercueil de chair!

A cette désespérance d'ordre métaphysique qui, du moins, par sa grandeur peut susciter une hautaine exaltation de l'être, voire un défi au martyre :

Je suis inutile et je suis nuisible;
Ma peau a les tons qu'il faut pour la cible.

fait écho un désespoir morne, sans le moindre horizon, *sans issue* et qui se fait jour soudain, inattendu, total, au cœur d'un poème d'amour, parfois même d'un poème d'humour; les mots qui l'expriment sont brutaux, ternes, ils refusent toute lumière :

Il y a une heure bête
Où il faut dormir
Il y a aussi la fête
Où il faut jouir.

Ainsi, au long de cette œuvre où le sourire d'abord nous apparaissait, la douleur glisse ses traits d'ombre ou ses traits brûlants, et elle-même abdique enfin l'attitude du désespoir pour le renoncement, pour l'aveu de l'échec; la mort est le dernier abandon face à une société stupide :

Je vais mourir saoul dans un coin.

. . . .

On meurt d'avoir dormi longtemps
Avec les fleurs, avec les femmes.

. . . .

Flétri, condamné, traité de poète;
Sous le couperet je mettrai ma tête
Que l'opinion publique réclame.

. . . .

Malgré l'étrange poème sur *La vision du Grand Canal Royal des deux Mers*, fresque primitive des temps modernes où, richement et naïvement, sont peints trafic, navires et cargaisons, symboles d'un curieux « âge d'or » du libéralisme, Charles Cros s'identifie au Saint-Sébastien dont il a revendiqué dans un poème la destinée : il meurt tout au long de sa vie sous les flèches d'un monde injuste, il meurt mais porte en son regard une lumière qui a animé ses meilleurs poèmes et qui est déjà victoire sur les monstres trop quotidiens :

Si mon âme claire s'éteint
Comme une lampe sans pétrole,
Si mon esprit, en haut, déteint
Comme une guenille folle.

Si je moisis, diamantin,
Entier, sans tache, sans vérole,
Si le bégaiement bête atteint
Ma persuasive parole,

Et si je meurs, saoul dans un coin,
C'est que ma patrie est bien loin,
Loin de la France et de la terre.

Ne craignez rien, je ne maudis
Personne. Car un paradis
Matinal, s'ouvre et me fait taire.

Tel est le *testament pudique* de Charles Cros. Il recèle toute la noble ambiguïté de sa souffrance, de sa mort, de sa victoire[1].

1. Il conviendrait encore de parler des *Monologues* dont le ressort comique extraordinaire est celui de l'absurde. Mais la place nous manque.

TRISTAN CORBIÈRE

Certes, Verlaine, découvrant huit ou dix ans après leur publication « Les Amours Jaunes », pouvaient s'enthousiasmer, il pouvait aussi à juste titre placer leur auteur « Tristan Corbière » parmi ses *Poètes Maudits.* Mourir à trente ans, inconnu, mal aimé, moqué par les autres, haï par soi-même, tel fut le sort de ce breton, rêveur de pirateries, d'explorations, d'aventures, mais condamné par la maladie à ne connaître de la mer que le rivage. Alors que son père, admiré et redouté par le malingre rejeton, fut authentique capitaine au long cours et écrivit un roman de marine, *Le Négrier,* Tristan — il avait adopté ce prénom de préférence à ceux d'Edouard, Joachim — dut se contenter d'un romanesque assez piètre : celui d'une vie solitaire à Roscoff avec son chien qu'il appela aussi par tendresse et dérision « Tristan » et son cotre : *Le Négrier* avec lequel à quelques encâblures du bord, il brave mélancoliquement les tempêtes. La faiblesse, la laideur — à seize ans des rhumatismes articulaires déformèrent son corps — firent pour Corbière de la vie un exil où les sujets d'horreur ne manquèrent point, et d'abord à ses yeux : lui-même. Être plein de fièvre et de désirs non comblés, de dégoût vis-à-vis des autres et de soi, visionnaire et pourchasseur implacable des illusions romantiques, lieu d'élans et de chutes perpétuels, assoiffé de beauté, obsédé par sa laideur, tel apparaît Corbière dans ses poèmes, morcelé, heurté, déchiré, semblable à sa barque qui bondit vers le large pour toujours revenir, désespérément, à la côte, semblable enfin à lui-même, angu-

1. Né en 1845 près de Morlaix au manoir de Coat-Congar, mort en 1875. Œuvre principale : *Les Amours jaunes* (Ed. originale, Glady, 1873; Ed. Emile Paul Frères, 1943; Ed. Gallimard, 1953). Références : *Les Poètes maudits,* par Paul Verlaine (Vanier, 1883); *Tristan Corbière,* par René Martineau (Ed. Le Divan, 1925); *Préface des Amours jaunes,* par Tristan Tzara (Club du Livre, 1951); *Tristan Corbière,* par Jean Rousselot (Ed. Pierre Seghers, 1951, « Poètes d'aujourd'hui »).

leux, grinçant, meurtri, ricaneur, don Quichotte éperdu d'*amour fou*, mais trop lucide pour croire en sa Dulcinée — cette belle *Marcelle* qui se livra tout de même à lui, le tors, le laid enlaidi exprès, pour ensuite le rejeter comme la mer rejetait ce vaillant mais trop faible amant. A la manière de son corps désarticulé, le poème de Corbière boite, se contorsionne, se brise, repart, retombe, émouvant et gauche, pur et âpre, tout en sautes d'humeur : passant de la tendresse la plus désarmée à la hargne, de l'onirisme le plus jaillissant à la blague féroce. Ce *replié* est plus que nul autre poète : immédiat, comme si un tempérament et une âme riches et violents à l'extrême, emprisonnés dans une vie sans issue, ne pouvaient s'affirmer qu'en faisant irruption, qu'en explosant par la voie du poème : d'où cette écriture, brutale et brute, proche parfois semble-t-il de l'écriture automatique chère aux Surréalistes.

LITANIE DU SOMMEIL

SOMMEIL! — *Écoute-moi, je parlerai bien bas;*
*Crépuscule flottant de l'*Être ou n'Être pas!..

Sombre lucidité! Clair obscur! Souvenir
De l'inouï! Marée! Horizon! Avenir!
Conte des Mille et une Nuits doux à ouïr!
*Lampiste d'*Aladin *qui sait nous éblouir!*
Eunuque noir! muet blanc! Derviche! Djinn! Fakir!
Conte de Fée où le Roi *se laisse assoupir!*
Forêt vierge où Peau-d'Ane *en pleurs va s'accroupir!*

*Garde-manger où l'*Ogre *encor va s'assouvir!*
Tourelle où ma sœur Anne *allait voir rien venir!*
Tour où dame Malbrouck *voyait page courir!*
Où Femme Barbe-Bleue *voyait l'heure mourir!*
Où Belle au Bois dormant *dormait dans un soupir!*

Cuirasse du petit! Camisole du fort!
Lampion des éteints! Éteignoirs du remords!
Conscience du juste, et du pochard qui dort!
Contrepoids des poids faux de l'épicier du Sort!
Portrait enluminé de la livide Mort!

Grand fleuve où Cupidon va retremper ses dards!
SOMMEIL! — *Corne de Diane, et corne de cornard!*
Couveur de magistrats et Couveur de lézards!
Marmite d'Arlequin! — *bout de cuir, lard, homard* —
SOMMEIL! *Noce de ceux qui sont dans les beaux-arts.*

Boulet des forcenés, Liberté des Captifs!
Sabbat du somnambule et Relais des Poussifs! —
SOMME! *Actif du Passif et Passif de l'actif!*
Pavillon de la Folle *et* Folle *du poncif!..*
— *O viens changer de patte au cormoran pensif!*

O brun Amant de l'Ombre! Amant honteux du jour!
Bal de nuit où Psyché veut démasquer l'Amour!
Grosse Nudité du chanoine en jupon court!
Panier-à-salade idéal! Banal four!
Omnibus où, dans l'Orbe, on fait pour rien un tour!

SOMMEIL! *Drame hagard! Sommeil, molle Langueur!*
Bouche d'or du silence et Bâillon du blagueur!
Berceuse des vaincus! Perchoir des coqs vainqueurs!
Alinéa du livre où dorment les longueurs!

Du jeune homme rêveur singulier Féminin!
De la femme rêvant pluriel masculin!

SOMMEIL! — *Râtelier du Pégase fringant!*
SOMMEIL! — *Petite pluie abattant l'ouragan!*
SOMMEIL! — *Dédale vague où vient le revenant!*

SOMMEIL! — *Long corridor où plangore le vent!*
Néant du fainéant! Lazzarone infini
Aurore boréale au sein du jour terni!

SOMMEIL! — *autant de pris sur notre éternité!*
Tour du cadran à blanc! *Clou du Mont-de-Piété!*
Héritage en Espagne à tout déshérité!
Coup de rapière dans l'eau du fleuve Léthé!
Génie au nimbe d'or des grands hallucinés!
Nid des petits hiboux! Aile des déplumés!

Immense vache à lait dont nous sommes les veaux!
Arche où le hère et le boa changent de peaux!
Arc-en-ciel miroitant! Faux du vrai! Vrai du Faux!
Ivresse que la brute appelle le repos!
Sorcière de Bohême à sayon d'oripeaux!
Tityre sous l'ombrage essayant des pipeaux!
Temps qui porte un chibouck à la place de faux!
Parque qui met un peu d'huile à ses ciseaux!
Parque qui met un peu de chanvre à ses fuseaux!
Chat qui joue avec le peloton d'Atropos!
SOMMEIL! — *Manne de grâce au cœur disgracié!*

LE SOMMEIL S'ÉVEILLANT ME DIT : TU M'AS SCIÉ.

Toi qui souffles dessus une épouse enrayée,
RUMINANT! *dilatant ta pupille éraillée,*
Sais-tu?... Ne sais-tu pas ce soupir — LE RÉVEIL! —
Qui bâille au ciel, parmi les crins d'or du soleil
Et les crins fous de ta Déesse ardente et blonde ?

— Non ?... Sais-tu le réveil du philosophe immonde
— Le Porc — rognonnant sa prière du matin;
Ou le réveil, extrait d'âge de la catin ?...
As-tu jamais sonné le réveil de la meute ?..
As-tu jamais senti l'éveil sourd de l'émeute,
Ou le réveil de plomb du malade fini?...
As-tu vu s'étirer l'œil des Lazzaroni ?...
Sais-tu ?... ne sais-tu pas le chant de l'alouette ?
— Non — Gluants sont tes cils, pâteuse est ta luette,
Ruminant! Tu n'as pas L'INSOMNIE, *éveillé;*
Tu n'as pas LE SOMMEIL, *ô Sac ensommeillé!*

(Lits divers. — Une nuit de jour.)

La mer et l'amour sont les thèmes presque exclusifs de Corbière, ou plus exactement, son enthousiasme et sa déception face à la mer, face à l'amour.

A la mer, il emprunte son vocabulaire, de nombreuses images, un rythme houleux; il en chante les misères et la grandeur, revendique sa gloire mortelle contre les plaintes des *terriers* parvenus — à l'*Océano Ńox* de Hugo, il réplique par l'orgueil de *La fin* :

— Sombrer — Sondez ce mot. Votre mot est bien pâle
Et pas grand-chose à bord, sous la lourde rafale...
Pas grand-chose devant le grand sourire amer
Du matelot qui lutte — Allons donc, de la place! —
Vieux fantôme éventé, la Mort change de face :
La Mer!...

Et les gens de mer dont il se plaisait pourtant à provoquer les quolibets par faute d'oser s'avouer tout simplement leur frère; il les chante tendrement et rudement : naïfs novices en partance :

— L'homme est libre et la mer est grande —
La femme : un sillage!... Et bon vent! —

et, plus encore que les matelots « poème vivant », que les marins vainqueurs : les pirates que la vieillesse cloue au rivage, ou bien les malheureux Bretons non pas lancés sur l'océan mais perdus dans les armées ainsi que le chante « La Pastorale de Conlie » :

— Oh, qu'elle s'en allait morne, la douce vie!...
Soupir qui sentait le remords
De ne pouvoir serrer sur sa lèvre une hostie,
Entre ses dents la male-mort!...

De sa race marine, de cette « *Race à part* sur la race faillie » ce sont sans doute les réprouvés, les malchanceux, les *stropiats* un peu à son image qui lui sont les plus chers, tous ceux qui ne peuvent que se traîner misérablement entre la mer, leur patrie interdite, et la terre, leur enfer : ces affreux et touchants infirmes qui grouillent au *Pardon de Sainte-Anne* — prière d'une foi toute populaire — ce *Bossu Bitor* dont se rient avec une cruauté innocente et terrible marins et filles, ce *Sourd* qui déclare — et ce pourrait être au nom du poète, car à ce dernier aussi le langage *échappe* — « Je parle sous moi », ce *Renégat* « Pur à force d'avoir purgé tous les dégoûts ». Corbière se reconnaît encore dans le sommeil et le rêve des pierres de son *Vieux Roscoff* :

Trou de flibustiers, vieux nid
A corsaire! — dans la tourmente,

Dans ton bon somme de granit
Sur tes caves que le flot hante...

. . . .

Dors, vieille coque bien ancrée;
Les margats et les cormorans,
Tes grands poètes d'ouragans,
Viendront chanter à la marée...

Dors, vieille fille à matelots...

Comme la mer, l'amour se refuse à cet *exclu*. Aussi ne chantera-t-il qu' « amours jaunes » avec rires ou sourires de la même couleur, celle de qui ricane. Narcisse mourut seul muré dans l'amoureuse contemplation de sa beauté, aussi paradoxal que cela puisse paraître, Corbière est un Narcisse muré dans la haineuse contemplation de sa laideur : il est peu de vers dans son œuvre qui ne nous ramènent à lui et à la fascination de son échec et de sa solitude.

Son goût était dans le dégoût —
Trop soi pour se pouvoir souffrir,
L'esprit à sec et le cœur ivre
Il mourut en s'attendant vivre
Et vécut s'attendant mourir.

« Le moi humain est haïssable... » dit-il, et, plus d'une fois, comme pour tenter de nous égarer et de s'égarer lui-même, de brouiller ses traces, il évite le « je », se fait étranger à ses propres yeux après s'être senti étranger aux yeux des autres. Il parle de lui comme d'un passant qu'il interpelle : « Fais de toi ton œuvre posthume », mieux encore, il parle de lui comme d'un mort :

Il se tua d'ardeur, ou mourut de paresse,
S'il vit, c'est par l'oubli; voici ce qu'il se laisse
— Son seul regret fut de n'être pas sa maîtresse. —

. . . .

Ci-gît — cœur sans cœur, mal planté,
Trop réussi — comme raté.

Il ne faut pas que les invectives, les sursauts, les jurons de ce poète *mal à l'aise dans sa peau* obscurcissent pour nous la vraie grâce qu'il possédait au cœur de ses tourments, la source de beauté que n'arrivaient pas à tarir son corps ni son esprit rugueux. En certains poèmes brefs, légers havres, semble-t-il, où, pour un instant, s'apaisent les *grains* perpétuels du sort, Corbière se livre sans remords, sans réticence à un chant pur, où l'image même de la mort devient légère et celle de l'amour, sans espoir peut-être, mais sans amertume. Corbière intitule ces vers *Rondels pour après,* pour lui il n'y avait de paix, de douceur possibles, d'harmonie enfin promise qu'une fois quittée la rive de la vie.

RONDEL

Il fait noir, enfant, voleur d'étincelles!
Il n'est plus de nuits, il n'est plus de jours;
Dors... en attendant venir toutes celles
Qui disaient : Jamais! qui disaient : Toujours!

Entends-tu leurs pas ? Ils ne sont pas lourds :
Oh! les pieds légers! — l'Amour a des ailes...
Il fait noir, enfant, voleur d'étincelles!

Entends-tu leurs voix ?... Les caveaux sont sourds.
Dors : il pèse peu, ton faix d'immortelles :
Ils ne viendront pas, tes amis les ours,
Jeter leur pavé sur tes demoiselles :
Il fait noir, enfant, voleur d'étincelles!

MIRLITON

Dors d'amour, méchant ferreur de cigales!
Dans le chiendent qui te couvrira
La cigale aussi pour toi chantera,
Joyeuse, avec ses petites cymbales.

La rosée aura des pleurs matinales;
Et le muguet blanc fait un joli drap...
Dors d'amour, méchant ferreur de cigales!
Pleureuses en troupeaux passeront les rafales...

La Muse camarde ici posera,
Sur ta bouche noire encore elle aura
Ces rimes qui vont aux moelles des pâles...
Dors d'amour, méchant ferreur de cigales!

PETIT MORT POUR RIRE

Va vite, léger peigneur de comètes!
Les herbes au vent seront tes cheveux;
De ton œil béant jailliront les feux
Follets, prisonniers dans les pauvres têtes...

Les fleurs de tombeau qu'on nomme Amourettes
Foisonneront plein ton rire terreux...
Et les myosotis, ces fleurs d'oubliettes...
Ne fais pas le lourd : cercueils de poètes

Pour les croque-morts sont de simples jeux,
Boîtes à violon qui sonnent le creux...
Ils te croiront mort — Les bourgeois sont bêtes —
Va vite, léger peigneur de comètes!

STÉPHANE MALLARMÉ

Autant le destin de Rimbaud fut tourmenté, autant celui de Mallarmé[1] fut uni et, dirait-on, invisible. On ne peut imaginer poètes plus éloignés l'un de l'autre par leur mode de vie, et pourtant, à la suite de Baudelaire et jusqu'à nos jours, ils ont été les deux « phares » essentiels de la poésie française, au principe de deux grandes voies tantôt divergentes, tantôt, pour un instant, rapprochées. Et sans doute, en deçà de cette communauté de grandeur et de cette diversité d'exemple, trouverait-on une même blessure, une même exigence. Au nom de la poésie, Mallarmé pas plus que Rimbaud n'acceptait ce monde, n'acceptait d'être au monde, mais au nom de la poésie, Rimbaud entendait changer ce monde, alors que Mallarmé rêvait de substituer à l'incohérence de l'univers la cohérence d'un poème. Chez le poète des *Illuminations*, la révolte l'emporte, chez celui d'*Hérodiade*, le refus; mais qu'on y prenne garde, cette révolte et ce refus ont une égale, une prodigieuse intensité, l'un et l'autre aboutiront à un échec, ou à un semi-échec : la transfiguration plénière de nos jours par la poésie, Rimbaud en se taisant l'a tacitement reconnue irréalisable, l'Œuvre unique susceptible d'annuler dans sa perfection l'absurde et le hasard, Mallarmé n'a estimé n'en avoir accompli que les fragmentaires ébauches. Ce sont les descendants de ces poètes qui accentueront

1. Né à Paris en 1842, mort en 1898 à Valvins près de Fontainebleau. Œuvres principales : *L'Après-midi d'un Faune* (Derenne, 1876; Vanier, 1886; Gallimard, 1948); *Un coup de Dés jamais n'abolira le hasard* (Cosmopolis, 1897; N.R.F., 1914; Gallimard, 1920); *Vers et Prose, florilège* (Perrin, 1893); *Vers de circonstances* (N.R.F., 1920); *Igitur* (N.R.F., 1925); *Poésies* (N.R.F., 1913-1920); *Œuvres complètes*, textes annotés par Henry Mondor (N.R.F., 1951); *Les Noces d'Hérodiade* (N.R.F., 1959). Références : *Variétés II et III*, par Paul Valéry (Gallimard); *Prétextes*, par André Gide (Mercure de France); *Le livre des masques*, par Rémy de Gourmont (Mercure de France); *Propos sur la poésie de Mallarmé*, par Henri Mondor (Ed. du Rocher); *La vie de Mallarmé*, par Henri Mondor (Gallimard); *L'œuvre poétique de Stéphane Mallarmé*, par E. Nouler (Paris, Droz, 1940); *Le Livre de Mallarmé*, par J. Schérer (Gallimard, 1957); *Correspondance de Mallarmé, 1862-1871* (Gallimard, 1959); *Mallarmé et le drame solaire*, par Gardner Davies (Ed. José Corti, 1959) ; *Stéphane Mallarmé*, par P.O. Walzer (Ed. Seghers,. Coll. Poètes d'aujourd'hui, 1952).

les différences que recélaient deux œuvres, également rares, où le langage fut élevé à la gloire d'une religion, où le vocable fut chargé grâce à une vertigineuse impatience chez Rimbaud, grâce à une vertigineuse patience chez Mallarmé, des sortilèges pris aux profondeurs comme aux sommets de l'esprit. La lignée mallarméenne louera la poésie comme art suprême, celle de Rimbaud humiliera la poésie en tant qu'art, mais l'exaltera en tant qu'espoir, l'une et l'autre auront consacré la primauté en même temps que l'irréductibilité de la poésie. De Rimbaud, « passant considérable » ainsi que le notait Mallarmé, comme de celui-ci, on pourra dire, selon encore un jugement mallarméen sur la fonction du poète, qu'ils ont travaillé « avec mystère en vue de plus tard ».

« La vraie vie est absente », affirme Rimbaud, et Villiers de l'Isle Adam : « Vivre! Les serviteurs feront cela pour nous », et Mallarmé, « Le poète las que la vie étiole », ne cesse de chanter l'*absence*, d'y chercher l'essence de la poésie. Après la monstrueuse santé, la vigueur énorme de Hugo, nos poètes de Baudelaire à Laforgue, de Lautréamont à Jarry, rebelles ou résignés, frénétiques ou craintifs, sont des blessés. La blessure de Stéphane Mallarmé est celle, perpétuelle, qu'inflige la pressante, chaude impureté de ce qui existe à un être hanté par la froide, dédaigneuse pureté du néant; ou, plus strictement, sa seule blessure est d'être. Sous les premiers échos baudelairiens de la poésie mallarméenne, on perçoit vite l'authenticité et la particularité de cette plaie intérieure qu'une préciosité quelque peu frêle dissimule à peine.

LE PITRE CHATIÉ

Yeux, lacs avec ma simple ivresse de renaître
Autre que l'histrion qui du geste évoquais
Comme plume la suie ignoble des quinquets,
J'ai troué dans le mur de toile une fenêtre.

De ma jambe et des bras limpide nageur traître,
A bonds multipliés, reniant le mauvais
Hamlet! c'est comme si dans l'onde j'innovais
Mille sépulcres pour y vierge disparaître.

Hilare or de cymbale à des poings irrité,
Tout à coup le soleil frappe la nudité
Qui pure s'exhala de ma fraîcheur de nacre,

Rance nuit de la peau quand sur moi vous passiez,
Ne sachant pas, ingrat! que c'était tout mon sacre,
Ce fard noyé dans l'eau perfide des glaciers.

Jeune, Mallarmé semble réincarner un Hamlet moderne qui se serait défait de toute attitude théâtrale, et toute sa vie le poète rêvera de créer un personnage frère du prince d'Elseneur, infiniment plus fermé, plus abstrait que le héros shakespearien, être insaisissable, replié sur soi, mû par la nostalgie d'un temps antérieur à la conscience douloureuse du hiatus entre l'esprit et le monde. Cet être idéal prendra plusieurs noms, plusieurs formes et visages au cours des ans : il sera tantôt le poète tel qu'en lui-même enfin le poème le change, tantôt la glaciale Hérodiade, avouant sa hantise de l'unité enfantine, de ces jours où le lait maternel devenait à la fois le sang du monde et son propre sang : « Si tu me vois les yeux perdus au paradis... c'est quand je me souviens de ton lait bu jadis », tantôt ce mystérieux Igitur qui « descend les escaliers de l'esprit humain, va au fond des choses, en « absolu » qu'il est » et dont son créateur déclare : « Lui-même à la fin, quand les bruits auront disparu, tirera une preuve de quelque chose de grand (pas d'astres ? le hasard annulé ?) de ce simple fait qu'il peut causer l'ombre en soufflant sur la lumière. » Lumière, vie sont insupportables au poète depuis qu'il en est exclu ou plutôt depuis qu'il a pris conscience de cette exclusion. L'azur est pour lui le symbole à la fois blessant et attirant de l'univers qui le refuse et qu'à son tour il refuse : « Et la bouche fiévreuse et d'azur bleu vorace », « L'insensibilité de l'azur et des pierres », « Pour les lèvres que l'air du vierge azur affame... » L'obsédante tentation — haine de l'azur — le monde narquois sur lequel le poète demeure sans prise — est au cœur du poème qui porte précisément pour titre : « L'Azur. »

L'AZUR

De l'éternel azur la sereine ironie
Accable, belle indolemment comme les fleurs,
Le poète impuissant qui maudit son génie
A travers un désert stérile de Douleurs.

Fuyant, les yeux fermés, je le sens qui regarde
Avec l'intensité d'un remords atterrant,
Mon âme vide. Où fuir ? Et quelle nuit hagarde
Jeter, lambeaux, jeter sur ce mépris navrant ?

Brouillards, montez! Versez vos cendres monotones
Avec de longs haillons de brume dans les cieux
Qui noiera le marais livide des automnes
Et bâtissez un grand plafond silencieux!

Et toi, sors des étangs léthéens et ramasse
En t'en venant la vase et les pâles roseaux,
Cher Ennui, pour boucher d'une main jamais lasse
Les grands trous bleus que font méchamment les oiseaux.

Encor! que sans répit les tristes cheminées
Fument, et que de suie une errante prison
Éteigne dans l'horreur de ses noires traînées
Le soleil se mourant jaunâtre à l'horizon!

— Le Ciel est mort. — Vers toi, j'accours! donne, ô matière,
L'oubli de l'Idéal cruel et du Péché
A ce martyr qui vient partager la litière
Où le bétail heureux des hommes est couché,

Car j'y veux, puisque enfin ma cervelle, vidée
Comme le pot de fard gisant au pied d'un mur,
N'a plus l'art d'attifer la sanglotante idée,
Lugubrement bâiller vers un trépas obscur...

En vain! l'Azur triomphe, et je l'entends qui chante
Dans les cloches. Mon âme, il se fait voix pour plus
Nous faire peur avec sa victoire méchante,
Et du métal vivant sort en bleus angelus!

Il roule par la brume, ancien et traverse
Ta native agonie ainsi qu'un glaive sûr;
Où fuir dans la révolte inutile et perverse ?
Je suis hanté. *L'Azur! L'Azur! L'Azur! L'Azur!*

A ce cri répond celui d'Hérodiade : « Et je déteste, moi, le bel azur! », car elle est comme le poète, comme Igitur encore, éprise d'une nuit intérieure pâle, vide, illimitée. Cette nuit de Mallarmé est dominée par une aspiration au néant que pourrait finalement combler le suicide, cet acte qui délivrerait l'être en le plongeant définitivement en cette pure absence qu'il convoite avec avidité, ou, au contraire, un acte créateur capable d'affirmer, s'il atteint à la perfection, la liberté de celui qui l'accomplit et son triomphe sur le hasard, le contingent qui, de toute part, hors de lui et en lui, le pressent et le défont.

« Être ou ne pas être ? » Pour Mallarmé la question devient plus redoutable car être, ce n'est pas s'abandonner à la trouble pulsation de l'existence, c'est obtenir une autonomie totale de l'esprit qui oppose et égale celui-ci à l'univers. La poésie mallarméenne se fonde sur cette gageure : tirer du vide infini qu'on sait porter en soi un poème susceptible de contrebalancer la plénitude infinie dont on se sent exclu. A la limite, le poète n'a *rien* à dire mais l'impérieux besoin de dire ce *rien* de telle façon que la parole proférée ait une valeur absolue! La naissance du poème sera donc tourment et lutte ainsi qu'il apparaît dans le « Don du Poème ».

DON DU POÈME

Je t'apporte l'enfant d'une nuit d'Idumée!
Noire, à l'aile saignante et pâle, déplumée,
Par le verre brûlé d'aromates et d'or,
Par les carreaux glacés, hélas! mornes encor,
L'aurore se jeta sur la lampe angélique.
Palmes! et quand elle a montré cette relique
A ce père essayant un sourire ennemi,
La solitude bleue et stérile a frémi.
O la berceuse, avec ta fille et l'innocence

De vos pieds froids, accueille une horrible naissance :
Et ta voix rappelant viole et clavecin,
Avec le doigt fané presseras-tu le sein
Par qui coule en blancheur sibylline la femme
Pour les lèvres que l'air du vierge azur affame ?

Pour Mallarmé la blancheur de la page vierge est par analogie le vide et la goutte d'encre l'opacité de la nuit; il lui faut, il doit forcer ce désert de la page, cette obscurité du signe; aussi profond que soit le sentiment de son impuissance, de sa stérilité, plus profonde encore, plus enracinée est sa nécessité de créer puisqu'au terme du combat intérieur le poème sanctionne la difficile victoire. L'originalité et la gloire de Mallarmé, ce sera d'avoir puisé dans la difficulté d'être et dans celle de créer, le principe même de son œuvre. Il n'est pas de poésie plus dépouillée que la sienne de tout pittoresque ou sentiment; elle est la poésie pure, pure réponse d'un être, indéfiniment méditée, à son tourment originel. C'est le chant parfait et parfaitement clos sur soi-même de Narcisse qu'on croit surprendre sur les lèvres d'Hérodiade :

Oui, c'est pour moi, pour moi, que je fleuris, déserte!
Vous le savez jardins d'améthyste, enfouis
Sans fin dans de savants abîmes éblouis,
Ors ignorés, gardant votre antique lumière
Sous le sombre sommeil d'une terre première,
Vous pierres où mes yeux comme de purs bijoux
Empruntent leur clarté mélodieuse, et vous
Métaux qui donnez à ma jeune chevelure
Une splendeur fatale et sa massive allure!
Quant à toi, femme née en des siècles malins
Pour la méchanceté des antres sibyllins,
Qui parles d'un mortel! selon qui, des calices
De mes robes, arôme aux farouches délices,
Sortirait le frisson blanc de ma nudité,
Prophétise que si le tiède azur d'été,
Vers lui nativement la femme se dévoile,
Me voit dans ma pudeur grelottante d'étoile,
Je meurs!

J'aime l'horreur d'être vierge et je veux
Vivre parmi l'effroi que me font mes cheveux

Pour, le soir, retirée en ma couche, reptile
Inviolé sentir en la chair inutile
Le froid scintillement de ta pâle clarté
Toi qui te meurs, toi qui brûles de chasteté,
Nuit blanche de glaçons et de neige cruelle!
Et ta sœur solitaire, ô ma sœur éternelle
Mon rêve montera vers toi : telle déjà,
Rare limpidité d'un cœur qui le songea,
Je me crois seule en ma monotone patrie
Et tout, autour de moi, vit dans l'idolâtrie
D'un miroir qui reflète en son calme dormant
Hérodiade au clair regard de diamant...
O charme dernier, oui! je le sens, je suis seule.
. . . .

Le poète est et n'est pas sa création, Mallarmé est et n'est pas *Igitur*, il est et n'est pas *Hérodiade* : son grand dessein qu'il poursuivra d'année en année sans jamais l'achever et dont il écrivait : « J'ai enfin commencé mon *Hérodiade*. Avec terreur, car j'invente une langue qui doit nécessairement jaillir d'une poétique très nouvelle, que je pourrais définir en ces deux mots : *Peindre non la chose, mais l'effet qu'elle produit*. Le vers ne doit donc pas, là, se composer de mots, mais d'intentions et toutes les paroles s'effacer devant les sensations...

Je veux, — pour la première fois, — *réussir*. Je ne toucherais plus jamais une plume si j'étais terrassé. » Le poète ne fut pas terrassé, mais, double, en même temps qu'il amenait dans *Hérodiade* à la poésie la plus consciemment élaborée les sources inconscientes du refus de vivre, il nourrissait de ses rêves et de sa méditation cette autre part de lui-même aussi exigeante : le goût charnel de la vie, dans « L'après-midi d'un faune ». Ainsi, Hérodiade où luisent les feux mortels et chastes du gel et le Faune où brillent les flammes solaires et sensuelles se complètent et leurs thèmes entrecroisés au long de l'existence de Mallarmé composent sa symphonie intérieure. Fondant l'alternance de ses inspirations sur celle même des saisons, Mallarmé vouait ses hivers à *Hérodiade* et les étés au *Faune*.

On remarquera que ce faune est aussi fuyant que la musique et les images qui l'évoquent; il n'étreint finalement que l'*absence* des nymphes convoitées : le corps féminin, où éclate, palpable, savoureuse, la vie, n'est pas atteint; à sa place seulement se propose un songe. Le monologue du faune mime la sublimation même du poète qui, d'un rêve charnel, passe non pas à l'accomplissement de son désir, du « souhait de (ses) sens fabuleux », mais à la transfiguration du chant :

L'APRÈS-MIDI D'UN FAUNE

(fragments)

Ces nymphes, je les veux perpétuer.

Si clair,
Leur incarnat léger, qu'il voltige dans l'air
Assoupi de sommeil touffus.

Aimai-je un rêve ?
Mon doute, amas de nuit ancienne, s'achève
En maint rameau subtil, qui, demeuré les vrais
Bois mêmes, prouve, hélas! que bien seul je m'offrais
Pour triomphe la faute idéale de roses.
Réfléchissons...

ou si les femmes dont tu gloses
Figurent un souhait de tes sens fabuleux!
Faune, l'illusion s'échappe des yeux bleus
Et froids, comme une source en pleurs, de la plus chaste :
Mais, l'autre tout soupirs, dis-tu qu'elle contraste
Comme brise du jour chaude dans ta toison ?
Que non! par l'immobile et lasse pâmoison
Suffoquant de chaleurs le matin frais s'il lutte,
Ne murmure point d'eau que ne verse ma flûte
Au bosquet arrosé d'accords; et le seul vent
Hors des deux tuyaux prompt à s'exhaler avant
Qu'il disperse le son dans une pluie aride,
C'est, à l'horizon pas remué d'une ride,
Le visible et serein souffle artificiel
De l'inspiration, qui regagne le ciel.

O bords siciliens d'un calme marécage
Qu'à l'envi des soleils ma vanité saccage,
Tacite sous les fleurs d'étincelles, CONTEZ
« Que je coupais ici les creux roseaux domptés

Par le talent; quand, sur l'or glauque de lointaines
Verdures dédiant leur vigne à des fontaines,
Ondoíe une blancheur animale au repos :
Et qu'au prélude lent où naissent les pipeaux
Ce vol de cygnes, non! de naïades se sauve
Ou plonge... »

Inerte, tout brûle dans l'heure fauve
Sans marquer par quel art ensemble détala
Trop d'hymen souhaité de qui cherche le la :
Alors m'éveillerai-je à la ferveur première,
Droit et seul, sous un flot antique de lumière,
Lys! et l'un de vous tous pour l'ingénuité.

Autre que ce doux rien par leur lèvre ébruité,
Le baiser, qui tout bas des perfides assure,
Mon sein, vierge de preuve, atteste une morsure
Mystérieuse, due à quelque auguste dent;
Mais, bast! arcane tel élut pour confident
Le jonc vaste et jumeau dont sous l'azur on joue :
Qui, détournant à soi le trouble de la joue,
Rêve, dans un solo long, que nous amusions
La beauté d'alentour par des confusions
Fausses entre elle-même et notre chant crédule;
Et de faire aussi haut que l'amour se module
Évanouir du songe ordinaire de dos
Ou de flanc pur suivis avec mes regards clos,
Une sonore, vaine et monotone ligne.

Le poème de *La Chevelure* montre encore le passage mallarméen d'un symbole voluptueux à une évocation pleine de sortilèges certes mais devenue immatérielle : le feu sensuel, érotique de la chevelure se métamorphose en une flamme exaltante mais idéale.

LA CHEVELURE

La chevelure vol d'une flamme à l'extrême
Occident de désirs pour la tout déployer
Se pose (je dirais mourir un diadème)
Vers le front couronné son ancien foyer

Mais sans or soupirer que cette vive nue
L'ignition du feu toujours intérieur
Originellement la seule continue
Dans le joyau de l'œil véridique ou rieur

Une nudité de héros tendre diffame
Celle qui ne mouvant astre ni feux au doigt
Rien qu'à simplifier avec gloire la femme
Accomplit par son chef fulgurante l'exploit

De semer de rubis le doute qu'elle écorche
Ainsi qu'une joyeuse et tutélaire torche.

Ainsi la chair dans la poésie de Mallarmé se consume-t-elle jusqu'à n'être plus, elle aussi, que diamant ou cristal, sinon elle n'est au poète que chaîne décevante qu'il faut fuir comme il faut s'évader de soi.

BRISE MARINE

La chair est triste, hélas! et j'ai lu tous les livres.
Fuir! là-bas fuir! Je sens que des oiseaux sont ivres
D'être parmi l'écume inconnue et les cieux!
Rien, ni les vieux jardins reflétés par les yeux
Ne retiendra ce cœur qui dans la mer se trempe
O nuits! ni la clarté déserte de ma lampe
Sur le vide papier que la blancheur défend
Et ni la jeune femme allaitant son enfant.
Je partirai! Steamer balançant ta mâture,
Lève l'ancre pour une exotique nature!

Un Ennui, désolé par les cruels espoirs,
Croit encore à l'adieu suprême des mouchoirs!
Et, peut-être, les mâts, invitant les orages
Sont-ils de ceux qu'un vent penche sur les naufrages
Perdus, sans mâts, sans mâts, ni fertiles îlots...
Mais, ô mon cœur, entends le chant des matelots!

Le véritable havre vers lequel le poète songe fidèlement à voguer, c'est toujours l'absence, d'où l'admirable, saisissante pureté des *Tombeaux* qu'il élève à ses dieux : Poe, Baudelaire; la mort n'est autre que la parfaite absence où le poète trouve sa vérité.

LE TOMBEAU D'EDGAR POE

Tel qu'en Lui-même enfin l'éternité le change,
Le Poète suscite avec un glaive nu
Son siècle épouvanté de n'avoir pas connu
Que la Mort triomphait dans cette voix étrange!

Eux, comme un vil sursaut d'hydre oyant jadis l'ange
Donner un sens plus pur aux mots de la tribu,
Proclamèrent très haut le sortilège bu
Dans le flot sans honneur de quelque noir mélange.

Du sol et de la nue hostiles, ô grief!
Si notre idée avec ne sculpte un bas-relief
Dont la tombe de Poe éblouissante s'orne,

Calme bloc ici-bas chu d'un désastre obscur,
Que ce granit du moins montre à jamais sa borne
Aux noirs vols du Blasphème épars dans le futur.

LE TOMBEAU DE CHARLES BAUDELAIRE

Le temple enseveli divulgue par la bouche
Sépulcrale d'égout bavant boue et rubis
Abominablement quelque idole Anubis
Tout le museau flambé comme un aboi farouche

Ou que le gaz récent torde la mèche louche
Essuyeuse on le sait des opprobres subis
Il allume hagard un immortel pubis
Dont le vol selon le réverbère découche

Quel feuillage séché dans les cités sans soir
Votif pourra bénir comme elle se rasseoir
Contre le marbre vainement de Baudelaire

Au voile qui la ceint absente avec frissons
Celle son Ombre même un poison tutélaire
Toujours à respirer si nous en périssons.

Dans une lettre à Verlaine, Mallarmé avait défini son ambition poétique : « ... à part les morceaux de prose et les vers de ma jeunesse et la suite qui y faisait écho, publiés un peu partout, chaque fois que paraissaient les premiers numéros d'une Revue Littéraire, j'ai toujours rêvé et tenté autre chose avec une patience d'alchimiste, prêt à y sacrifier toute vanité et toute satisfaction, comme on brûlait jadis son mobilier et les poutres de son toit, pour alimenter le fourneau du Grand Œuvre. Quoi ? c'est difficile à dire : un livre, tout bonnement, en maints tomes, un livre qui soit un livre, architectural et prémédité, et non un recueil des inspirations de hasard fussent-elles merveilleuses. J'irai plus loin, je dirai : le Livre, persuadé qu'au fond il n'y en a qu'un, tenté à son insu par quiconque a écrit, même les Génies. L'explication orphique de la Terre, qui est le seul devoir du poète et le jeu littéraire par excellence : car le rythme même du livre, alors impersonnel et vivant, jusque dans sa pagination, se juxtapose aux équations de ce rêve ou Ode.

Voilà l'aveu de mon vice, mis à nu, cher ami, que mille fois j'ai rejeté, l'esprit meurtri ou las mais cela me possède et je réussirai peut-être; non pas à faire cet ouvrage dans son ensemble (il faudrait être je ne sais qui pour cela!) mais à en montrer un fragment d'exécuté, à en faire scintiller par une place l'authenticité glorieuse, en indiquant le reste tout entier auquel ne suffit pas une vie. Prouver par les portions faites que ce livre existe et que j'ai connu ce que je n'aurai pu accomplir. »

Quand à son tour Mallarmé devra se coucher dans ce « peu profond ruisseau calomnié la mort », quand il devra dire adieu à la longue patience sans fin approfondie de son génie, le livre tenté sciemment par lui n'aura pas été conçu ainsi qu'il le prévoyait, ni prononcé le dernier mot; du moins comme il le désirait, il aura réussi à « faire scintiller » du Grand Œuvre entrevu, somme qui eût été égale à un acte divin, ces quelques fragments « chus d'un désastre obscur » que sont *Hérodiade*, *L'Après-midi d'un Faune*, *Les Tombeaux*, ou bien *Un coup de dés jamais n'abolira le hasard*, ce poème novateur dans sa forme typographique : les marges, les noirs et les blancs déterminant des rythmes de lecture en correspondance avec ceux intérieurs suscités par les images et les mots; ou bien encore ces sonnets énigmatiques, pièges pour notre esprit qu'ils enchantent.

Le vierge, le vivace et le bel aujourd'hui
Va-t-il nous déchirer avec un coup d'aile ivre
Ce lac dur oublié que hante sous le givre
Le transparent glacier des vols qui n'ont pas fui!

Un cygne d'autrefois se souvient que c'est lui
Magnifique mais qui sans espoir se délivre
Pour n'avoir pas chanté la région où vivre
Quand du stérile hiver a resplendi l'ennui.

Tout son col secouera cette blanche agonie
Par l'espace infligée à l'oiseau qui le nie,
Mais non l'horreur du sol où le plumage est pris.

Fantôme qu'à ce lieu son pur éclat assigne,
Il s'immobilise au songe froid de mépris
Que vêt parmi l'exil inutile le Cygne.

*

Victorieusement fui le suicide beau
Tison de gloire, sang par écume, or, tempête!
O rire si là-bas une pourpre s'apprête
A ne tendre royal que mon absent tombeau.

Quoi! de tout cet éclat pas même le lambeau
S'attarde, il est minuit, à l'ombre qui nous fête
Excepté qu'un trésor présomptueux de tête
Verse son caressé nonchaloir sans flambeau,

La tienne si toujours le délice! la tienne
Oui seule qui du ciel évanoui retienne
Un peu de puéril triomphe en t'en coiffant

Avec clarté quand sur les coussins tu la poses
Comme un casque guerrier d'impératrice enfant
Dont pour te figurer il tomberait des roses.

*

Ses purs ongles très haut dédiant leur onyx,
L'Angoisse, ce minuit, soutient, lampadophore,
Maint rêve vespéral brûlé par le Phénix
Que ne recueille pas de cinéraire amphore

Sur les crédences, au salon vide : nul ptyx,
Aboli bibelot d'inanité sonore,
(Car le Maître est allé puiser des pleurs au Styx
Avec ce seul objet dont le Néant s'honore.)

Mais proche la croisée au nord vacante, un or
Agonise selon peut-être le décor
Des licornes ruant du feu contre une nixe,

Elle, défunte nue en le miroir, encor
Que, dans l'oubli fermé par le cadre, se fixe
De scintillations sitôt le septuor.

J'ai parlé de pièges et d'énigmes, c'est que la beauté concertée de la poésie mallarméenne — et parfois, mais rarement, l'excès de recherche fait du vers un « aboli bibelot d'inanité sonore », comme d'un philtre qui par saturation perdrait sa vertu — offre à la rêverie non pas un espace indéfini où elle puisse s'épandre mais une sorte de labyrinthe où elle se plaît à se couler et à avancer saus trouver issue ni fin. Certes une telle poésie est hermétique. Elle l'est d'abord par son origine : cette intuition angoissante de l'être qui se sent impénétrable au monde, elle l'est par son exigence : atteindre à la perfection d'une œuvre rigoureusement close sur elle-même, fermée aux « inspirations de hasard fussent-elles merveilleuses », comme aux banalités de la prose ou aux effusions subjectives. Aux entraves internes qu'il subissait malgré lui, qui lui rendaient mal aisées la vie aussi bien que l'inspiration, Mallarmé semble avoir substitué des contraintes délibérément choisies et assumées dans la création poétique et susceptibles de conférer à celle-ci le maximum de densité et de pureté. L'architecture complexe de ses œuvres est déterminée par la recherche d'un

« effet général du poème », où le premier mot « outre qu'il tend lui-même (à cet effet) sert encore à préparer le dernier ». Ainsi cette architecture rend-elle comparables les images, les musiques, les suggestions d'un poème à mille feux l'un sur l'autre répercutés et finalement fondus en une seule flamme comme la géométrie délicate d'un diamant fait de celui-ci une multiple et pourtant unique source de lumière.

Mallarmé sépare rigoureusement les deux fonctions du langage : celle d'échange où le mot est signe aussitôt effacé que transmis, et celle, sacrée, de poésie où le mot est analogue à un astre rayonnant et à une cellule féconde « apparenté à toute la nature et se rapprochant ainsi de l'organisme dépositaire de la vie ». C'est pourquoi le sens ne prévaut pas dans le poème mais un certain pouvoir de celui-ci. Pour obtenir ce pouvoir chaque vocable sera, avec d'infinies précautions, choisi puis situé par rapport à l'ensemble d'images, de sonorités, de rythmes, d'allusions et de symboles qui composent le « sortilège » total du poème.

Oui, l'hermétisme est ici exigence, grandeur : « Toute chose sacrée et qui veut demeurer sacrée s'enveloppe de mystère. Les religions se retranchent à l'abri d'arcanes dévoilés au seul prédestiné : l'art a les siens », et encore incantation : « Je dis qu'existe entre les vieux procédés et le sortilège que restera la poésie, une parité secrète... Évoquer dans une ombre exprès l'objet tu, par des mots allusifs, jamais directs, se réduisant à du silence égal, comporte tentative proche de créer : vraisemblable dans la limite de l'idée uniquement mise en jeu par l'enchanteur de lettres jusqu'à ce que, certes, scintille quelque illusion égale au regard. Le vers, trait incantatoire! et, on ne déniera au cercle que perpétuellement ferme, ouvre la rime une similitude avec les ronds, parmi l'herbe, de la fée ou du magicien. »

Enfin, si Rimbaud pensait « la vraie vie » absente, Mallarmé porte en lui une mystérieuse fascination de l'absence; il tend à faire du poème l'approche d'une semblable absence et d'un semblable mystère, il se forge pour cela une syntaxe déroutante au vrai sens du terme et veille à ce que ses images se défassent dans leur succession : une image en engendrant une autre qui la nie et l'annule, ainsi le poème s'abolit-il (le mot préféré, peut-être de Mallarmé) en se créant.

S'il est une rançon à cet hermétisme ce sera parfois une excessive préciosité, une perfection trop glacée, mais ni l'une, ni l'autre n'empêcheront l'apparition de splendides énigmes où « le hasard (est) vaincu mot par mot » et qui font oublier, donc un instant disparaître, par leur fragile pureté, leur attentive mesure, l'incommensurable, impure énigme de l'univers.

LES SYMBOLISTES

LE SYMBOLISME

Edgar Poe et Baudelaire sont à l'origine du Symbolisme. Sa poésie se fonde sur les *Correspondances* telles que les ont éclairées *Les Fleurs du Mal.* Saint-Pol-Roux, Maeterlinck, Viélé-Griffin continuent à passer attentifs dans cet univers comparable à « un temple où de vivants piliers — laissent parfois sortir de confuses paroles »; ils errent « à travers des forêts de Symboles ». Ce principe d'Edgar Poe les guide selon lequel : « Le monde matériel est rempli d'analogies rigoureuses avec le monde immatériel. » Ils revendiquent pour maîtres immédiats Mallarmé, Verlaine, parfois Rimbaud. Ce sont, comme le rappelle l'un d'eux, Francis Viélé-Griffin, ce sont « ces jeunes hommes qui, guidés par leur seule foi dans l'Art, s'en furent chercher Verlaine au fond de la cour Saint-François, blottie sous le chemin de fer de Vincennes, pour l'escorter de leurs acclamations vers la gloire haute que donne l'élite; qui montèrent, chaque semaine, la rue de Rome porter l'hommage de leur respect et de leur dévouement à Stéphane Mallarmé, hautainement isolé dans son rêve; qui entourèrent Léon Dierx d'une déférence sans défaillance et firent à Villiers de l'Isle-Adam, courbé par la vie, une couronne de leurs enthousiasmes. » L'auteur de *L'Après-midi d'un Faune* leur ouvrait la voie lorsqu'il disait : « ... ce à quoi nous devons viser surtout est que, dans le poème, les mots qui déjà sont assez eux pour ne plus recevoir l'impression du dehors — se reflètent les uns sur les autres jusqu'à paraître ne plus avoir leur couleur propre, mais n'être que les transitions d'une gamme. » Voilà qui situe le langage symboliste à la fois près des créations picturales de Claude Monet, Sisley, Pissarro, Seurat, et de la musique de Debussy. Ce rapprochement du verbe et de la musique, d'une gamme picturale ou sonore semblait justifier cette pensée de Valéry : « Ce qui fut baptisé le symbolisme se résume très simplement dans l'intention commune à plusieurs familles de poètes (d'ailleurs ennemies entre elles) de reprendre à la Musique leur bien. » Cependant, s'il est vrai que les Symbolistes se sont attachés à fonder leur poésie sur les rapports du son et de la sensibilité, Valéry simplifie par trop leur recherche qui a porté également sur la révélation par l'image d'une vie spirituelle généralement insoupçonnée; enfin sur un certain sens du mystère dont la poésie peut devenir « le lieu et la formule ». « Penser mystiquement — ou symboliquement — (est) le plus haut et le plus noble effort de l'esprit », disait alors Rémy de Gourmont. Ce même critique déclarait en 1892 : « On croit le moment bon pour le dire avec sincérité et naïveté : à cette heure, il y a deux classes d'écrivains : ceux qui ont du talent — les Symbolistes; ceux qui n'en ont pas — les Autres. »

Ces écrivains qui avaient *du talent*, publiaient leurs vers dans *la Revue Blanche*, les *Essais d'Art libre*, l'*Ermitage*, le *Mercure de France*, *La Plume*; ils se nommaient : Laurent Tailhade, Albert Samain, Gustave Kahn — inventeur avec Laforgue du vers libre, Jules Laforgue, Edouard Dujardin, Saint-Pol-Roux, René Ghil, Louis le Cardonnel, Stuart Merrill, Adolphe Retté, Pierre Quillard, Henri de Régnier, Francis Viélé-Griffin, André-Ferdinand Hérold, Éphraïm Mikhaël, Camille Mauclair, Robert de Souza, G. Albert Aurier, Fagus, Klingsor, Michel Abadie, Charles Morice, fondateur en 1884 de la première revue symboliste *Lutèce*, Robert de Montesquiou, Jean Moréas, qui ensuite déclara la guerre au Symbolisme; enfin ils comprenaient le groupe des poètes belges de Maeterlinck à Verhaeren.

Parmi tous ces poètes, les uns excellents, d'autres honorables, d'autres médiocres, il en est deux dont l'œuvre continue à influencer la plus neuve poésie, ce sont Jules Laforgue et Saint-Pol-Roux.

JULES LAFORGUE

« *Tout le monde me jette Corbière à la tête. Laissez-moi vous confier pour la forme que mes* Complaintes *étaient chez Vanier six mois avant la publication des* Poètes Maudits. »

Ainsi Jules Laforgue[1] se défendait-il d'avoir été influencé par l'auteur des *Amours Jaunes*. De même que, dans le monde scientifique, l'on voit surgir simultanément des inventions semblables alors que les savants qui en sont responsables peuvent matériellement s'ignorer, de même dans le domaine de la poésie, on voit apparaître des langages fraternels sans que se connaissent leurs créateurs : ainsi du lyrisme amer et touchant, sarcastique et spontané, tendre et sapé par l'ironie de Corbière et de Laforgue. Un Rimbaud, un Lautréamont faisaient de la poésie un combat orgueilleux, Laforgue, lui, semble se savoir battu d'avance, dans l'amour — comme Corbière encore — et dans la vie; de la poésie il n'ose attendre un salut. Son pessimisme est total : à dix-neuf ans il a perdu la foi et cette perte il paraît ne jamais l'avoir comblée. Sa brève vie sera une longue familiarité avec le désespoir. « Je m'ennuie natal », écrit-il, ou bien « Et que Dieu n'est-il à refaire ? » La certitude, l'attente même de défaites inéluctables qui sont des morts avant la mort, donnent à sa poésie ce ton si particulier :

---

1. Né en 1860 à Montevideo (Uruguay), mort en 1887 à Paris. Œuvres principales : *Les Complaintes* (Vanier, 1885; Kra, 1923); *Moralités légendaires*, contes en prose (Revue Indépendante, 1887; Ed. de la Banderole, 1922); *Derniers Vers : Le Concile Féerique* (Ed. de la Vogue, 1886); *Des Fleurs de bonne volonté* (1887); *Derniers Vers, Poésies complètes* (Vanier, 1894; Ed. de Cluny, 1943).

Œuvres complètes : *Le Sanglot de la Terre, Les Complaintes, l'Imitation de Notre-Dame la Lune, Le Concile féerique, Derniers Vers, Des Fleurs de bonne volonté* (Mercure de France, 1903-1947). Référence : *Jules Laforgue*, par Marie-Jeanne Durry (Ed. Seghers, Coll. Poètes d'aujourd'hui, 1952).

mélange complexe de gentillesse et de gouaille, de romantisme et de réalisme, d'envolées et de chutes. L'élan toujours se trouve brisé par une pirouette, un clin d'œil averti, une grimace, un calembour; la poésie est rongée par l'antipoésie en même temps qu'elle s'enrichit d'un élément énigmatique : l'humour, à la fois antidote et masque du désespoir.

Comme il cherchait en vain une divinité dans les nuées, Laforgue appelle l'âme féminine et ne rencontre avec dégoût que la chair. De l'amour, il dira : « Cette force éternellement charmante et sale et ridicule », des femmes : « Il y en a d'adorables. Je passe des heures à les regarder. Je fais des rêves. Mais bientôt je songe qu'elles ont, ces anges! pantalons et organes génitaux. Pouah! pouah! — C'est là, d'ailleurs, la grande tristesse de ma vie »; et encore : « La concurrence vitale est terrible. L'homme a mille armes — la femme une seule, son sexe... ». « Elles sont bêtes comme des enfants gâtées — devant qui les gens les plus sérieux et les plus âgés font à l'envi la roue jusqu'au grotesque, au moindre de leurs caprices idiots depuis des siècles — tout roman, tout opéra, tout drame le leur dit — elles fatalisent les gens : princes, pages, poètes, et il y a des morts. Comment voulez-vous après des siècles de ce régime, qu'elles vous traitent en frères. » On le voit, pour Laforgue comme pour Rimbaud l'*amour* était à *réinventer*. La déception amoureuse — je ne pense pas seulement à l'amour de la femme mais à celui des êtres et plus généralement à celui de la vie — marque profondément la poésie de Laforgue et lui donne cet accent de pitié universelle qui se rit d'elle-même. Pour le poète des « Complaintes » l'existence ressemble à la femme et celle-ci « on (la) connaît... ».

Alors, de grâce, songe le poète, ne soyons pas dupes, à l'absence d'âme de nos compagnes opposons une indifférence parfaitement imitée, et tant pis si l'on en meurt.

AUTRE COMPLAINTE DE LORD PIERROT

Celle qui doit me mettre au courant de la Femme!
Nous lui dirons d'abord, de mon air le moins froid :
« La somme des angles d'un triangle, chère âme,
Est égale à deux droits. »

Et si ce cri lui part : « Dieu de Dieu que je t'aime! »
— « Dieu reconnaîtra les siens. » Ou piquée au vif :
— « Mes claviers ont du cœur, tu seras mon seul thème! »
Moi, : « Tout est relatif. »

De tous ses yeux, alors! se sentant trop banale :
« Ah! tu ne m'aimes pas; tant d'autres sont jaloux! »
Et moi, d'un œil qui vers l'Inconscient s'emballe :
« Merci, pas mal; et vous ? »

— « Jouons au plus fidèle! » — « A quoi bon, ô Nature! »
« Autant à qui perd gagne! » Alors, autre couplet :
— « Ah! tu te lasseras le premier, j'en suis sûre... »
— « Après vous, s'il vous plaît. »

Enfin, si, par un soir, elle meurt dans mes livres,
Douce; feignant de n'en pas croire encor mes yeux,
J'aurai un : « Ah ça, mais, nous avions De Quoi vivre!
C'était donc sérieux ? »

Ainsi la peur d'être dupe — ou ridicule — ou de mauvais goût — imposera de plus en plus à Jules Laforgue la mise en sourdine de ses appels, de ses sursauts, de ses angoisses. C'est dans une pudeur souriante que désormais il trouvera sa voie et sa voix « Je veux me fondre de pudeur. » Et quoi de plus pudique justement que l'humour ? Il permet de donner à la tristesse un tour amusé, de camoufler le désespoir sous la désinvolture, sous un sourire la conscience de l'inutilité du cri. A cette reconnaissance de la détresse définitive, de la solitude irrémédiable correspond un changement d'esthétique sur lequel Laforgue s'est expliqué. En somme une aggravation de la conscience malheureuse suscite chez le poète un allégement du ton : se lamenter est vain, donc grotesque, alors chantons en nous moquant de tout et d'abord de nous-mêmes; ne disons pas : « Comme je suis malheureux! », mais : « Ah ça! qu'est-ce que je veux ? — Rien. Je suis-t-il malhûreux! »

Laforgue est ce sceptique par candeur blessée, cet ironiste par souffrance travestie, ce poète de la « mélancolie humoristique », au langage minutieux et *clownesque*, bref ce personnage qu'il s'est plu à composer, ce grime qui le révèle, ce *pierrot falot et lunaire* qui joue avec les mots et les maux, les déforme de façon cocasse, ridiculise les nobles gestes ou propos, met en scène avec élégance les pauvretés de la vie « noyée de rêve », emprunte avec bonheur cette *fleur du malheur* : la *complainte*, ce chant populaire de la misère.

COMPLAINTE

Variations sur le mot « Falot, Falote »

Falot, falote!
Sous l'aigre averse qui clapote,
Un chien aboie aux feux follets,
Et puis se noie, taïaut, taïaut!
La Lune, voyant ces ballets,
Rit à Pierrot!
Falot! Falot!

Falot, falote!
Un train perdu, dans la nuit, stoppe
Par les avalanches bloqué;
Il siffle au loin! et les petiots
Croient ouïr les méchants hoquets
D'un grand crapaud!
Falot! Falot!

Falot, falote!
La danse du bateau-pilote,
Sous l'œil d'or du phare, en péril!
Et sur les steamers, *les galops*
Des vents filtrant leurs longs exils
Par les hublots!
Falot, falot!

Falot, falote!
La petite vieille qui trotte,
Par les bois aux temps pluvieux,
Cassée en deux sous le fagot
Qui réchauffera de son mieux
Son vieux fricot!
Falot, falot!

Falot, falote!
Sous sa lanterne qui tremblote,
Le fermier dans son potager
S'en vient cueillir des escargots,
Et c'est une étoile au berger
Rêvant là-haut!
Falot, falot!

Falot, falote!
Le lumignon au vent toussote,
Dans son cornet de gras papier;
Mais le passant en son pal'tot
O mandarines des Janviers,
File au galop!
Falot, falot!

Falot, falote!
Un chiffonnier va sous sa hotte;
Un réverbère près d'un mur
Où se cogne un vague soulaud,
Qui l'embrasse comme un pur
Avec des mots!
Falot, falot!

Falot, falote!
Et c'est ma belle âme en ribote,
Qui se sirote et se fait mal,
Et fait avec ses grands sanglots,
Sur les beaux lacs de l'Idéal
Des ronds dans l'eau!
Falot, falot!

Une sensibilité trop vive, vite blessée pousse Laforgue à cultiver la parodie. On le voit par exemple dans *La Complainte du Vent qui s'ennuie la Nuit* s'inspirer des thèmes et de la prosodie du *Jet d'Eau* de Baudelaire, mais c'est pour substituer alors au lyrisme grave et solennel une chanson cocasse et attristée qui évoque les vulgarités du décor quotidien — quand Baudelaire parle : *bassins,* Laforgue entonne : *lavabos.*

Il arrive à Laforgue de manquer de naturel, il nous laisse alors des mots opaques, une imagerie démodée, au lieu de la grâce poétique; mais bien plus souvent sa voix douloureuse et moqueuse nous touche, nous ne pouvons l'écouter sans je ne sais quel pincement au cœur, car sous ces ritournelles, ces espiègleries, elle est toute nostalgie : du bonheur, de l'amour, « En rêvant de la petite qui unirait — Aux charmes de l'Œillet ceux du chardonneret », d'une condition humaine que la présence divine aurait tendrement justifiée : « Et que Dieu n'est-il à refaire » ou encore ce regret où il me semble lire l'aveu d'une pure enfance perdue : « Je n'aurai pas été dans les douces étoiles ». Nostalgie, la voix de cet admirable poème extrait des *Derniers Vers* et si proche de nous, aussi proche que les poèmes d'Apollinaire qui lui doit beaucoup :

L'HIVER QUI VIENT

Blocus sentimental! Messageries du Levant!...
Oh! tombée de la pluie! Oh! tombée de la nuit,
Oh! le vent!...
La Toussaint, la Noël et la Nouvelle Année,
Oh! dans les bruines, toutes mes cheminées!...
D'usines...

On ne peut plus s'asseoir, tous les bancs sont mouillés;
Crois-moi, c'est bien fini jusqu'à l'année prochaine,
Tous les bancs sont mouillés, tant les bois sont rouillés,
Et tant les cors ont fait ton ton, ont fait ton taine!...

Ah, nuées accourues des côtes de la Manche,
Vous nous avez gâté notre dernier dimanche.

Il bruine;
Dans la forêt mouillée, les toiles d'araignées
Ploient sous les gouttes d'eau, et c'est leur ruine.

Soleils plénipotentiaires des travaux en blonds Pactoles
Des spectacles agricoles,
Où êtes-vous ensevelis ?
Ce soir un soleil fichu gît au haut du coteau
Gît sur le flanc, dans les genêts, sur son manteau,
Un soleil blanc comme un crachat d'estaminet

Sur une litière de jaunes genêts,
De jaunes genêts d'automne.
Et les cors lui sonnent!
Qu'il revienne...
Qu'il revienne à lui!
Taïaut! Taïaut! et hallali!
O triste antienne, as-tu fini!...
Et font les fous!...
Et il gît là, comme une glande arrachée dans un cou,
Et il frissonne, sans personne!...

Allons, allons, et hallali!
C'est l'Hiver bien connu qui s'amène;
Oh! les tournants des grandes routes,
Et sans petit Chaperon Rouge qui chemine!...
Oh! leurs ornières des chars de l'autre mois,
Montant en don quichottesques rails
Vers les patrouilles des nuées en déroute
Que le vent malmène vers les transatlantiques bercails!...
Accélérons, accélérons, c'est la saison bien connue, cette fois.

Et le vent, cette nuit, il en a fait de belles!
O dégâts, ô nids, ô modestes jardinets!
Mon cœur et mon sommeil : ô échos des cognées!...

Tous ces rameaux avaient encor leurs feuilles vertes,
Les sous-bois ne sont plus qu'un fumier de feuilles mortes;
Feuilles, folioles, qu'un bon vent vous emporte
Vers les étangs par ribambelles,
Ou pour le feu du garde-chasse,
Ou les sommiers des ambulances
Pour les soldats loin de la France.

C'est la saison, c'est la saison, la rouille envahit les masses,
La rouille ronge en leurs spleens kilométriques
Les fils télégraphiques des grandes routes où nul ne passe.

Les cors, les cors, les cors — mélancoliques!...
Mélancoliques!...
S'en vont, changeant de ton,
Changeant de ton et de musique,
Ton ton, ton taine, ton ton!...

Les cors, les cors, les cors!...
S'en sont allés au vent du Nord.

Je ne puis quitter ce ton : que d'échos!...
C'est la saison, c'est la saison, adieu vendanges!...
Voici venir les pluies d'une patience d'ange,
Adieu vendanges, et adieu tous les paniers,
Tous les paniers Watteau des bourrées sous les marronniers.
C'est la toux dans les dortoirs du lycée qui rentre,
C'est la tisane sans le foyer,
La phtisie pulmonaire attristant le quartier,
Et toute la misère des grands centres.

Mais, lainages, caoutchoucs, pharmacie, rêve,
Rideaux écartés du haut des balcons des grèves
Devant l'océan de toitures des faubourgs,
Lampes, estampes, thé, petits-fours,
Serez-vous pas mes seules amours!...
(Oh! et puis, est-ce que tu connais, outre les pianos,
Le sobre et vespéral mystère hebdomadaire
Des statistiques sanitaires
Dans les journaux ?)

Non, non! c'est la saison et la planète falote!
Que l'autan, que l'autan
Effiloche les savates que le Temps se tricote!
C'est la saison, Oh déchirements! c'est la saison!
Tous les ans tous les ans,
J'essaierai en chœur d'en donner la note.

J'ai cité le nom d'Apollinaire à propos de Laforgue, il faudrait encore indiquer bien d'autres poètes que l'auteur des *Complaintes* a pu annoncer : les Fantaisistes notamment, et Reverdy, Léon-Paul Fargue, Queneau, Prévert; en Angleterre : T.S. Eliot. Son esprit aussi bien que son langage sont précurseurs; à vrai dire, comme chez tout poète authentique, on ne saurait d'ailleurs distinguer pour Laforgue esprit et langage : la hardiesse, l'originalité, la liberté, l'humour et l'inquiétude de l'esprit appellent les combinaisons ingénieuses de rythmes, de rimes, d'assonances qui aboutissent à l'invention du vers libre. C'est encore à la souplesse, à la curiosité, au non-conformisme de la pensée, que correspond l'intégration dans une culture poétique de formes populaires naïves du langage parlé, d'images propres au monde moderne. Une imagination avide, à la fois sensuelle et puritaine, suscite la création de « mots à vertiges » qui par télescopage de deux termes associent dans un unique vocable inédit les sens, soit complémentaires, soit au contraire ennemis, des mots anciens. Ces inventions verbales condensent dans leurs syllabes toutes les hantises, toutes les soifs et toutes les craintes de Laforgue : « ... l'automne *s'engrandeuille* », « ... *violuptés* à vif,... vendanges *sexciproques*... honte *sangsuelle*... », et ce dernier mot, ce véritable mot de la fin : « *L'Éternullité* » implicite en chacun des poèmes de Laforgue, et plus particulièrement dans cette « Simple Agonie ».

SIMPLE AGONIE

O paria! — Et revoici les sympathies de mai.
Mais tu ne peux que te répéter, ô honte!
Et tu te gonfles et ne crèves jamais.
Et tu sais fort bien, ô paria,
Que ce n'est pas du tout ça.

Oh! que
Devinant l'instant le plus seul de la nature,
Ma mélodie, toute et unique, monte,
Dans le soir et redouble, et fasse tout ce qu'elle peut
Et dise la chose qu'est la chose,
Et retombe, et reprenne,
Et fasse de la peine,
O solo de sanglots,

Et reprenne et retombe
Selon la tâche qui lui incombe.
Oh! que ma musique
Se crucifie,
Selon sa photographie
Accoudée et mélancolique!...

Il faut trouver d'autres thèmes,
Plus mortels et plus suprêmes.
Oh! bien, avec le monde tel quel,
Je vais me faire un monde plus mortel!

Les âmes y seront à musique,
Et tous les intérêts puérilement charnels,
O fanfares dans les soirs,
Ce sera barbare,
Ce sera sans espoir.

Enquêtes, enquêtes,
Seront l'unique fête!
Qui m'en défie ?
J'entasse sur mon lit, les journaux, linge sale,
Dessins de mode, photographies quelconques,
Toute la capitale,
Matrice sociale.

Que nul n'intercède,
Ce ne sera jamais assez,
Il n'y a qu'un remède,
C'est de tout casser.

O fanfares dans les soirs!
Ce sera barbare,
Ce sera sans espoir.
Et nous aurons beau la piétiner à l'envi,
Nous ne serons jamais plus cruels que la vie,
Qui fait qu'il est des animaux injustement rossés
Et des femmes à jamais laides...
Que nul n'intercède,
Il faut tout casser.

Alleluia, Terre paria.
Ce sera sans espoir,
De l'aurore au soir,
Quand il n'y en aura plus il y en aura encore,
Du soir à l'aurore.
Alleluia, Terre paria!
Les hommes de l'art
Ont dit : « Vrai, c'est trop tard. »
Pas de raison,
Pour ne pas activer sa crevaison.

Aux armes, citoyens! Il n'y a plus de RAISON *:*

Il prit froid l'autre automne,
S'étant attardé vers les peines des cors,
Sur la fin d'un beau jour.
Oh! ce fut pour vos cors, et ce fut pour l'automne,
Qu'il nous montra qu' « on meurt d'amour »!
On ne le verra plus aux fêtes nationales,
S'enfermer dans l'Histoire et tirer les verrous,
Il vint trop tôt, il est reparti sans scandale;
O vous qui m'écoutez, rentrez chacun chez vous.

SAINT-POL-ROUX

« *L'âme façonnée à toutes les transformations, et les plus inattendues de la vie, voici un homme qui n'a pas craint de se mêler au peuple insensé de son esprit, de se livrer entièrement au monde parfait de ses rêves.* »

Tel était l'hommage d'Eluard au déjà vieux poète Saint-Pol-Roux[1] qu'en 1925 les jeunes surréalistes tirèrent de l'oubli où l'avaient relégué ses contemporains symbolistes ou post-symbolistes. Saint-Pol-Roux le Magnifique vivait depuis un quart de siècle dans la solitude de son manoir de Coecilian au bout du monde, à la pointe de Bretagne, lorsque André Breton lui écrivait :

J'ai la plus profonde admiration pour votre attitude littéraire et si, comme je le crois, vous êtes capable d'entendre ce compliment sans amertume, je vous tiens, ainsi que mes amis, pour l'homme envers qui notre temps a été le plus injuste...

Suivirent dans *Les Nouvelles Littéraires* un hommage auquel participèrent les Surréalistes, puis à la Closerie des Lilas un banquet. Hélas! il dégénéra vite en bagarre effarante entre les Surréalistes et les autres admirateurs de Saint-Pol-Roux. Celui-ci s'enfuit de nouveau à Camaret, sa terre

1. Né en 1861 à Saint-Henri (banlieue de Marseille), mort en 1940 à Camaret-sur-Mer (Finistère). Œuvres principales : *Les Reposoirs de la Procession*, tome I (Mercure de France, 1893); *La rose et les épines du chemin, 1885-1900* (Mercure de France, 1901); *Anciennetés* (Mercure de France, 1903; Ed. du Seuil, 1946); *De la Colombe au Corbeau par le Paon, 1885-1904* (Mercure de France, 1904); *Les Reposoirs de la Procession*, tome II; *Les Féeries intérieures, 1885-1906* (Mercure de France, 1907); *Les Reposoirs de la Procession*, tome III. Références : *Cinq poètes assassinés, par Robert Ganzo* (Ed. de Minuit, 1948); *Le Livre des Masques*, par Rémy de Gourmont (Mercure de France); *Saint-Pol-Roux*, par Théophile Briant (Ed. Seghers, Coll. « Poètes d'aujourd'hui », 1952).

natale par adoption, si je puis dire, car le poète, de son vrai nom Paul-Pierre Roux était provençal mais avait reconnu dans la Bretagne la patrie celtique de son âme. Eluard avait raison de saluer dans celui qu'on appela « le Mage », un être ayant eu le courage « de se livrer entièrement au monde parfait de ses rêves ». Le fondateur de l'*idéréalisme* choisit en effet de vivre dans le *merveilleux*, et ce choix, avec la reconnaissance de la souveraineté de l'image, explique l'attachement des Surréalistes à ce poète à leurs yeux exemplaire. Ne quitta-t-il pas définitivement Paris pour Camaret en interprétant comme signe du destin une rencontre, qu'en compagnie de sa femme, il fit, la nuit du 14 juillet 1898, d'une belle saltimbanque, travestie en musulmane, et qui leur cria : « Allez à Camaret! Camaret mon pays d'origine!... Un petit port perdu au bout du monde. » Un nègre mi-nu, inquiétant, surveillait ce colloque.

Le lendemain, Saint-Pol-Roux débarquait à Camaret :

Je sentis que mon destin m'y conduisait, que je n'avais plus le droit de partir (...). Mais depuis cette heure, j'ai toujours retrouvé au fond de mes rêves et de mes visions, ce torse de nègre et ces deux yeux de femme comme deux vivants symboles. Le nègre, c'est l'ébène, les mauvais songes, le mal, le deuil, la nuit... Les deux yeux de la musulmane, ce sont les feux des phares, du Stiff, du Toulinguet, d'Eckmühl, générateurs de lumières, d'espérance, de beauté et qui triomphent de la nuit...

Au bout d'une longue vie de lumière, d'espérance, de beauté, mais aussi de deuil, c'est la nuit qui a triomphé. On le sait, le soir du 23 juin 1940 (Oradour, 10 juin 1944), un soldat allemand força la porte du manoir de Coecilian (Coecilian était le fils du poète, tué à Verdun en 1915), pendant plus de deux heures terrorisa le vieillard, Rose la suivante et Divine, la fille du poète; enfin, il tira : Rose qui s'était jetée devant sa maîtresse pour la protéger fut tuée, blessée Divine puis violée. Le tueur partit, croyant morts les femmes et le vieillard. Divine et son père cependant survécurent à cette nuit, mais Saint-Pol-Roux ne put surmonter sa peine, il mourut quelques mois plus tard. Surcroît d'affliction : quelques jours avant sa mort, le poète trouva son manoir pillé par les nazis, ses manuscrits brûlés : trente années de travail poétique étaient ainsi anéanties. Point final à cette tragédie aussi démesurée que les « drames » conçus par le poète de *La Dame à la Faulx* : en août 1944, le manoir de Cœcilian bombardé, brûla entièrement. Cette ruine donne sa sombre plénitude à la légende que Saint-Pol-Roux composa avec ses rêves, sa vie, ses amours, ses douleurs et sa mort. « Le style c'est l'homme » ? Saint-Pol-Roux préfère affirmer : « le style c'est la vie », et qui, sinon lui, qui ne sépara jamais les mots des gestes, les images des actions, le rêve du réel, aurait le droit de trancher ainsi ?

LE STYLE C'EST LA VIE

(fragment)

Je ne tardai pas à découvrir des affinités secrètes entre des Mots brouillés depuis toujours et à construire une inespérée joliesse au moyen de vocables immémorialement retranchés dans une haine réciproque : la réconciliation d'un Mot négatif et d'un Mot affirmatif engendrait l'étincelle miraculeuse. Les genres, les espèces, les familles, les êtres, les abstractions, les éléments, les objets dont la forme, l'hypothèse, l'émotion latente ou extérieure, le geste avaient été jusqu'ici catalogués et parqués en limites meurtrières, je les invitais à représenter leur libre farce ou leur tragédie spontanée devant le public de mes cinq sens et de mon âme; graduellement je pénétrais la nombreuse orchestration et les mélanges merveilleux de la Nature et de l'Absolu, et sans effort aucun — le génie : puérilité sublime! — j'aboutis, poète physique, à les exprimer par les Mots correspondants, aussi ingénument qu'un paysan fume, laboure, herse, ensemence, plante, greffe, sarcle, émonde, cueille, récolte, moissonne.

Que dis-je ? Mon effort était si menu que l'œuvre semblait s'ériger d'elle-même, par enchantement.

. . . .

Spectacle rare vraiment, sur le papier, cette armée de Mots divers venus de toutes les catégories aux fins de concourir au triomphe, frayant, vibrant, s'enlaçant, se querel-

lant, riant, chantant, pleurant, agissant, pensant avec leurs couleurs, leurs parfums, leurs formes, leurs subtilités, leurs rythmes respectifs — population minime certes, mais forte de la virtualité de grandir spontanément, sur le ressort de l'impression, en une souveraine apothéose!

Tranche de nature ou d'humanité, ou des deux ensemble, transposée en caractères d'écriture, chaque page vivait : jardin ou verger ou vignoble ou firmament de phrases, avec sur elles, les rayons, les oiseaux, les abeilles, les papillons de l'accentuation.

Observez la pensée maîtresse, la Pensée grave ou rieuse, tragique ou forte, qui ambule à la romaine le long des lignes, s'éventant avec les v quand un coup de bise ne survient pas l'incliner en italiques, *tantôt à califourchon sur l'âne des n ou sur le cheval des m, tantôt à bicyclette sur les z, ici méditant sur l'escabeau des r sinon dans le fauteuil des k, là s'écartelant sur le chevalet des x ou se crucifiant sur les T, cependant que les Idées, ses filles indivises, juponnées d'f, de g, de j, d'y, se hèlent les unes les autres entre les paumes en porte-voix des guillemets ou se parlent à l'oreille parmi le chambranle des parenthèses et que les articles, les conjonctions, les prépositions gaminent à même tout, essayent sur leur nez les besicles des B, ébauchent les clowneries à la barre fixe des F, traversent le cercle des O et jouent aux billes avec les points de terminaison au pied de la muraille des majuscules ou bien encore à la toupie avec les virgules entre deux membres de phrase.*

Le grand Pan palpitait là, manifestement, libre et captif à la fois.

Alors, fier comme un dieu, le suprême orgueil d'avoir créé de la Vie l'incendiant, le poète se dressa pour inscrire sur sa porte, en naïve dédicace à ses contemporains :

LE STYLE C'EST LA VIE

L'univers de Saint-Pol-Roux va sans heurt de la magnificence à la délicatesse. Le grandiose (parfois excessif) et la plus simple fraîcheur alternent au cours des trois livres des *Reposoirs de la Procession, La Rose et les Épines du Chemin, De la Colombe au Corbeau par le Paon, Les Féeries Intérieures,* qui forment une sorte de journal poétique, ou plus exactement un long poème qui se confond avec l'existence du Magnifique. Ce poème : « Sur un ruisselet qui passe dans la luzerne », montre bien, à mon sens, à quel point la poésie de Saint-Pol-Roux est à la fois déploiement d'images — comme d'un alchimiste fastueux qui ne cesserait de créer et de faire étinceler des gemmes — et naïve prière.

SUR UN RUISSELET QUI PASSE DANS LA LUZERNE

A Francis Viélé-Griffin.

O l'onde qui file et glisse, vive, naïve, lisse!

Parmi les prairies du songe, des filles se révèlent parfois, la chevelure telle.
Ce Ruisselet, parvule et frais, sans doute est un lézard de désirs purs... épanoui lézard qu'une étincelle d'œil ferait s'évanouir ?
Sur le silence des ongles inférieurs, noyé dans ce saule propice admirons la Pèlerine de la langue et de la racine qui s'achemine en la luzerne.
Oh! cela coule sur des cailloux, arrondis par l'obséquieuse politesse, suggérant les chauves jabotés sans leur perruque printanière.
L'azur inclus est, n'est-ce point ? la perceptible remembrance des prunelles nymphales qui s'y séduisirent.
Admirons sans s'y mirer, et de loin sourions, de peur d'effaroucher.
Combien joli de sourire à du rire qui glisse ainsi que des larmes divines de martyres fines!
Je me pris à prier comme devant une Statue-de-la-Vierge en fusion :

« Onde vraie,
Onde première,
Onde candide,
Onde lys et cygnes,
Onde sueur de l'ombre,
Onde baudrier de la prairie,
Onde innocence qui passe,

Onde lingot du firmament,
Onde litanies de matinée,
Onde choyée des vasques,
Onde chérie par l'aiguière,
Onde amante des jarres,
Onde en vue du baptême,
Onde pour les statues à socle,
Onde psyché des âmes diaphanes,
Onde pour les orteils des fées,
Onde pour les chevilles des mendiantes,
Onde pour les plumes des anges,
Onde pour l'exil des idées,
Onde bébé des pluies d'avril,
Onde petite fille à la poupée,
Onde fiancée perlant sa missive,
Onde carmélite aux pieds du crucifix,
Onde avarice à la confesse,
Onde superbe lance des croisades,
Onde émanée d'une cloche tacite,
Onde humilité de la cime,
Onde éloquence des mamelles de pierre,
Onde argenterie des tiroirs du vallon,
Onde banderole du vitrail rustique,
Onde écharpe que gagne la fatigue,
Onde palme et rosaire des yeux,
Onde en vacances des ruches sans épines,
Onde versée par les charités simples,
Onde rosée des étoiles qui clignent,
Onde pipi de la lune-aux-mousselines,
Onde jouissance du soleil-en-roue-de-paon,
Onde analogue aux voix des aimées sous le marbre,
Onde qui bellement parais une brise solide,
Onde pareille à des baisers visibles se courant après,
Onde que l'on dirait du sang de Paradis-les-Ailes,
Je te salue de l'Elseneur de mes Péchés! »

Ce Ruisselet, j'ai su depuis, était mon Souvenir-du-premier-âge.
O l'onde qui file et glisse, vive, naïve, lisse!

Saint-Pol-Roux chante Dieu, mais dans ce chant vibre l'orgueil immense du poète qui se juge démiurge, mage, rival de Dieu. « Le poète *corrige Dieu* », écrit-il. A la limite, le poète n'est-il pas « Dieu en personne voyageant incognito ? »

Oui, si l'on en croit la leçon qui se dégage de ces lignes :

Chaque être est durant sa vie le centre de l'éternité. Simple réceptacle de la Beauté, s'il est inconscient, l'homme devient, s'il est conscient, la Beauté elle-même, et nous devons alors considérer ce pèlerin d'ici-bas comme Dieu en personne voyageant incognito. Au surplus, qu'est-ce que Dieu, sinon le meilleur de nous-mêmes, sinon l'homme des hommes ?

La pensée de Saint-Pol-Roux semble être celle-ci : Dieu ne peut se passer du poète. A Dieu la création, mais au poète la « surcréation » puisque celle-ci : « C'est Dieu manifesté dans l'humain, c'est tout le chaos informulé du monde, rendu clair par ce médiateur qu'est le poète. » Autres exemples de cette collaboration entre Dieu et le poète : « Le poète continue Dieu et la poésie n'est que le renouveau de l'archaïque pensée divine ». Il apparaît même, sans toutefois que Saint-Pol-Roux ose entièrement l'expliciter, que dans cette collaboration, le rôle majeur soit dévolu au poète s'il est vrai que : « Les choses sont au poète ce que les notes de musique sont au musicien » ou encore que « l'univers n'est qu'un grain de sable auprès de la grandiose basilique épanouie dans le cerveau même d'un enfant. »

Saint-Pol-Roux ne se révolte pas contre le ciel, mais prétendant le servir, en fait n'entend-il pas l'asservir ? « Le monde visible, qu'est-ce en vérité ? De l'invisible à la longue solidifié par l'appétit humain. »

Sur un rocher de Bretagne où finit la terre, Saint-Pol-Roux, un homme qui s'est dangereusement et perpétuellement tenu aux confins du visible : de là son œuvre « en pleine humanité, mais au seuil du mystère ».

UN PETIT ROSEAU M'A SUFFI...

HENRI DE RÉGNIER

Dans sa jeunesse, Henri de Régnier[1], l'auteur des *Jeux rustiques et divins*, fut grand lecteur de Hugo, de Baudelaire, de Vigny et de Mallarmé; mais son œuvre n'a retenu du lyrisme, du tragique ou de la science de ces aînés qu'une culture raffinée qui fait des *Poèmes anciens et romanesques*, d'*Aréthuse*, des *Médailles d'Argile* — dédiées à André Chénier — et de la *Sandale ailée* des jeux parfois mélancoliques, toujours délicats et raffinés.

A ces livres pourrait s'appliquer la critique de Jacques Rivière qui observait : « Tout dans l'œuvre symboliste porte la marque d'un créateur trop conscient. » D'ailleurs le symbolisme d'Henri de Régnier souvent rejoint le Parnasse : le contour et les couleurs de Hérédia. Cette *Odelette* peut passer pour l'art poétique de cet écrivain gracieux.

ODELETTE

Un petit roseau m'a suffi
Pour faire frémir l'herbe haute
Et tout le pré
Et les doux saules
Et le ruisseau qui chante aussi;
Un petit ruisseau m'a suffi
A faire chanter la forêt.

---

1. Né en 1864 à Honfleur (Calvados), mort en 1936. Œuvres principales : *Lendemains* (Vanier, 1885); *Apaisement* (Vanier, 1886); *Sites* (Vanier, 1887); *Episodes* (Vanier, 1888); *Poèmes anciens et romanesques, 1887-1888* (Librairie de l'Art Indépendant, 1890); *Tel qu'en songe* (Librairie de l'Art Indépendant, 1892); *Aréthuse* (1895); *Les Jeux rustiques et divins* (Mercure de France, 1897); *La Cité des eaux* (Mercure de France, 1902); *La Sandale ailée* (Mercure de France, 1906). Références : *Henri de Régnier*, par Léautaud (Sansot); *La Poésie Nouvelle*, par André Beaunier (Mercure de France).

Ceux qui passent l'ont entendu
Du fond du soir, en leurs pensées
Dans le silence et dans le vent,
Clair ou perdu,
Proche ou lointain...
Ceux qui passent en leurs pensées
En écoutant, au fond d'eux-mêmes
L'entendront encore et l'entendent
Toujours qui chante.

Il m'a suffi
De ce petit roseau cueilli
A la fontaine où vint l'Amour
Mirer, un jour,
Sa face grave
Et qui pleurait,
Pour faire pleurer ceux qui passent
Et trembler l'herbe et frémir l'eau;
Et j'ai du souffle d'un roseau
Fait chanter toute la forêt.

REMY DE GOURMONT

Aristocratique également fut l'art de Rémy de Gourmont[1]. Le critique du Symbolisme mettait au service d'un esprit original une érudition considérable — son emploi à la Bibliothèque Nationale correspondait bien à ses goûts, mais le poète fut révoqué pour avoir publié dans *le Mercure de France*, en avril 1891, un article intitulé : « Le joujou patriotisme ».

Dans la *Weekly Critical Review*, M. Louis Dumas avait fort bien dit : « Le cerveau de M. de Gourmont est comme l'œil d'une mouche. Il voit tout et chaque fois différemment. » S'il écrivit avec *Sixtine* « le roman de la vie céré-

1. Né en 1858 à Bazoches-en-Houlme (Orne), mort en 1915 à Paris. Œuvres principales : *Litanies de la Rose* (Mercure de France, 1892); *Hiéroglyphes* (Mercure de France, 1894); *Les Saintes du Paradis, Oraisons mauvaises* (Mercure de France, 1900); *Simone* (Mercure de France, 1901); *Divertissements* (1912); *Poésies inédites* (1921). Références : *L'Enseignement de Rémy de Gourmont*, par Marcel Coulon (Ed. du Siècle, 1925).

brale », Gourmont n'en était pas moins sensible à l'univers charnel comme en témoignent :

LES CHEVEUX

Simone, il y a un grand mystère
Dans la forêt de tes cheveux.

Tu sens le foin, tu sens la pierre
Où des bêtes se sont posées;
Tu sens le cuir, tu sens le blé,
Quand il vient d'être vanné;
Tu sens le bois, tu sens le pain
Qu'on apporte le matin;
Tu sens les fleurs qui ont poussé
Le long d'un mur abandonné;
Tu sens la ronce, tu sens le lierre
Qui a été lavé par la pluie;
Tu sens le jonc et la fougère
Qu'on fauche à la tombée de la nuit;
Tu sens le houx, tu sens la mousse,
Tu sens l'herbe mourante et rousse
Qui s'égrène à l'ombre des haies;
Tu sens l'ortie et le genêt,
Tu sens le trèfle, tu sens le lait;
Tu sens le fenouil et l'anis;
Tu sens les noix, tu sens les fruits
Qui sont bien mûrs et que l'on cueille;
Tu sens le saule et le tilleul
Quand ils ont des fleurs plein les feuilles;
Tu sens le miel, tu sens la vie
Qui se promène dans les prairies;
Tu sens la terre et la rivière;
Tu sens l'amour, tu sens le feu.

Simone, il y a un grand mystère
Dans la forêt de tes cheveux.

Mais cette chaleur simple de la sensualité reste rare dans la poésie symboliste qui est le plus souvent langueurs et chasteté — parfois sincère, souvent affectée, quelquefois perverse —. Languissante par exemple la plainte complaisante d'Albert Samain[1] dans *Au jardin de l'Infante.* Modeste, simple, amical, Samain qui eut une grande notoriété dans le mouvement symboliste, fut supérieur à sa poésie.

Il y a également contraste chez Stuart Merrill[2] entre l'homme et le poète : celui-ci enclin à la préciosité, au décor désuet, celui-là actif, généreux, fondant aux États-Unis le mouvement socialiste. Ses derniers poèmes devinrent plus sincères, plus graves, émouvants :

ATTENTE

Si c'est pour me faire croire à la vie
Que tu viens à ce triste séjour,
Prends la clef d'or, et, les marches gravies,
Ouvre la porte aux pas de ton amour.

Si c'est pour me faire croire à la mort,
Prends parmi tes clefs celle de fer,
Et ferme les fenêtres à l'aurore
Dans la chambre pleine de ténèbres d'hier.

Qu'importe la vie à mon âme ou la mort,
Pourvu que ce soit toi que j'accueille,
Geôlière dont la clef de fer ou d'or
Violera le secret silencieux de mon seuil ?

Mais pourquoi ces paroles dans la solitude,
O toi qui ne viendras peut-être jamais
M'éveiller de la voix douce ou rude
Selon que sonnera la cloche des destinées ?

---

1. Né en 1858 à Lille. Mort en 1900 à Magny-les-Hameaux. Œuvres principales : *Au Jardin de l'Infante* (Mercure de France, 1893); *Aux flancs du vase* (Mercure de France, 1898); *Des Contes* (Mercure de France, 1902); *Le Chariot d'Or* (Mercure de France, 1904). Références : *Albert Samain*, par Léon Bocquet (Mercure de France, 1905); *Souvenirs*, par Alfred Jarry (Lemasle, 1907).

2. Né en 1863 à Hempstead (Etats-Unis) dans l'île de Long-Island. Mort en 1915 à Versailles. Œuvres principales : *Les Gammes* (Ed. Vanier, 1887); *Les Fastes* (Ed. Vanier, 1891); *Les Petits Poèmes d'Automne* (Ed. Vanier, 1895); *Poèmes, 1887-1897* (Mercure de France, 1900); *Les Quatre Saisons* (Mercure de France, 1900); *Une Voix dans la Foule* (Mercure de France, 1909). Références : *Le Livre des Masques*, par Rémy de Gourmont (Mercure de France); *Stuart Merrill*, par Henri de Régnier (Vanier); *Stuart Merrill*, par Henri de Rieux (Mercure de France).

La neige a suivi les oiseaux sur le toit,
Et seul habitant de la triste masure,
J'attends toujours la détresse ou la joie
De tes clefs inconnues dans la serrure.

Comme Stuart Merrill, Francis Viélé-Griffin[1] naquit en Amérique. C'est l'un des plus vrais poètes du Symbolisme, son *vers libre* est souple, sensible, pur, — il évite « les gentilles difficultés vaincues, le bon vieux rythme numérique et carré, le jeu puéril des césures, l'or un peu fané des rimes masculines et féminines, la cheville artiste... ». « Le poète obéira au rythme personnel, auquel il doit d'être », disait encore Viélé-Griffin. Sa poésie est toute fraîcheur et légèreté.

RESTER ? TU ES FOLLE, PENSÉE!

Rester ? tu es folle, pensée!
On serait seul — rien ne dure —
Rester comme une ombre aux croisées,
Comme un portrait qui sourit au mur ?

C'est déjà trop qu'on s'attarde;
Notre heure est loin sur la route
— Qu'est-ce donc que tu regardes
Là-bas ? Qu'est-ce que tu écoutes ?

Rester! Il ne reste rien
Des rires, des rêves, de l'été...
Ils s'en furent par d'autres chemins.
Je suis las d'avoir été.

1. Né à Norfolk (Virginie) en 1864. Mort en 1937. Œuvres principales : *Cueille d'Avril* (Vanier, 1886); *Les Cygnes* (1885-1886) (Vanier, 1888); *Joies* (1888-1889) (Press et Stock, 1889); *Diptyque* (1891); *La Chevauchée d'Yeldis et autres Poèmes* (Vanier, 1893); *Poèmes et Poésies* (1886-1893) (Mercure de France, 1895); *La Clarté de vie* (Mercure de France, 1897); *Plus loin* (Mercure de France, 1906). Références : *Viélé-Griffin*, par Henri de Régnier dans « Les Portraits du Prochain Siècle » (Girard, 1894).

N'EST-IL UNE CHOSE AU MONDE...

« *N'est-il une chose au monde,*
Chère, à la face du ciel
— Un rire, un rêve, une ronde,
Un rayon d'aurore ou de miel —

N'est-il une chose sacrée
— Un livre, une larme, une lèvre,
Une grève, une gorge nacrée,
Un cri de fierté ou de fièvre —

N'est-il une chose haute,
Subtile et pudique et suprême
— Une gloire, qu'importe! une faute,
Auréole ou diadème —

Qui soit comme âme en notre âme,
Comme un geste guetté que l'on suive,
Et qui réclame, et qui proclame,
Et qui vaille qu'on vive?.. »

René Ghil[1] tenta de préciser les *correspondances* entre sons et couleurs que Baudelaire et Rimbaud avaient indiquées. Il prétendit fonder une *Instrumentation verbale* en partant du sonnet rimbaldien des voyelles. Après les couleurs des voyelles, il définit les *correspondances* reliant telle consonne à tel instrument de musique, son projet était de faire de la poésie une synthèse de tous les arts. Il écrivait à propos de ses livres : « Le rêve scientifique domine cette œuvre où l'auteur, dans son écriture, veut synthétiser les différentes formes d'art, littéraire, musical, pictural et plastique. Toute œuvre poétique n'a de valeur qu'autant qu'elle se prolonge en suggestion des lois qui ordonnent et unissent l'Être total du monde, évoluant selon les mêmes rythmes.. Et l'auteur procédant en compositeur bien plus qu'en litté-

1. Né en 1862 à Tourcoing. Mort à Niort en 1925. Œuvres principales : *En Méthode à l'œuvre,* étude (1891); *Dire du Mieux,* neuf volumes (1. Le Meilleur devenir; 2. Le Geste ingénu; 3. La Preuve égoïste, 1890; 4. Le Vœu de vivre, 1891; 5. L'Ordre altruiste, 1894); *Dire des Sangs,* 4 volumes (1. Le Pas humain, 1898; 2. Le Toit des Hommes, 1901; 3. Les Images du Monde); *Dire de la Loi.* Référence : Tome II des *Masques,* par Rémy de Gourmont (Mercure de France).

rateur, il faut le comprendre comme le musicien verbal d'un grand drame où se fait, avec seulement des mots, auxquels il prétend donner des significations orchestrales, une synthèse à la fois biologique, historique et philosophique de l'Homme depuis les Origines. »

Cette ambition si vaste peut toucher parfois à l'utopie, son promoteur n'en est pas moins un vrai poète, soit qu'il chante à mi-voix, soit qu'il écrive l'épopée tragique des temps modernes.

LES ÉTELLES

En m'en venant au tard de nuit
se sont éteintes les ételles :
ah! que les roses ne sont-elles
tard au rosier de mon ennui
et mon amante, que n'est-elle
morte en m'aimant dans un minuit...

Pour m'entendre pleurer tout haut —
à la plus haute nuit de terre
le rossignol ne veut se taire :
et lui, que n'est-il moi plutôt
et son Amante ne ment-elle
et qu'il en meure dans l'ormeau...

En m'en venant au tard de nuit
se sont éteintes les ételles :
vous lui direz, ma tendre Mère,
que l'oiseau aime à tout printemps...
Mais vous mettrez le tout en terre
mon seul amour et mes vingt ans...

BERCEUSE

... Il est un seul navire (et haut
monte au haut mât d'où l'on voit tôt!)
il est un seul navire à l'eau
où mon Amant est matelot...

Des tropiques du temps (et, haut
monte au haut mât d'où l'on voit tôt!)
des tropiques tant loin de nous
que m'apporte mon Ami doux ?

Du soleil de la vie (et, haut
monte au haut mât d'où l'on voit tôt!)
du soleil ton Amant t'apporte
à en dorer toute la porte.

Dans les palmiers d'alors (et, haut
monte au haut mât d'où l'on voit tôt!)
dans les palmiers dans la grande île
de soleils d'or il en est mille.

Il en est qui sont verts (et, haut
monte au haut mât d'où l'on voit tôt!)
rouges et verts et d'autres d'or
dans la grande île vers Timor!

Il en est plein la tête (et, haut
monte au haut mât d'où l'on voit tôt!)
et plein les Yeux de ton Ami
dont tu plaignis le lointain sort...

Il en est plein ma gorge (aidants
aidé d'étoiles, nage au port!)
et plein ma gorge et plein dedans
mon cœur
de toi qui s'est gémi!...

Fils de Français exilés pour avoir participé à la Commune, Fagus[1], de son vrai nom Georges Faillet, naquit à Bruxelles. « Génie précoce, dit-il, parlant de lui-même, à six ans et neuf mois il écrivait ses premiers vers (sur une alouette privée qui se nommait Juliette), battant de quatre-vingt-dix jours le record d'Arthur Rimbaud, et déchiffrait couramment les charades et rébus de *La Récréation.* »

1. Né en 1872 à Bruxelles. Mort en 1933. Œuvres principales : *La Danse Macabre* (Edgar Malfère, 1920); *La Prière de Quarante heures* (Gallus, 1920); *Jonchée de fleurs sur le pavé du Roi* (Nouvelle Librairie Nationale, 1921); *Les Ephémères* (Le Divan, 1925); *Le Clavecin* (1926). Référence : *Le Divan* (numéro spécial consacré à Fagus, mai 1925).

Ces lignes autobiographiques répondent bien au caractère tendrement moqueur de Fagus qui appartient à la famille mystique, primesautière et sensuelle de Villon et de Verlaine. Une fraîcheur d'âme se révèle dans cette poésie « fantaisiste » avant la lettre :

DU PONT DES ARTS, BALCON DE PARIS

— Pourquoi, Seigneur, les hirondelles,
Si bas, puis si haut volent-elles :
Qu'en savent-elles,
Qu'en sais-je ? rien.

Et moi, pourquoi gai, puis morose,
Pourquoi mes vers, pourquoi ma prose,
Pourquoi sous mes doigts cette rose,
Qu'en sais-je ? rien.

*

J'ouvris ma volière de merles,
Tout s'est envolé;
J'ouvris mon chapelet de perles,
Il s'est défilé :
Toi seul vent d'hiver qui déferles,
Vent des vieux, n'as pas oublié.

« Fantaisiste » aussi la muse de Tristan Klingsor[1] qui collabora à *La Plume*, la *Revue Blanche*, et dirigea de 1895 à 1901 *La Vogue*.

Le poète des *Humoresques* chante en mineur des instants présents ou passés, vécus ou imaginés; il annonce *Le flâneur des deux rives* et du *Pont Mirabeau*.

---

1. Né en 1874 à la Chapelle-aux-Pots (Oise). Œuvres : *Humoresques* (Ed. Malfère, 1921); *L'Escarbille d'or* (Sansot-Chiberre, 1922); *Schéhérazade* (Malfère, 1926).

SUR LE PONT-NEUF

Sur le parapet du Pont-Neuf de Paris
Qui est si vieux, je m'accoude et je rêve :
Un soir très doux d'automne s'achève
Dans la musique des causeries.

Je rêve : un bateau-mouche léger file
Vers Auteuil ou vers Saint-Cloud;
Un pêcheur prend un goujon au bout
De son fil.

Je rêve à celles aux airs menteurs d'amour
Qui sont passées et passeront
En fins corsets de guêpes et robes de velours
Sur le pont.

Je rêve à ceux qu'une infidèle trompait
Et qui ont quitté désespérés leurs lits
Pour se jeter dans l'eau jolie
Du haut du parapet.

Je rêve : dans l'air doré Notre-Dame s'élève
Et Henri-Quatre sourit seul sur le vieux pont
Par où belles et galants s'en vont.
Je rêve...

LES SYMBOLISTES BELGES

MAETERLINCK

Le Symbolisme, poésie nordique, trouva en Belgique de nombreux adeptes, de Maeterlinck[1] à Verhaeren, de Charles Van Lerberghe à Max Elskamp, de Georges Rodenbach à André Fontainas, de Grégoire Le Roy, de Fernand Severin à Albert Mockel qui fut l'un des critiques du mouvement et fonda en 1884 *La Wallonie.*

Le plus grand de ces poètes fut sans aucun doute Maurice Maeterlinck[1] : il fut d'ailleurs l'un des plus grands symbolistes et peut être considéré, avec Saint-Pol-Roux, comme l'un des précurseurs de la poésie contemporaine grâce à la liberté de ses images qui souvent associent monde intérieur et monde extérieur. Le succès de son théâtre ne doit pas faire oublier l'originalité et l'audace des *Serres chaudes.*

Il a fort bien vu le caractère fondamental de sa poésie lorsqu'il écrivit, opposant à l'allégorie choisie de propos délibéré, le véritable symbole : « L'autre espèce de symbole serait plutôt inconscient, aurait lieu à l'insu du poète, souvent malgré lui et irait, presque toujours, bien au-delà de sa pensée. Le poète doit, me semble-t-il, être passif dans le symbole, et le symbole le plus pur est peut-être celui qui a lieu à son insu et même à l'encontre de ses intentions : le symbole serait la fleur de la vitalité du poème, et, à un autre point de vue, la qualité du symbole deviendrait la contre-épreuve de la puissance et de la vitalité du poème... S'il n'y a pas de symbole, il n'y a pas d'œuvre d'art... »

Les poèmes de Maeterlinck, comme ses pièces, sont hantés

---

1. Né en 1862 à Gand. Mort en 1949. Œuvres principales : *Serres Chaudes,* poèmes (Vanier, 1889; Lacomblez, 1900); *Quinze Chansons* (Lacomblez, 1900); *Douze Chansons* (Stock, 1897-1923); *Théâtre,* 3 volumes (Ed. Deman). Références : *Le Livre des Masques,* par Rémy de Gourmont (Mercure de France); *Maeterlinck,* poète, dramaturge, par Charles Hertrich (Ed. des Flambeaux, 1946) ; *Maurice Maeterlinck,* par Roger Bodart (Ed. Seghers, Coll. Poètes d'aujourd'hui, 1952).

par des personnages mystérieux, si l'on y trouve princesses, clairs de lune et lassitudes, on n'en est pas moins touché par leur pathétique discret, leur pouvoir de dépaysement, leur ton feutré, monotone, inquiet : leur féerie est authentique, et les mondes *à part* qu'elle fait surgir ne sont pas gratuits, ils éveillent en nous des émotions secrètes, ils font appel à nos plus subjectifs symboles.

OFFRANDE OBSCURE

J'apporte mon mauvais ouvrage
Analogue aux songes des morts,
Et la lune éclaire l'orage
Sur la faune de mes remords :

Les serpents violets des rêves
Qui s'enlacent dans mon sommeil,
Mes désirs couronnés de glaives,
Des lions noyés au soleil,

Des lys au fond des eaux lointaines
Et des mains closes sans retour,
Et les tiges rouges des haines
Entre les deuils verts de l'amour.

Seigneur, ayez pitié du verbe!
Laissez mes mornes oraisons
Et la lune éparse dans l'herbe
Faucher la nuit aux horizons

CLOCHE A PLONGEUR

O plongeur à jamais sous sa cloche!
Toute une mer de verre éternellement chaude!
Toute une vie immobile aux lents pendules verts!
Et tant d'êtres étranges à travers les parois!
Et tout attouchement à jamais interdit!
Lorsqu'il y a tant de vie en l'eau claire au dehors!

Attention! l'ombre des grands voiliers passe sur les dahlias des forêts sous-marines;
Et je suis un moment à l'ombre des baleines qui s'en vont vers le pôle!

En ce moment, les autres déchargent, sans doute, des vaisseaux pleins de neige dans le port!
Il y avait encore un glacier au milieu des prairies de Juillet!
Ils nagent à reculons en l'eau verte de l'anse!
Ils entrent à midi en des grottes obscures!
Et les brises du large éventent les terrasses!
Attention! Voici les langues en flamme du Gulf-Stream!
Écartez leurs baisers des parois de l'ennui!
On n'a plus mis de neige sur le front des fiévreux;
Les malades ont allumé un feu de joie,
Et jettent à pleines mains les lys verts dans les flammes!

Appuyez votre front aux parois les moins chaudes,
En attendant la lune au sommet de la cloche,
Et fermez bien vos yeux aux forêts de pendules bleus et d'albumines violettes, en restant sourd aux suggestions de l'eau tiède.

Essuyez vos désirs affaiblis de sueurs;
Allez d'abord à ceux qui vont s'évanouir :
Ils ont l'air de célébrer une fête nuptiale dans une cave;
Ils ont l'air d'entrer à midi, dans une avenue éclairée de lampes au fond d'un souterrain;
Ils traversent, en cortège de fête, un paysage semblable à une enfance d'orphelin.

Allez ensuite à ceux qui vont mourir.
Ils arrivent comme des vierges qui ont fait une longue promenade au soleil, un jour de jeûne;
Ils sont pâles comme des malades qui écoutent pleuvoir placidement sur les jardins de l'hôpital;
Ils ont l'aspect de survivants qui déjeunent sur le champ de bataille.
Ils sont pareils à des prisonniers qui n'ignorent pas que tous les geôliers se baignent dans le fleuve,
Et qui entendent faucher l'herbe dans le jardin de la prison.

CHARLES VAN LERBERGHE

Albert Mockel a dit de son compatriote, Charles Van Lerberghe[1] : « Symboliste au sens véritable de ce mot, il voyait des lignes, des couleurs se former à ses yeux en une suite de petits tableaux qu'il peignait avec une libre grâce; une image l'avait séduit, il la transcrivait dans une sorte de lumineuse buée, et abandonnait aux choses le soin de dire elle-mêmes le sentiment ou la pensée qu'elles pouvaient évoquer. »

Charles Van Lerberghe fut avant tout sensible à la beauté! une beauté quelque peu diaphane mais charmante qu'il célèbre dans sa *Chanson d'Ève*. Il entendit appliquer ce principe d'Edgar Poe : « qu'il n'est pas de beauté sans une certaine étrangeté, sans un certain air de mystère »... Il remarque : « Une âme d'ange ne me ferait pas détourner la tête si elle n'était pas enveloppée de beauté. Un ange, pour moi, ce n'est qu'une pure forme, *une jolie fille dont je revêts mes pensées.* »

NE SUIS-JE VOUS...

Ne suis-je vous, n'êtes-vous moi,
O choses que de mes doigts
Je touche, et de la lumière
De mes yeux éblouis ?
Fleurs où je respire, soleil où je luis,
Ame qui penses,
Qui peut me dire où je finis,
Où je commence ?

Ah! que mon cœur infiniment
Partout se retrouve! Que votre sève
C'est mon sang!
Comme un beau fleuve.
En toutes choses la même vie coule,
Et nous rêvons le même rêve.

---

1. Né en 1861 à Gand. Mort en 1907 à Bruxelles. Œuvres principales : *Entre-visions* (Lacomblez, 1895); *La Chanson d'Eve* (Mercure de France, 1904). Références : *Charles Van Lerberghe*, par Albert Mockel (Mercure de France, 1904).

DE MON MYSTÉRIEUX VOYAGE

De mon mystérieux voyage
Je ne t'ai gardé qu'une image,
Et qu'une chanson, les voici :
Je ne t'apporte pas de roses,
Car je n'ai pas touché aux choses,
Elles aiment à vivre aussi.

Mais pour toi de mes yeux ardents,
J'ai regardé dans l'air et l'onde,
Dans le feu clair et dans le vent,
Dans toutes les splendeurs du monde,
Afin d'apprendre à mieux te voir
Dans toutes les ombres du soir.

Afin d'apprendre à mieux t'entendre
J'ai mis l'oreille à tous les sons,
Écouté toutes les chansons,
Tous les murmures, et la danse
De la clarté dans le silence.

Afin d'apprendre comme on touche
Ton sein qui frissonne ou ta bouche,
Comme en un rêve, j'ai posé
Sur l'eau qui brille, et la lumière,
Ma main légère, et mon baiser.

MAX ELSKAMP[1]

« *A force de renoncement, un homme à la limite de son propre silence.* »

ROBERT GUIETTE.

Ce poète, de père flamand et de mère française, a la grâce à la fois naïve et recherchée des miniaturistes moyen-

1. Né en 1862 à Anvers. Mort en 1931. Œuvres principales : *Dominical* (Lacomblez, 1892); *En Symbole vers l'Apostolat* (Lacomblez, 1895); *Six chansons de pauvre homme* (Lacomblez, 1896); *Louange de la Vie* (Mercure de France, 1898; *Enluminures* (Lacomblez, 1898). Références : *Max Elskamp*, par Jean de Boschère (Bibliothèque de l'Occident, 1914); *Max Elskamp*, par Robert Guiette (Ed. Seghers, « Poètes d'aujourd'hui », 1955).

âgeux. La vie de tous les jours dans une Flandre paisible trouve écho dans ses poèmes; mais, pêcheurs, artisans, jeunes gens, deviennent ici emblèmes d'une âme quelque peu étiolée, se transforment en tableaux tapissant l'intérieur d'une tour d'ivoire.

TOUR D'IVOIRE

Mais geai qui paon se rêve aux plumes,
Haut, ces tours sont-ce mes juchoirs ?
D'îles de Pâques aux fleurs noires
Il me souvient en loins posthumes :

Je suis un pauvre oiseau des îles.

Or, d'avoir trop monté les hunes
Et d'outre-ciel m'être vêtu,
J'ai pris le mal des ingénus
Comme une fièvre au clair de lune,

Je suis un pauvre oiseau des îles.

Et moins de joies me font des signes,
Et plus de jours me sont des cages,
Or, j'ai le cœur gros de nuages;
Dans un pays de trop de cygnes,

Je suis un pauvre oiseau des îles;

Car trop loin mes îles sont mortes,
Et du mal vert qu'ont les turquoises,
J'ai serti mes bagues d'angoisse;
Ma famille n'a plus de portes :

Je suis un pauvre oiseau des îles.

D'ANCIENNEMENT TRANSPOSÉ

J'ai triste d'une ville en bois,
— Tourne, foire de ma rancœur,
Mes chevaux de bois de malheur —
J'ai triste d'une ville en bois,
J'ai mal à mes sabots de bois.

J'ai triste d'être le perdu
D'une ombre et nue et mal en place,
— Mais dont mon cœur trop sait la place —
J'ai triste d'être le perdu
Des places, et froid et tout nu.

J'ai triste de jours de patins
— Sœur Anne ne voyez-vous rien ? —
Et de n'aimer en nulle femme;
J'ai triste de jours de patins,
Et de n'aimer en nulle femme.

J'ai triste de mon cœur en bois,
Et j'ai très-triste de mes pierres,
Et des maisons où, dans du froid,
Au dimanche des cœurs de bois,
Les lampes mangent la lumière.

Et j'ai triste d'une eau-de-vie
Qui fait rentrer tard les soldats,
Au dimanche ivre d'eau-de-vie,
Dans mes rues pleines de soldats,
J'ai triste de trop d'eau-de-vie.

GEORGES RODENBACH[1]

Tristesse, douceur, souvenirs, silence, langueurs, rêveries et soirs d'automne, tels sont les thèmes de ce poète aux tons de pastel pâle et d'eaux mortes. Les villes et les âmes somnolentes, repliées sur la nostalgie de quelque passé heureux ou glorieux, donnent leur grisaille un peu mièvre aux vers du *Règne du Silence* et des *Vies Encloses.*

1. Né en 1855 à Tournai (Belgique). Mort en 1898 à Paris. Œuvres principales : *Les Foyers et les Champs* (Palmé, 1877); *Les Tristesses* (Lemerre, 1879); *La Mer élégante* (Lemerre, 1881); *L'Hiver mondain* (Bruxelles, 1884); *La Jeunesse blanche* (Lemerre, 1886); *Le Règne du silence* (Charpentier, 1891); *Les Vies encloses* (Charpentier, 1896); *Le Miroir du ciel natal* (Charpentier, 1898); *Le Rouet des brumes*, contes posthumes (Ollendorff, 1900). Références : *Georges Rodenbach*, par Charles Guérin (Crépin Leblond); *Symbolistes et Décadents*, par Gustave Kahn (Vanier).

ÉMILE VERHAEREN

Si parmi les poètes belges, Maurice Maeterlinck fut l'un des plus grands symbolistes, celui qui, durant sa vie, exerça la plus vive influence en Europe fut Émile Verhaeren[1], influence d'ailleurs qui s'inscrivit à contre-courant du Symbolisme. Celui-ci n'était que fuite devant la vie, alors que Verhaeren entreprit de magnifier cette vie dans son aspect le plus moderne, dans son épopée machiniste, ses « Villes tentaculaires », ses mouvements de masse. Émile Verhaeren était voué, semble-t-il, à peindre l'écrasement tragique de sa plaine natale sous un ciel aux lourds nuages, les existences humbles et sombres, comme celle, par exemple qu'évoque :

LE MOULIN

Le moulin tourne au fond du soir, très lentement,
Sur un ciel de tristesse et de mélancolie,
Il tourne et tourne, et sa voile, couleur de lie,
Est triste et faible et lourde et lasse, infiniment.

Depuis l'aube, ses bras, comme des bras de plainte,
Se sont tendus et sont tombés; et les voici
Qui retombent encor, là-bas, dans l'air noirci
Et le silence entier de la nature éteinte.

Un jour souffrant d'hiver sur les hameaux s'endort,
Les nuages sont las de leurs voyages sombres,
Et le long des taillis qui ramassent leurs ombres,
Les ornières s'en vont vers un horizon mort.

1. Né en 1855 à Saint-Amand, près Anvers. Mort en 1916 à Rouen. Œuvres principales : *Les Soirs* (Deman, 1887); *Les Débâcles* (Deman, 1888); *Les Flambeaux noirs* (Deman, 1890); *Les Apparus dans mes chemins* (Lacomblez, 1891); *Au bord de la route* (Vaillant-Carmanne, 1891); *Les campagnes hallucinées* (Deman, 1893); *Les Villages illusoires* (Deman, 1895; Insel, 1913); *Les Villes tentaculaires* (Deman, 1895 et Mercure, 1904); *Les Heures claires* (Deman, 1896; Mercure, 1909); *Les Visages de la vie* (Deman, 1899); *Les Forces tumultueuses* (Mercure de France, 1902); *La Multiple Splendeur* (Mercure de France, 1906); Référence : *Verhaeren*, par Franz Hellens (Seghers, « Poètes d'aujourd'hui »).

Sous un ourlet de sol, quelques huttes de hêtre
Très misérablement sont assises en rond;
Une lampe de cuivre est pendue au plafond
Et patine de feu le mur et la fenêtre.

Et dans la plaine immense et le vide dormeur
Elles fixent — les très souffreteuses bicoques! —
Avec les pauvres yeux de leurs carreaux en loques,
Le vieux moulin qui tourne et, las, qui tourne et meurt.

Pourtant le poète des *Débâcles*, des *Flambeaux noirs* s'arracha à cette ombre intérieure et extérieure qui n'était pas sans faire songer à certaines des premières toiles de Van Gogh, et, niant son pessimisme, il se mit sur les traces de Walt Whitmann et de Hugo à chanter un panthéisme clair et l'ivresse de l'effort humain. Il faisait ainsi œuvre nouvelle, axait délibérément la poésie sur le présent, sur l'enthousiasme. Malheureusement cette glorification des usines, des métiers, cette peinture de l'exode rural ne vont pas sans emphase ni lourdeur. Du moins on ne peut refuser à Verhaeren le bénéfice de la sincérité, soit qu'il dise le calme intérieur, soit au contraire qu'il exalte :

LA VIE ARDENTE

Mon cœur, je l'ai rempli du beau tumulte humain.
Tout ce qui fut vivant et haletant sur terre,
Folle audace, volonté sourde, ardeur austère
Et la révolte d'hier et l'ordre de demain
N'ont point pour les juger refroidi ma pensée.
Sombres charbons, j'ai fait de vous un grand feu d'or
N'exaltant que sa flamme et son volant essor,
Qui mêlaient leur splendeur à la vie angoissée.
Je vous accueille tous avec tous vos contrastes
Afin que fût plus long, plus complexe et plus vaste
Le merveilleux frisson qui m'a fait tressaillir.
Mon cœur à moi ne vit dûment que s'il s'efforce.
L'humanité totale a besoin d'un tourment
Qui la travaille avec fureur, comme un ferment,
Pour élargir sa vie et soulever sa force.

Verhaeren aura eu le mérite d'avoir cherché une beauté nouvelle dans ce que les poètes de sa génération ignoraient ou méprisaient : le travail des hommes et ses machines, et d'avoir ouvert sa poésie à une générosité fraternelle.

Aimer avec ferveur soi-même en tous les autres
Qui s'exaltent de même en de mêmes combats
Vers le même avenir dont on entend le pas;
Aimer leur cœur et leur cerveau pareils aux nôtres
Parce qu'ils ont souffert, en des jours noirs et fous,
Même angoisse, même affre et même deuil que nous.

Et s'enivrer si fort de l'humaine bataille
— Pâle et flottant reflet des monstrueux assauts
Ou des groupements d'or des étoiles, là-haut —
Qu'on vit en tout ce qui agit, lutte ou tressaille
Et qu'on accepte avidement, le cœur ouvert,
L'âpre et terrible loi qui régit l'univers.

MORT DU SYMBOLISME

I. — LA CROISADE MÉRIDIONALE

JEAN MORÉAS ET LES MÉDITERRANÉENS

Le Grec Papadiamantopoulos prit une part active aux débuts du Symbolisme sous le signe duquel il publia *Les Syrtes, Les Cantilènes,* et auquel il consacra un Manifeste. Au banquet de *la Plume* le 12 février 1891, on saluait en Moréas le Symbolisme glorieux; six mois plus tard, Moréas passait à l'ennemi et publiait le manifeste des poètes « romans » où tout ce que prônaient les tenants de la poésie symboliste était rejeté pour faire place à la tradition méditerranéenne de précision, de clarté, de mesure, de rigueur. « Mon instinct n'avait pas tardé, écrivait Moréas[1], à m'avertir qu'il fallait revenir au vrai classicisme et à la vraie antiquité, ainsi qu'à la versification traditionnelle la plus sévère. Et en plein triomphe symboliste, je me séparai courageusement de mes amis qui m'en gardèrent longtemps rancune. Aujourd'hui, j'ai le plaisir de constater que tout le monde revient au classicisme. »

Tout le monde ce fut d'abord : Maurice du Plessys, Raymond de la Tailhède, Ernest Raynaud et Charles Maurras, le doctrinaire du groupe. Vint ensuite toute une « pléiade d'étagère » comme disait Albert Thibaudet; l'antiquité se portait beaucoup et de diverses manières, dans les « chansons de Bilitis » de Pierre Louys, dans les vers des méridionaux qui s'opposaient aux *barbares* symbolistes et nordiques.

Certes la poésie du Midi avait une source pure et belle dans l'œuvre de Mistral mais la langue provençale réduisait le rayonnement des Félibres, quant à leurs compatriotes

1. Né en 1856 à Athènes. Mort en 1910 à Saint-Mandé. Œuvres principales : *Les Syrtes* (Impr. Léo Trézenils, 1884); *Les Cantilènes* (Vanier, 1886); *Le Pèlerin passionné* (Vanier, 1890); *Autant en emporte le vent* (Vanier, 1893); *Eriphyle* (1894); *Les Stances* (Bibliothèque Artistique et Littéraire, 1899, 1901 et 1920); *Poésies 1886 à 1896* (Bibliothèque Artistique et Littéraire, 1898). Références : *La Vie Littéraire* (4e série), par Anatole France (Calmann-Lévy); *Jean Moréas,* par Jean de Gourmont (Sensot); *Jean Moréas,* par Charles Maurras (Plon); *Apothéose de Jean Moréas,* par Ernest Raynaud (Mercure de France).

dont la muse s'exprimait en français, ils succombaient malgré quelques réussites sous une rhétorique ronsardisante qui ne valait pas mieux que les pacotilles à la mode symboliste qu'elle prétendait détrôner.

Sagesse ou littérature ces stances de Moréas ?

Ne dites pas : la vie est un joyeux festin;
Ou c'est d'un esprit sot ou c'est d'une âme basse.
Surtout ne dites point : elle est malheur sans fin;
C'est d'un mauvais courage et qui trop tôt se lasse.

Riez comme au printemps s'agitent les rameaux.
Pleurez comme la bise ou le flot sur la grève,
Goûtez tous les plaisirs et souffrez tous les maux;
Et dites : c'est beaucoup et c'est l'ombre d'un rêve.

Hélas! cœur trop humain, homme de peu de foi,
Aux regards éblouis d'une lumière en fête,
Tu ne sauras jamais comme elle éclaire en moi,
L'ombre que cette allée au noir feuillage jette!

Il y eut un don verbal évident chez Emmanuel Signoret[1].

LA MÉDITATION DE DIANE

A M. Henry Roujon.

Son noir attelage plane!...;
Mais, tant ses yeux sont luisants,
Sur son char d'argent, Diane
Ce soir semble avoir seize ans!
Bouquet de roses, sa bouche
Céleste embrase ma couche.

1. Né en 1872 à Lançon (Bouches-du-Rhône). Mort en 1900 à Cannes. Œuvres principales : *Le Livre de l'Amitié* (Vanier, 1891); *Ode à Paul Verlaine* (Vanier, 1892); *Vers dorés* (Bibliothèque Artistique et Littéraire, 1896); *La Souffrance des Eaux* (Bibliothèque Artistique, 1899); *Le Tombeau de Stéphane Mallarmé* (Bibliothèque du Saint-Graal, 1899); *Poésies complètes*, préface par André Gide (Mercure de France, 1908). Références : *E. Signoret*, dans les « Portraits du prochain siècle », par Léon-Paul Fargue (Girard, 1894); *Prétextes, réflexions sur quelques points de littérature et de morale*, par André Gide (Mercure de France, 1903).

Triste à l'avant de son char,
Sur son coude elle se penche :
L'onde humecte son regard,
Sa poitrine est toute blanche! —
Ma jeune lune de mai
Pitié pour ton pâtre aimé!

Nourri de Lucrèce et de Virgile, F. P. Alibert[1] a le sens du contour, de la lumière, et sous la sérénité du langage une dense passion.

LA VIGNE ET LE CYPRÈS

A la rose décroissante
Qui jadis te resserrait,
Flexible ensemble et pressante,
Son labyrinthe secret,

Quel germe obscur substitue,
Par plus d'un souple rameau,
Une couronne tortue
De tendre pampre nouveau ?

Avec une grâce oblique,
Il tisse, dès son départ,
Mainte grotte bucolique,
Équilibrée au hasard.

Puis, d'une pointe ingénue,
J'aime à voir, toujours plus lent,
Cyprès, comme il s'insinue
Jusqu'à ton faîte indolent,

Et, de ta mélancolie,
Comme son feston léger
Rend la noirceur embellie,
Et le fardeau, passager.

1. Né en 1873 à Carcassonne. Mort à Carcassonne le 23 juin 1953. Œuvres principales : *Odes* (N.R.F.); *Elégies Romaines* (N.R.F.); *La Prairie aux Narcisses* (Ed. Cahiers du Sud); *Eglogues* (1923).

Citons encore parmi ces « fils » de la Grèce ou de Rome : Adrien Mithouard, Jacques Reynaud, Lucien Dubech, Joachim Gasquet, Lionel des Rieux, Marc Lafargue, Pierre Camus, Fernand Mazade, Despax, Derennes, Xavier de Magallon, Louis Pize et — pourquoi pas ? — Paul Valéry qui allia en ses débuts mallarmisme et romanisme, ce que continua à faire Henry Charpentier.

II. — LES DERNIERS MOMENTS

Le Symbolisme eut encore à subir les assauts d'autres poètes ou versificateurs qui eux, ne se rebellaient plus au nom de l'Antiquité mais de la Nature que l'on n'apercevait guère de la Tour d'Ivoire des symboles. En 1895, Maurice Le Blond publiait son *Essai sur le naturisme.* « Il y a assez longtemps qu'on admire Baudelaire et Mallarmé », proclamait-il, (le temps était bien passé où un Maurice Rollinat pouvait cultiver ses *Névroses* baudelairiennes.) Déjà, Adolphe Retté avait fait appel aux forces du soleil, du vent, de la terre contre les brumes intérieures; Saint-Georges de Bouhélier, Henri Ghéon, Maurice Magre, Fernand Séverin, chantaient eux aussi la nature, Fernand Gregh se faisait le poète de l'humanisme, François Porché cherchait à allier poésie et réalisme de son temps.

Bref au début du siècle nouveau, Stuart Merrill pouvait écrire à André Fontainas : « Oui, certes, le symbolisme semble avoir fait long feu de par la défection de plusieurs de ses membres autant qu'à cause de l'indifférence publique ». Ce qui était vrai.

Pourtant, au même moment, dans *Vers et Prose,* Robert de Souza affirmait que le Symbolisme était la seule École vivante avec les œuvres récentes de Verhaeren, Viélé-Griffin, Jammes, Gide, Charles Guérin, Moréas, Paul Fort... Ce qui était également vrai. Ou plutôt le Symbolisme était mort, mais les anciens poètes symbolistes continuaient d'écrire soit dans le sillage de leurs œuvres de jeunesse, soit en rupture avec elles.

Il était déjà loin le temps où, pour attaquer le Symbolisme à son apogée, Gabriel Vicaire et Henri Bauclair publiaient : « *Les Déliquescences* d'Adoré Floupette, avec sa vie par Marino Tapora, pharmacien de deuxième classe. »

Et si l'espoir s'en alla
C'est que la porte était ouverte.
Ah! verte, verte, combien verte
Était mon âme ce soir-là.

Le Symbolisme était devenu exsangue comme les créatures qu'il se plaisait à chanter, Georges Fourest[1], l'auteur de *La Négresse blonde* mettait cela en chanson ou plutôt en ballade :

Corbière, au pays du dolmen
et du hareng qu'on met en caque,
sut cueillir plus d'un cyclamen;
Cros est un alexipharmaque
propre à dissiper les comas que
portent les veules symbolos.
Maldoror fut un brucolaque
Vivent les Poètes falots!

Lunologue (bizarre hymen!)
Laforgue voulut pour momacque
la lune : dulce solamen!
La nuit, sur un divan de laque,

il dénouait, élégiaque,
la ceinture de fins halos,
Baal et pâle Syriaque!
Vivent les Poètes falots!

Cependant, parallèle au néo-classicisme, il y eut une sorte de néo-symbolisme grâce aux poètes de *la Phalange* groupés autour de Jean Royère qui réaffirma que « le symbolisme ne fut, n'est rien d'autre que la volonté de pénétrer la poésie dans son essence » et que « les poètes qui ont formé la génération symboliste ont tous considéré leur art comme un *absolu* ». Cette *Phalange* publia notamment : Louis de Gonzague Frick, Gaspard Michel, Guy Lavaud et... André Breton, mallarmiste dans son adolescence.

La *Phalange* cessa de paraître en 1914, mais le Symbolisme dans ce qu'il avait d'essentiel trouva de nouvelles voies à travers l'œuvre d'un Milosz ou d'un Jean de Boschère; enfin Jammes, Claudel, Valéry, Apollinaire ont puisé en lui certains *charmes* — au sens magique — qui n'appartiennent pas aux modes littéraires mais à la genèse de

1. Né à Limoges en 1864. Mort en 1945. Œuvres principales : *La Négresse blonde* (1909); *Les Contes pour les satyres* (1926); *Le Géranium Ovipare* (Ed. Corti, 1935).

l'image, et à la musique du vers; on a vu comment les Surréalistes ont revendiqué pour maître le symboliste Saint-Pol-Roux; enfin Julien Gracq qui croit devoir se montrer fort sévère à l'égard des symbolistes me paraît pourtant partager avec eux le goût de l'étrange dans la beauté et celui de l'œuvre close et précieuse[1].

1. Le romancier Robert Margerit qu'il cite en exemple ne se souvient-il pas volontiers d'un Henri de Régnier ?

ALFRED JARRY

« Le rire a pris une dimension métaphysique et derrière ce rire incomparable, Jarry cache son orgueil invaincu, sa victoire. »

ANDRÉ FRÉNAUD.

La révolte de Rimbaud, de Lautréamont, celle aussi de Cros, de Corbière devait passer quasi inaperçue de la société contemporaine et ne donner ses fruits de violence salubre que longtemps après la mort de ces poètes : la poudre contenue dans leurs œuvres ne devait s'enflammer qu'à retardement.

Jarry[1] est celui qui mit le feu aux poudres. Avec lui, le scandale éclate. Avec lui, la révolte poétique ne peut plus être confinée dans des travaux de sape, elle brille au grand jour, elle passe de la clandestinité d'*Une Saison en Enfer*, des *Chants de Maldoror*, des *Amours Jaunes* à l'offensive tonitruante d'*Ubu*. Elle est pour un temps encore le fait d'un seul homme, un étrange petit homme énigmatique, déconcertant, en état permanent de folle et froide rébellion : Alfred Jarry, qui ne cesse de brandir son pistolet, symbole voyant de son agressivité — « Jarry, celui qui revolver », dit excellemment Breton —. Mais avec ce pistolet et toutes les balles que son humour ne cesse de tirer sur les baudruches sociales, Jarry donne le départ aux futures sectes « dadaïstes » puis « surréalistes » qui accompliront le vœu de Lautréamont : « La poésie ne doit pas être faite par un, mais par tous »; vœu qui pourrait se lire encore :

1. Né en 1873 à Laval. Mort en 1907 à Paris. Œuvres principales : *Les Minutes de Sable Mémorial* (Mercure de France, 1894; Fasquelle, 1933); *César Antéchrist* (Mercure de France, 1895; Fasquelle, 1933); *Ubu Roi* (Mercure de France, 1896; Fasquelle, 1945); *Ubu enchaîné* (Revue Blanche, 1900; Fasquelle, 1938); *Le Surmâle*, roman (Revue Blanche, 1902; Fasquelle, 1945); *Œuvres poétiques complètes* (Ed. N.R.F., 1945). Références : *A. Jarry*, par Paul Chauveau (Mercure de France, 1932); *A. Jarry. Son œuvre*, par Fernand Lot (Nouvelle Revue Critique, 1934); *A. Jarry*, par Jacques-Henry Levesque (Ed. Seghers, « Poètes d'aujourd'hui », 1951).

« la révolution poétique ne doit pas être faite par un mais par tous ».

On prononce Jarry, on entend Ubu. Il est vrai que depuis la représentation d'*Ubu-Roi* au Théâtre de l'Œuvre en 1896 — la « bataille » d'Ubu-Roi laissa loin derrière elle, celle d'Hernani — Jarry fut de plus en plus dévoré par l'ogre qu'avec ses camarades de collège il avait inventé pour, dit-il, représenter « tout le grotesque qu'il y eût au monde ». Troublante substitution de la créature au créateur. Comme le Christ prenait sur lui les péchés de l'humanité, Jarry assuma sur le mode ironique toute l'ignominie et l'absurdité d'un monde qu'il avait dénoncées dans un hilarant et effrayant fantoche. Ubu fait la synthèse de la Bêtise, de la Lâcheté, de la Cruauté, de l'Hypocrisie; et, déroutante ambiguïté, pour continuer à mener la guerre à ces tares, Jarry choisit de prendre l'apparence et le langage du personnage qui les incarne. Déjà, Lautréamont animait l'implacable Maldoror pour attaquer le mal par un surcroît d'horreur. Jarry va plus loin, exactement il va jusqu'au bout de sa bouffonne et dramatique gageure (il avait pour devise : « N'essaye rien ou va jusqu'au bout »); il fait passer ce duel d'un personnage mythique contre l'humanité, du plan littéraire à celui de la vie. Jarry jouant Ubu, non plus sur scène mais à la ville tend ainsi un terrible miroir aux imbéciles, il leur montre le monstre qu'ils sont. Il dit « *Merdre* » aux « assis », mais pour lancer son mot de mutinerie il prend le masque sublimement horrifique de ses ennemis. Étonnante ruse de guerre ? ou, au contraire, implicite, amère reconnaissance d'une inéluctable résurrection de Goliath-Ubu ? Le poète se glisse-t-il dans la place forte du « grotesque » social pour mieux le détruire ? ou bien en devient-il le prisonnier ? Sans doute les deux hypothèses sont-elles simultanément justes. On ne sait plus qui est victime et qui bourreau comme dans *La Chanson du Décervelage :*

LA CHANSON DU DÉCERVELAGE

Je fus pendant longtemps ouvrier ébéniste,
Dans la ru' du Champ d'Mars, d'la paroiss' de Toussaints.
Mon épouse exerçait la profession d'modiste,
Et nous n'avions jamais manqué de rien. —

Quand le dimanch' s'annonçait sans nuage,
Nous exhibions nos beaux accoutrements
Et nous allions voir le décervelage
Ru' d' l'Échaudé, passer un bon moment.
Voyez, voyez la machin' tourner,
Voyez, voyez la cervell' sauter,
Voyez, voyez les Rentiers trembler;
(Chœur) *Hourra, cornes-au-cul, vive le Père Ubu!*

Nos deux marmots chéris, barbouillés d'confitures,
Brandissant avec joi' des poupins en papier,
Avec nous s'installaient sur le haut d'la voiture
Et nous roulions gaiement vers l'Échaudé. —
On s'précipite en foule à la barrière,
On s'fich' des coups pour être au premier rang,
Moi je m'mettais toujours sur un tas d'pierres
Pour pas salir mes godillots dans l'sang.
Voyez, voyez la machin' tourner,
Voyez, voyez la cervell' sauter,
Voyez, voyez les Rentiers trembler;
(Chœur) *Hourra, cornes-au-cul, vivo le Père Ubu!*

Bientôt ma femme et moi nous somm's tout blancs d'cer-
[velle,
Les marmots en boulott'nt et tous nous trépignons
En voyant l'Palotin qui brandit sa jumelle,
Et les blessur's, et les numéros d'plomb. —
Soudain j'perçois dans l'coin, près d'la machine.
La gueul' d'un bonz' qui n' m' revient qu'à moitié.
Mon vieux, que j'dis, je r'connais ta bobine,
Tu m'as volé, c'est pas moi qui t'plaindrai.
Voyez, voyez la machin' tourner,
Voyez, voyez la cervell' sauter,
Voyez, voyez les Rentiers trembler;
(Chœur) *Hourra, cornes-au-cul, vive le Père Ubu!*

Soudain, j'me sens tirer la manch' par mon épouse :
Espèc' d'andouill', qu'ell' m'dit, v'là l'moment d'te mon-
[trer :
Flanque-lui par la gueule un bon gros paquet d'bouse,
V'là l'Palotin qu'a just' le dos tourné. —
En entendant ce raisonn'ment superbe,
J'attrap' sus l'coup mon courage à deux mains :

J'flanque au Rentier une gigantesque merdre
Qui s'aplatit sur l'nez du Palotin.
Voyez, voyez la machin' tourner,
Voyez, voyez la cervell' sauter,
Voyez, voyez les Rentiers trembler;
(Chœur) *Hourra, cornes-au-cul, vive le Père Ubu!*

Aussitôt j'suis lancé par-dessus la barrière,
Par la foule en fureur je me vois bousculé
Et j'suis précipité la tête la première
Dans l'grand trou noir d'ous qu'on n'revient jamais —
Voilà c'que c'est qu'd'aller s'prom'ner l'dimanche
Ru' d' l'Échaudé pour voir décerveler,
Marcher l'Pinc'Porc ou bien l'Démanch'Comanche.
On part vivant et l'on revient tudé.

Voyez, voyez la machin' tourner,
Voyez, voyez la cervell' sauter,
Voyez, voyez les Rentiers trembler;

(Chœur) *Hourra, cornes-au-cul, vive le Père Ubu!*

Mais si la veine ubuesque parcourt toute l'œuvre et la vie de Jarry, mêlant parfois le sacré au guignol, nous ne devons pas réduire la personnalité du poète à cette seule perspective par laquelle, à force d'ostentation, il semble avoir voulu rendre invisible sa nature première, puisque, si l'on en croit Léon-Paul Fargue qui le connut à son arrivée à Paris : « (il) était déjà un poète ingénieux, précis, très artiste. Comme homme, il était affectueux et même sentimental. Il parlait vite, d'une jolie voix nette et n'avait rien de cette sécheresse fabriquée, de cet accent ubuesque, de ces attitudes qu'il devait adopter par la suite. »

« ... et même sentimental », remarque Fargue. Quelle blessure intérieure, peut-être de sa propre conscience ignorée, put pousser secrètement Jarry à prendre une attitude défensive puis à adopter celle offensive de son gigantesque pantin ? Jarry qui écrivit : *L'Amour Absolu,* roman des métamorphoses, des mutations amoureuses — et l'éros, dans ces pages, est d'une envoûtante cruauté — Jarry n'aimait pas les femmes, il déclarait :

Libre aux gens de génie de coucher avec leur cuisinière, nous, nous ne tenons pas à avoir de génie à ce prix-là. Nous n'aimons pas les femmes du tout, mais si jamais nous en aimions une, nous la voudrions notre égale, ce qui ne serait pas rien!

Et l'un de ses personnages, le Duc Haldern :

Hors du sexe seul est l'amour... Je voudrais quelqu'un qui ne fût ni homme, ni femme, ni tout à fait monstre, esclave dévoué et qui pût parler sans rompre l'harmonie de mes pensées sublimes, à qui un baiser fût stupre démonial.

Jarry, poète qui se venge, qui — par malaise profond devant l'amour ? — rêve d'inspirer la terreur (c'était aussi le rêve de Maldoror) : « Moi qui aurais voulu être assez affreux pour faire avorter les femmes dans la rue ou mettre au monde des enfants soudés par le front. »

« Nous avons horreur des histoires d'amour », dit encore Jarry, il en écrit pourtant, et elles ne sont pas sans inquiéter : celle de son héros *Le Surmâle* qui bat à la fois records érotiques et records cyclistes — Jarry ne se séparait pas plus de sa bicyclette que de son revolver — est aimé puis tué par « la machine à inspirer l'amour » conçue pour mettre à l'épreuve ses capacités sexuelles, celle encore d'Emmanuel Dieu et de Varia dans *L'Amour Absolu* :

Le lycéen des visites de vacances a grandi, depuis Condorcet.
Il est de la taille de Varia, qui a l'air d'une bête souple surtout parce qu'elle est grande.
Elle le paraît moins, toutefois, qu'à côté du notaire nabot.
Quand leurs bouches se sont mordues, et qu'ils se séparent momentanément pour contrôler dans leurs yeux leur béatitude, les seins de l'une sont le décalque des seins de l'autre.
Ce sont deux triangles exactement superposables.
Puisque Monsieur Dieu a droit héréditaire au sceau de la Trinité!
Ils s'écartent comme un livre s'ouvre.
Tels les blancs favoris du notaire, mais lui ne les rapproche pas.
Se contemplent.
Les doigts de Varia tâtonnent derrière les épaules d'Emmanuel.
Elle tâche de déchiffrer où s'articulent les ailes de l'Amour,

Leur vol est peut-être si rapide — comme des macroglossœ fusiformes et stellatarum, piquées aux vitrines de la chambre, qu'on n'en perçoit qu'un brouillard.

Mais soudain quelque chose de noir — la banalité ou la fatalité du disque d'ombre après avoir fixé le soleil comme d'une guedoufle dont on verse, choit des pupilles d'Emmanuel dans les pupilles de Varia.

La lie de l'Amour, qui est la Peur.

Varia tremble comme sous une neige, dans une nuit à voir la neige noire.

— Allez-vous-en! Je vous en supplie! Laissez-moi m'endormir toute seule!

Dans son premier livre — très influencé par le Symbolisme — *Les Minutes de Sable mémorial* qu'il publia à vingt et un ans, Jarry notait : « Qu'on pèse donc les mots polyèdres d'idées, avec des scrupules, comme des diamants, à la balance de ses oreilles, sans demander pourquoi telle et telle chose, car il n'y a qu'à regarder, et c'est écrit dessus. » L'œuvre de Jarry est ainsi à multiples faces, et le regard qu'on y porte glisse sur ces plans, ricoche, ébloui par cette suite ininterrompue de découvertes rapides et fuyantes qui lui est proposée. Une telle architecture serrée d'angles, de cristaux sombres, ne se laisse pas entamer : blessante avec toutes ses pointes en dehors.

DE L'ILE DE PTYX

L'île de Ptyx est d'un seul bloc de la pierre de ce nom, laquelle est inestimable, car on ne l'a vue que dans cette île qu'elle compose entièrement. Elle a la translucidité sereine du saphir blanc, et c'est la seule gemme dont le contact ne morfonde pas, mais dont le feu entre et s'étale, comme la digestion du vin. Les autres pierres sont froides comme le cri des trompettes; elle a la chaleur précipitée de la surface des timbales. Nous y pûmes aisément aborder, car elle était taillée en table, et crûmes prendre pied sur un soleil purgé des parties opaques ou trop miroitantes de sa flamme, comme les antiques lampes ardentes. On n'y percevait plus les accidents des choses, mais la substance de l'univers, et c'est pourquoi nous ne nous inquiétâmes point si la surface irréprochable était d'un liquide équilibré selon des lois éternelles, ou d'un diamant impénétrable, sauf à la lumière qui tombait droit.

Le seigneur de l'île vint vers nous dans un vaisseau : la cheminée arrondissait des auréoles bleues derrière sa tête, amplifiant la fumée de sa pipe et l'imprimant au ciel. Et au tangage alternatif, sa chaise à bascule hochait ses gestes de bienvenue.

Il tira de dessous son plaid quatre œufs, à la coque peinte, qu'il remit au Docteur Faustroll, après boire. À la flamme de notre punch l'éclosion des germes ovales fleurit sur le bord de l'île : deux colonnes distantes, isolement de deux prismatiques trinités de tuyaux de Pan, épanouirent au jaillissement de leurs corniches de poignée de main quadrigitale des quatrains du sonnet : et notre as berça son hamac dans le reflet nouveau-né de l'arc de triomphe. Dispersant la curiosité velue des faunes et l'incarnat des nymphes désassoupies par la mélodieuse création, le vaisseau clair et mécanique recula vers l'horizon de l'île son haleine bleutée, et la chaise hochante qui saluait adieu[1].

(« *Gestes et Opinions du Docteur Faustroll* »,
pataphysicien.)

Le défi et le refus dominent les poèmes de Jarry, leur donnent l'hostilité d'une arme : face à l'amour, à l'espoir, à la vie, leur humour fait feu.

MADRIGAL

Ma fille — ma, car vous êtes à tous,
Donc aucun d'eux ne fut valable maître,
Dormez enfin, et fermons la fenêtre :
La vie est close, et nous sommes chez nous.

C'est un peu haut, le monde s'y termine
Et l'absolu ne se peut plus nier;
Il est si grand de venir le dernier
Puisque ce jour a lassé Messaline.

1. Le fleuve autour de l'île s'est fait, depuis ce livre, couronne mortuaire.

Vous voici seule et d'oreilles et d'yeux,
Tomber souvent désapprend de descendre.
Le bruit terrestre est loin, comme la cendre
Gît inconnue à l'encens bleu des dieux.

Tel le clapotis des carpes nourries
A Fontainebleau
A des voix meurtries
De baisers dans l'eau.

Comment s'unit la double destinée ?
Tant que je n'eus point pris votre trottoir
Vous étiez vierge et vous n'étiez point née,
Comme un passé se noie en un miroir.

La boue à peine a baisé la chaussure
De votre pied infinitésimal
Et c'est d'avoir mordu dans tout le mal
Qui vous a fait une bouche si pure.

LE HOMARD ET LA BOITE DE CORNED-BEEF QUE PORTAIT LE DOCTEUR FAUSTROLL EN SAUTOIR

Fable

A A.-F. Hérold.

Une boîte de corned-beef, enchaînée comme une lorgnette,
Vit passer un homard qui lui ressemblait fraternellement.
Il se cuirassait d'une carapace dure
Sur laquelle était écrit qu'à l'intérieur, comme elle, il était sans arêtes,
(Boneless and economical);
Et sous sa queue repliée
Il cachait vraisemblablement une clé destinée à l'ouvrir.
Frappé d'amour, le corned-beef sédentaire
Déclara à la petite boîte automobile de conserves vivante,
Que si elle consentait à s'acclimater,

Près de lui, aux devantures terrestres,
Elle serait décorée de plusieurs médailles d'or.

(« *Gestes et Opinions du Docteur Faustroll.* »)

Griffes, crocs, mandibules règnent dans maintes pages. Une faune de cauchemar grinçante, métallique semble être la compagne du poète, et chez lui le mot devient animal dur, vif, tranchant; « qu'on pèse donc les mots », les siens sont denses, précis, étroitement imbriqués dans le vers ou la phrase, parcelles nettes et coupantes. Sous le couvert de l'extravagance, l'esprit comme le langage sont rigoureux. Il n'en pouvait aller autrement pour cet inventeur de la pataphysique, science du particulier et des solutions imaginaires, — le savant docteur Faustroll, pataphysicien, étant un nouvel avatar du père du Père Ubu (lui-même caricature inspirée à Jarry enfant par son professeur de physique).

Des *Minutes de Sable Mémorial* et de *César-Antéchrist* à *Ubu-Roi*, au *Surmâle*, aux *Gestes et Opinions du Docteur Faustroll*, à *La Dragonne*, l'œuvre de Jarry est fort diverse, cependant elle trouve son unité dans son langage, dans l'humour, enfin dans le scandale permanent de l'écriture et de la vie.

Précurseur des dadaïstes, Jarry avec ses écrits, ses mots et ses actes a composé un cérémonial tantôt somptueux, tantôt clownesque, parfois l'un et l'autre simultanément, raffiné mais sauvage, d'une grande complexité mais aussi d'une élémentaire violence et dont le tragique est fait d'une étroite alliance entre le rire et l'horreur. Ce cérémonial tend à figurer hors de l'univers commun qu'il nargue, un monde d'exception dangereux et libre. Lorsqu'il mourut, Jarry paracheva le bref chef-d'œuvre d'humour noir qu'il avait fait de sa vie, en exprimant ce dernier vœu — exaucé par son ami le docteur Saltas — qu'on lui donnât un cure-dent.

Signe de l'actualité de Jarry, l'existence du « Collège de Pataphysique » et la publication régulière des *Cahiers* de ce noble Collège.

ÉLÉGIAQUES

I

FRANCIS JAMMES

« C'est dans une petite chambre bleue que j'ai découvert ma poésie, à Assat, dans l'après-midi déclinant, un certain soir. On entendait sous les cèdres les cris mélancoliques des enfants et les rires des jeunes filles. »

Ainsi parle Francis Jammes[1]. Et dans sa poésie on trouvera, en effet, ces chambres bleues provinciales, ces rumeurs, ces saveurs, ces mélancolies et ces charmes des après-midi rustiques, et toujours une couronne de jeunes filles aux noms chanteurs, romanesques : Clara d'Ellébeuse, Laure d'Anis, Almaïde d'Etremont, Guadalupe de Alcaraz — celle-ci en souvenir des îles où vécurent les aïeux du poète béarnais, les Iles dont la volupté, la langueur, le feu nonchalant viennent curieusement se mêler aux fraîcheurs d'eaux vives, aux fleurs simples, à la pénombre des terres pyrénéennes.

Lorsque les premiers vers de Jammes apparaissent avec leur langage dru, à la fois modeste et captivant, on est en plein *tapage* littéraire : les néo-ceci, les néo-cela, et tous les « ismes » étouffent sous leur vaine prétention la poésie. Aussi comprend-on le jugement de Mallarmé : « Ce recueil délicieux de vers, au doigté à peine appuyé, comme il faut aujourd'hui après du tapage; naïfs et sûrs avec leur exquis

---

1. Né en 1868 à Tournay, (Hautes-Pyrénées). Mort en 1938. Œuvres principales : *De l'Angelus de l'Aube à l'Angelus du Soir, 1888-1897* (Mercure de France, 1898); *Le Deuil des Primevères, 1898-1900* (Mercure de France, 1901); *Le Triomphe de la Vie, 1900-1901* (Mercure de France, 1902); *Pensées des Jardins* (Mercure de France, 1906); *Clairières dans le Ciel, 1902-1906* (Mercure de France, 1906); *Les Géorgiques Chrétiennes* (Mercure de France, 1911); Référence : *Francis Jammes*, par Robert Mallet (Ed. Seghers, Coll. Poètes d'aujourd'hui, ; *Francis Jammes*, par Robert Mallet (Ed. du Mercure de France).

filet de voix... » Et un peu plus tard Gide : « Cette eau vaut par sa pureté. Savez-vous ce qui la fait si grande, c'est que pas une eau n'en est venue grossir, en la troublant, le cours; c'est qu'il (Jammes) se résigne à lui-même, pour aliment n'espérant que du ciel les abondantes eaux des averses. » Et encore Albert Samain : « Au milieu de la surchauffe intellectuelle où se dessèchent les esprits, c'est comme un verre d'eau claire qu'on apporte et que tous boivent avidement. »

L'éloignement dans sa cité d'Orthez préservait sans doute Jammes des modes, des influences, mais plus encore l'éloignement intérieur de ce jeune homme tourné vers un passé à la fois concret et imaginaire : celui d'une enfance douce qui n'en finissait pas d'éprouver son innocence, celui aussi, fabuleux et pourtant proche, de la vie aux Iles jadis qu'avaient menée ses aïeux; ces humbles souvenirs transfigurés par les yeux adolescents : un coffre, un châle, des coquillages suffisant à faire éclore une lumineuse rêverie.

Il y a chez Jammes du Rousseau, du Lamartine aussi, plus encore du Bernardin de Saint-Pierre :

C'EST AUJOURD'HUI

8 juillet 1894,
dimanche, Sainte-Virginie,
Le Calendrier.

C'est aujourd'hui la fête de Virginie...
Tu étais nue sous ta robe de mousseline.
Tu mangeais de gros fruits au goût de Mozambique
et la mer salée couvrait les crabes creux et gris.

Ta chair était pareille à celle des cocos.
Les marchands te portaient des pagnes couleur d'air
et des mouchoirs de tête à carreaux jaune clair.
Labourdonnais signait des papiers d'amiraux.

Tu es morte et tu vis, ô ma petite amie,
amie de Bernardin, ce vieux sculpteur de cannes,
et tu mourus en robe blanche, une médaille
à ton cou pur, dans la Passe de l'Agonie.

J'AIME DANS LES TEMPS...

J'aime dans les temps Clara d'Ellébeuse,
l'écolière des anciens pensionnats,
qui allait, les soirs chauds, sous les tilleuls
lire les magazines d'autrefois.

Je n'aime qu'elle, et je sens sur mon cœur
la lumière bleue de sa gorge blanche.
Où est-elle ? Où était donc ce bonheur ?
Dans sa chambre claire il entrait des branches.

Elle n'est peut-être pas encore morte
— ou peut-être que nous l'étions tous deux.
La grande cour avait des feuilles mortes
dans le vent froid des fins d'Été très vieux.

Te souviens-tu de ces plumes de paon,
dans un grand vase, auprès de coquillages ?...
on apprenait qu'on avait fait naufrage,
on appelait Terre-Neuve : le Banc.

Viens, viens, ma chère Clara d'Ellébeuse;
aimons-nous encore, si tu existes.
Le vieux jardin a de vieilles tulipes.
Viens toute nue, ô Clara d'Ellébeuse.

Mais on le voit, les Paul et Virginie de Jammes s'ils gardent la grâce de l'adolescence, brûlent d'une ardeur pas exactement chaste. « J'ai tout à la fois, avoue le poète, l'âme d'un faune et l'âme d'une adolescente. » C'est bien cette double nature qui donne à ses poèmes leur charme tour à tour ingénu et piquant. Moins étonnamment doué, Francis Jammes eût pu être un nouveau Coppée, mais où celui-ci est ridicule, celui-là est touchant.

Il excelle à peindre de menus tableaux; nous y pénétrons à sa suite dans un monde familier où voisinent les fleurs, les légumes et les fruits, les animaux et les enfants; et tantôt nous le suivons dans son jardin campagnard, tantôt dans ses rêveries lointaines par le temps ou l'espace; ici et là, flânent, candides ou passionnées, les jeunes filles :

LA VALLÉE...

La vallée d'Alméria. La vallée d'Alméria
doit être une vallée en tubéreuse aux eaux d'argent
et aux montagnes claires et bleues et aux torrents
pleins de fleurs claires, de grenadiers rouges et luisants.

La vallée d'Alméria. La vallée d'Alméria
doit être une vallée où est un château clair,
des histoires d'amour pleines de seringas,
de jardins en sommeil et de belladones.

La vallée d'Alméria. La vallée d'Alméria
est comme une guitare aux fleurs des citronniers.
Les duègnes surveillaient mal et les cavaliers
engrossaient les belles jeunes filles sous les ombrages noirs.

La vallée d'Alméria. La vallée d'Alméria,
c'est un rêve clair comme le silence des vallées.
Vers les hôtelleries elles s'en sont allées,
celles qu'un muletier descendit dans ses bras.

GUADALUPE DE ALCARAZ

Guadalupe de Alcaraz a des mitaines d'or,
des fleurs de grenadiers suspendues aux oreilles
et deux accroche-cœur pareils à deux énormes
cédilles plaquées sur son front lisse de vierge.

Ses yeux sont dilatés comme par quelque drogue
(on dit qu'on employait jadis la belladone);
ils sont passionnés, étonnés et curieux,
et leurs prunelles noires roulent dans du blanc-bleu.

Le nez est court et courbe comme le bec des cailles.
Elle est dure, dorée, ronde comme une grenade.
Elle s'appelle aussi Rosita-Maria,
mais elle appelle sa duègne : carogna!

Toute la journée elle mange du chocolat,
ou bien elle se dispute avec sa perruche
dans un jardin de la vallée d'Alméria
plein de ciboules bleues, de poivriers et de ruches.

A l'heure où tant de manifestes explosaient en vain dans les cercles littéraires, Jammes eut l'idée — il ne faudrait pas oublier son humour bonhomme — de publier un pseudo-manifeste sur le jammisme; il ironisait : « Et comme tout est vanité et que cette parole est encore vanité, mais qu'il est opportun, en ce siècle, que chaque individu fonde une école littéraire, je demande à ceux qui voudraient se joindre à moi pour n'en point former, d'envoyer leur adhésion à Orthez, Basses-Pyrénées, rue Saint-Pierre. » Mais il ne négligeait pas de définir sa vérité poétique : « Je pense que la vérité est la louange de Dieu, que nous devons la célébrer dans nos poèmes pour qu'ils soient purs; qu'il n'y a qu'une école, celle où, comme des enfants qui imitent aussi exactement que possible un beau modèle d'écriture, les poètes copient avec conscience un joli oiseau, une fleur ou une jeune fille aux jambes charmantes et aux seins gracieux. Je crois que cela suffit... »

Jammes posait ainsi *ses* limites sagement. Dans leur cadre, longtemps sa spontanéité fit merveille; modestie et hardiesse, nonchalance et naturel raffinement faisaient du poème « louange de Dieu » un chaleureux éloge de l'instant. Si un sentiment religieux jaillissait en maintes strophes, il n'opprimait ni la liberté, ni la fantaisie. On ne peut dire que Jammes se convertit, mais son ami Claudel l'incita à affirmer et affermir sa foi. Sur le plan poétique l'évolution de Jammes vers un dogmatisme catholique se traduisit alors par une sorte de néo-classicisme où la verve, l'inspiration aussi bien que le langage n'allèrent pas sans se figer et s'appauvrir. Anna de Noailles à ce propos, distinguait justement « la rosée de Francis Jammes » de « son eau bénite ».

C'est la « rosée » qui enchanta les aînés du poète, ses pairs, mais aussi des « jeunes » qui se nommaient : François Mauriac, Francis Carco, Tristan Derême et aussi Guy Lavaud, Ramuz, Jules Supervielle enfin.

Que Jammes n'a-t-il toujours gardé la voix juste de *De l'Angélus de l'aube à l'Angélus du soir*, de *Clara d'Ellé-*

beuse, son roman-poème, ou du *Deuil des Primevères*, cette voix qu'on entend dans ces vers :

J'ALLAIS DANS LE VERGER...

J'allais dans le verger où les framboises au soleil
chantent sous l'azur à cause des mouches à miel.
C'est d'un âge très jeune que je vous parle.
Près des montagnes je suis né, près des montagnes.
Et je sens bien maintenant que dans mon âme
il y a de la neige, des torrents couleur de givre
et de grands pics cassés où il y a des oiseaux
de proie qui planent dans un air qui rend ivre,
dans un vent qui fouette les neiges et les eaux.

Oui, je sens bien que je suis comme les montagnes.
Ma tristesse a la couleur des gentianes qui y croissent.
Je dus avoir, dans ma famille, des herborisateurs
naïfs, avec des boîtes couleur d'insecte vert,
qui, par les après-midi d'horrible chaleur,
s'enfonçaient, dans l'ombre glacée des forêts,
à la recherche d'échantillons précieux
qu'ils n'eussent point échangés pour les vieux
trésors des magiciens des Bagdads merveilleuses
où les jets d'eau ont des fraîcheurs endormeuses.
Mon amour a la tendresse d'un arc-en-ciel
après une pluie d'avril où chante le soleil.
Pourquoi ai-je l'existence que j'ai ?.. N'étais-je fait
pour vivre sur les sommets, dans l'éparpillement
de neige des troupeaux, avec un haut bâton
à l'heure où on est grandi par la paix du jour qui tombe ?

II

CHARLES GUÉRIN, HENRI BATAILLE, PAUL FORT

Jammes avait rejeté loin de lui les brumes précieuses et littéraires du symbolisme décadent; son tour plus naïf, plus spontané, plus populaire apportait à la poésie la bouffée d'air frais dont elle avait grand besoin; ses poèmes offraient aussi un accent de sincérité qui faisait par trop défaut à certains exercices versifiés de l'époque; sa chanson sensuelle et sensible renouait avec la tradition d'un romantisme élégiaque dont le secret paraissait s'être perdu.

L'un de ses disciples devait s'inspirer, non sans bonheur, de cette passion triste ou tendre — que Lamartine déjà et Musset et Vigny avaient cultivée non sans complaisance. Il se nommait Charles Guérin[1] et exprima en vers émouvants sa gratitude pour le poète d'Orthez.

A FRANCIS JAMMES

O Jammes, ta maison ressemble à ton visage.
Une barbe de lierre y grimpe, un pin l'ombrage,
Éternellement jeune et dru comme ton cœur
Malgré le vent et les hivers et la douleur.
Le mur bas de ta cour est doré par la mousse,
La maison n'a qu'un humble étage, l'herbe pousse
Dans le jardin autour du puits et du laurier.
Quand j'entendis, comme un oiseau mourant, crier
Ta grille, un tiède émoi me fit défaillir l'âme.

1. Né en 1873 à Lunéville. Mort en 1907. Œuvres principales : *Le Cœur solitaire* (Mercure de France, 1898); *Le Semeur de Cendres, 1898-1900* (Mercure de France, 1901); *L'Homme intérieur, 1901-1905* (Mercure de France, 1905). Référence : *Charles Guérin*, par Charles de Bersincourt (Ed. du Temps Présent, 1912).

Je m'en venais vers toi depuis longtemps, ô Jammes,
Et je t'ai trouvé tel que je t'avais rêvé.
J'ai vu tes chiens joueurs languir sur le pavé,
Et, sous ton chapeau blanc et noir comme une pie,
Tes yeux francs me sourire avec mélancolie.
Ta fenêtre pensive ouvre sur l'horizon;
Voici tes pipes, ta vitrine qui reflète
La campagne parmi les livres des poètes.

*

Le premier recueil d'Henry Bataille[1] *La Chambre blanche* suscita l'enthousiasme de Marcel Schwob qui voyait dans le nouveau poète un frère de Francis Jammes, et pourtant il n'y avait pas eu de l'un à l'autre influence; simplement, comme le remarquait Marcel Schwob, tous deux étaient « poètes des choses inanimées et des bêtes muettes, deux âmes sœurs, pareillement sensibles ».

La grande réputation d'auteur dramatique acquise par Bataille fit souvent oublier son talent de poète. Cependant ses vers ont une grâce et une fièvre qui les rendent pathétiques et vivants.

LA DERNIÈRE BERCEUSE

Chante bellement, Killoré,
La la hu lalla! mon petit oiseau
Dans le rosier!
Chante bellement pour l'enfant qui pleure.
Qu'a-t-il donc l'enfant à pleurer ainsi ?
Dis-moi donc pourquoi tout ce grand souci ?
Le cœur de l'enfant est-il donc un cœur
Plus lourd que celui qui saute en l'oiseau,
Dans le rosier ?

---

1. Né en 1872 à Nîmes. Mort en 1922. Œuvres principales : *La Chambre Blanche* (Société du Mercure de France, 1895); *Le Beau Voyage* (Fasquelle, 1904); *La Divine Tragédie* (Fasquelle, 1916); *La Quadrature de l'Amour* (Fasquelle, 1920). Références : *La Poésie populaire et le lyrisme sentimental*, par Robert de Souza (Société du Mercure de France, 1899).

La la hu lalla, dodo, petit, do,
Entre la pente gazonnée et la prairie
Il y a de quoi, tu sais bien,
Aller s'endormir dans le romarin,
Dans le romarin qui sent bon la pluie.
Pour aller rejoindre, en bas, sous la terre,
La fraîcheur de l'eau qui court en plein bois
Et ne savoir plus ce qu'est la lumière,
Il y a de quoi.

C'est non loin de ma métairie,
D'où vient l'odeur des doux colombiers,
Que se calmera cet enfant qui crie,
Sais-tu ce qu'il faut ? il faut l'emporter.
La la hu lalla!
Du côté de Moux et de Pexiora...
Sais-tu ce qu'il faut pour mettre à couvert
Le plus bel amour qui soit sur la terre ?...
Pas plus qu'il n'en faut pour un arbre vert!

Sais-tu ce qu'il faut pour mettre à l'abri
Tout l'amour du ciel et de mon royaume,
Le plus grand chagrin, le plus grand souci,
Et la belle histoire que j'ai dite aux hommes
Que porta le monde sur son vieux dos gris ?...
Un petit arbre solitaire,
Très terre à terre,
Droit ou pointu,
Avec une pie dessus,
La la hu!...
Avec une pie dessus!

*

Paul Fort[1], en même temps qu'un poète particulièrement abondant et savoureux, aura été un remarquable animateur. Il n'avait pas vingt ans, lorsque, seul et sans argent, il fonda en 1890, le *Théâtre d'essai* où il fit représenter : *Les Cenci*

1. Né en 1872 à Reims, mort à Paris en 1960. Œuvre principale : *Ballades Françaises*, poèmes et ballades, composées de 1894 à 1924 (Mercure de France). Références : *Paul Fort. Son œuvre*, par Georges A. Masson (Nouvelle Revue Critique, 1923) ; *La Poésie nouvelle*, par André Beaunier (Mercure de France) ; *Paul Fort*, par Pierre Béarn (Ed. Seghers, Coll. Poètes d'aujourd'hui, 1960).

de Shelley, *La Tragique Histoire du Docteur Faust* de Marlowe, *Les Uns et les Autres* de Paul Verlaine, *L'Intruse, Les Aveugles* de Maeterlinck; fit lire également des poèmes de Hugo, Mallarmé, Laforgue, Rimbaud, Stuart Merrill, Catulle Mendès, Pierre Quillard. Quatorze ans plus tard, il inaugure les « mardis » de la Closerie des Lilas, puis en 1905, fonde la revue *Vers et Prose*. En 1912, à la mort de Léon Dierx, il a été proclamé « Prince des Poètes ». De 1897 à nos jours, ce *Prince* a chanté l'amour, la nature, les légendes, la patrie, les métiers dans les trente volumes de ses *Ballades françaises*. Un lyrisme populaire qu'on retrouve chez Apollinaire et qui, déjà, apparaissait dans certains poèmes de Verlaine, de Corbière, de Laforgue, et aussi de Jehan Rictus, une transposition du folklore donnent aux meilleures de ces Ballades leur pittoresque et leur couleur.

LA RONDE AUTOUR DU MONDE

« *Si toutes les filles du monde voulaient s'donner la main, tout autour de la mer elles pourraient faire une ronde.*

Si tous les gars du monde voulaient bien êtr' marins, ils f'raient avec leurs barques un joli pont sur l'onde.

Alors on pourrait faire une ronde autour du monde, si tous les gens du monde voulaient s'donner la main. »

LA CORDE

« *Pourquoi renouer l'amourette ? C'est-y bien la peine d'aimer ? Le câble est cassé, fillette. C'est-y toi qu'as trop tiré ?*

C'est-y moi ? C'est-y un autre ? C'est-y le bon Dieu des Chrétiens ? Il est cassé; c'est la faute à personne; on le sait bien.

L'amour, ça passe dans tous les cœurs; c'est une corde à tant d'vaisseaux, et ça passe dans tant d'anneaux, à qui la faute si ça s'use ?

Y a trop d'amoureux sur terre, à tirer sur l'même péché. C'est-y la faute à l'amour, si sa corde est si usée ?

Pourquoi renouer l'amourette ? C'est-y bien la peine d'aimer ? Le câble est cassé, fillette, et c'est toi qu'as trop tiré. »

III

QUAND LES MUSES SE FONT POÈTES

La vague d'élégie romantique qui succéda au Symbolisme fut elle-même suivie de l'éclosion d'un lyrisme féminin. Les muses devenues poètes! Faut-il voir là un effet de l'émancipation sociale de la femme ? Sans doute.

Alors que les petits poètes de la fin du siècle ne balbutiaient que paroles évanescentes et pâles, les poétesses firent entendre souvent des voix vigoureuses, avides, passionnées. « Femme damnée », Renée Vivien[1] trouvait pour chanter ses amours un hymne grave et baudelairien.

DEVANT L'ÉTÉ

Voici l'été... Les jours sont trop longs, mon amie,
L'ombre tarde... On attend l'heure du grand repos,
Des lys plus odorants, de la cloche endormie,
De la grande fraîcheur des feuilles et des eaux.

Je m'attriste de la clarté qui se prolonge,
Mon cœur est l'ennemi des midis éclatants,
Et malgré que les jours soient beaux comme un beau songe,
Cette heure qui me plaît je l'attends trop longtemps.

Je le sais, le beau jour dore ta chevelure
Large et blonde et qui se réjouit du soleil,
Mais je préfère à tout cette tristesse pure
Et cet ennui final qui mènent au sommeil.

---

1. Née en 1877. Morte en 1909. Œuvres principales : *Evocations* (Lemerre, 1903); *Sillages* (Sansot, 1908); *Poésies complètes* (2 volumes, Lemerre).

J'adore ton visage et je préfère l'ombre
Mystérieuse où je ne puis que l'entrevoir...
Je préfère à ton clair regard ton regard sombre,
Belle, tu m'apparais plus belle vers le soir.

Dans l'espoir de cette heure où tout désir s'émousse,
Oublions la splendeur dure des jours trop longs,
Dans le désir et le regret de la nuit douce,
Par ces longs soirs d'été trop lumineux, allons...

Moi, je me baignerai dans cette ombre illusoire
De tes cheveux et de tes seins et de tes bras
En songeant à la paix, la douceur et la gloire
D'un beau soir violet qui ne s'achève pas.

*

Lucie Delarue-Mardrus[1] célébrait les Races sans mièvrerie.

RACES

. . .

Maintenant je demande, — et de toute mon âme! —
Votre mort dans ma chair, votre mort dans mon âme,
Tas de femelles et de dames
Qui me circulez dans le sang,

Garces d'amour, de rêve et de sang,
Filles d'honneur, filles de joie
Horde en tumulte, horde interne qui s'éploie,
Femmes de mer, femmes de terre,

O contradictoires, mes Mères.

1. Née en 1880 à Honfleur. Morte en 1945. Œuvres principales : *Ferveur* (Ed. Revue Blanche, 1902); *Horizons* (Fasquelle, 1904); *La Figure de Proue* (Fasquelle, 1908).

*

Si Rosemonde Gérard jouait de plus frêles « pipeaux », et Gérard d'Houville prolongeait les musiques symbolistes, Anna de Noailles[1] lançait à tous vents ses vers jaillissants, exaltés, d'un panthéisme à la Hugo mais qu'elle rendait plus charnel et plus brûlant. « Mon âme est une infante en robe de parade » soupirait délicatement Samain, tandis que la comtesse de Noailles ne craint pas de comparer son cœur à... « cette poire — qui mûrit doucement sa pelure au soleil ».

LE VERGER

Mon cœur indifférent et doux, aura la pente
Du feuillage flexible et plat des haricots
Sur qui l'eau de la nuit se dépose et serpente
Et coule sans troubler son rêve et son repos.

Je serai libre enfin de crainte et d'amertume,
Lasse comme un jardin sur lequel il a plu,
Calme comme l'étang qui luit dans l'aube et fume,
Je ne souffrirai plus, je ne penserai plus,

Je ne saurai plus rien des choses de ce monde,
Des peines de ma vie et de ma nation,
J'écouterai chanter dans mon âme profonde
L'harmonieuse paix des germinations.

Je n'aurai pas d'orgueil, et je serai pareille,
Dans ma candeur nouvelle et ma simplicité,
A mon frère le pampre et ma sœur la groseille
Qui sont la jouissance aimable de l'été;

---

1. Née en 1876 à Paris. Morte en 1933. Œuvres principales : *Le Cœur innombrable* (Calmann-Lévy, 1901); *L'Ombre des jours* (Calmann-Lévy, 1902); *La Nouvelle Espérance* (Calmann-Lévy, 1903); *Les Eblouissements* (Calmann-Lévy, 1907); *Les Vivants et les Morts* (Fayard, 1913); *Les Forces Eternelles* (Fayard, 1920); *L'Honneur de souffrir* (Grasset, 1927). Références : *L'œuvre poétique de Mme de Noailles*, par Léon Blum ; *Muses d'aujourd'hui*, par Jean de Gourmont (Mercure de France) ; *Anna de Noailles*, par Louis Perche (Ed. Seghers, Coll. Poètes d'aujourd'hui, 1964).

Je serai si sensible et si jointe à la terre
Que je pourrai penser avoir connu la mort,
Et me mêler, vivante, au reposant mystère
Qui nourrit et fleurit les plantes par les corps.

Et ce sera très bon et très juste de croire
Que mes yeux ondoyants sont à ce lin pareils,
Et que mon cœur, ardent et lourd, est cette poire
Qui mûrit doucement sa pelure au soleil.

*

Cécile Sauvage[1] exprimait avec sincérité, sans littérature, l'instinct maternel. Catherine Pozzi[2] enfin faisait preuve de dons profonds et purs dans sa poésie de transparence et de gravité.

VALE

J'ai retrouvé le céleste et sauvage
Le paradis où l'angoisse est désir.
Le haut passé qui grandit d'âge en âge
Il est mon corps et sera mon partage
Après mourir.

Quand dans mon corps ma délice oubliée
Où fut ton nom, prendra forme de cœur,
Je revivrai notre grande journée
Et cette amour que je t'avais donnée
Pour la douleur.

1. Née en 1883 à La Roche-sur-Yon. Morte en 1927 à Paris. Œuvres principales : *Tandis que la Terre tourne* (Mercure de France, 1910); *Le Vallon* (Mercure de France, 1917); *Œuvres de Cécile Sauvage* (Mercure de France, 1929); *L'âme en bourgeon, Mélancolie, Fumées, Primevère,* etc... Référence : *Muses d'aujourd'hui*, par Jean de Gourmont (Mercure de France, 1910).
2. Née en 1882. Morte en 1934: Œuvre : *Poèmes* (Corrêa).

NYX

A Louise aussi de Lyon et d'Italie.

O vous mes nuits, ô noires attendues
O pays fier, ô secrets obstinés
O longs regards, ô foudroyantes nues
O vol permis outre les cieux fermés.

O grand désir, ô surprise épandue
O beau parcours de l'esprit enchanté
O pire mal, ô grâce descendue
O porte ouverte où nul n'avait passé.

Je ne sais pas pourquoi je meurs et noie
Avant d'entrer à l'éternel séjour.
Je ne sais pas de qui je suis la proie.
Je ne sais pas de qui je suis l'amour.

De Marie Noël[1] à la surréaliste Céline Arnauld, d'Henriette Charasson à Germaine Beaumont, combien d'Eurydice emprunteront à leur tour la lyre d'Orphée.

---

1. Née en 1883 à Auxerre. Quelques poèmes paraissent dans la *Revue des Deux Mondes* en 1910. Œuvres principales : *Les Chansons et les Heures* (1920) ; *Le Rosaire des Joies* (1930) ; *Les Chants de la Merci* (1930). Références : *Marie Noël*, par A. Blanchet (Ed. Seghers, Coll. Poètes d'aujourd'hui, 1962).

TRADITIONS

I

PAUL VALÉRY

Paul Valéry[1] n'est poète que par faiblesse vis-à-vis de soi, ses vers en vain se tendent vers la rigueur qu'il leur a fallu trahir pour naître, son poème est œuvre admirable mais mineure d'un grand esprit, faille gracieuse dans une souveraine attitude. Valéry a écrit : « C'est un art de profond sceptique que la poésie savante. » Il eût été plus juste d'avouer « ma poésie est savante, c'est un art de profond sceptique »; et si son scepticisme est profond en effet, si sa poésie est un art savant, elle manque parfois des profondeurs, non pas de l'intelligence, mais de l'Être.

Pour Valéry, il n'est de valeur plus grande que celle de la science pure : celle des principes, non celle des applications. Il admire en Mallarmé le savant de la poésie, en Vinci le savant de la peinture aussi bien que des découvertes multiples. Pour lui le signe humain par excellence est la méthode et, soit souci de raffinement extrême, soit besoin de transmuer en refus volontaire une involontaire paralysie de l'invention par l'intelligence, il conçoit le mythe d'un esprit qui se serait forgé une méthode suprême capable de lui livrer toutes les clefs de la conscience et du pouvoir mais dédaignant de jamais utiliser sa redoutable lucidité à des fins pratiques. Ce mythe du sur-esprit dont le génie

---

1. Né en 1871 à Sète. Mort en 1945 à Paris. Œuvres principales : *La Jeune Parque* (N.R.F., 1917); *Odes* (N.R.F., 1920); *Le Cimetière Marin* (Emile-Paul, 1920); *Album de vers anciens* (A. Monnier, 1920); *Le Serpent* (N.R.F., 1921); *Charmes* (N.R.F., 1921); *Propos sur la Poésie* (1930); *Introduction à la Poétique* (1938); *Poésies complètes* (N.R.F.). Références : *Paul Valéry et la Méditerranée*, par Valéry Larbaud; *Paul Valéry ou la voix du silence*, par Bernard Fay; *Paul Valéry*, par Albert Thibaudet (Grasset); *Paul Valéry et la Poésie pure*, par François Porché (Lesage, 1927); *Paul Valéry*, par E. Noulet (La Renaissance du Livre, Bruxelles, 1950); *Paul Valéry*, par Jacques Charpier (Ed. Seghers, coll. Poètes d'aujourd'hui, n° 51); *Trois essais sur Paul Valéry*, par Lucienne Julien Cain (Ed. Gallimard, 1958).

s'emploie tout entier à ne point se manifester, Valéry l'incarna dans l'étrange *Monsieur Teste*, pour moi son chef-d'œuvre (Valéry, qui condamnait le genre romanesque, l'avait par ce livre, enrichi d'un des récits les plus originaux et les plus troublants qui soient). Le domaine de Monsieur Teste est la méditation et le silence. C'est à ce silence que par sa méditation devait aboutir Valéry. A vingt ans, il éprouve, en lisant Mallarmé, « la progression foudroyante d'une conquête spirituelle décisive »; « je me reconstruisais, note-t-il, le constructeur d'une telle œuvre ». Mais là est le drame : s'il peut revivre intimement la construction de l'œuvre mallarméenne, il ne peut, à moins d'un non-sens, d'une auto-mystification, construire une œuvre parallèle, car il n'y aurait plus alors création mais pastiche. Que faire alors ? sinon se taire. Une nuit d'orage à Gênes en 1892, Valéry choisit le silence : « Nuit effroyable — passée sur mon lit — orage partout — ma chambre éblouissante par chaque éclair. —Et tout mon sort se jouait dans ma tête. — Je suis entre moi et moi ». A vingt ans, Rimbaud renonçait à la poésie *après* avoir écrit son œuvre, au même âge Valéry renonce lui aussi, mais c'est *avant* d'avoir écrit son œuvre et parce qu'il juge dérisoire d'appliquer une méthode, *la* Méthode de création poétique qu'un autre qu'il aime et admire a mise à jour avant lui. « *Son action de présence*, note-t-il à propos de Mallarmé... m'a intimement interdit tant de choses... ». Et ceci, relatif à son soudain et long silence : « Il me semblait alors qu'il existât une sorte de contraste entre l'exercice de la littérature et la poursuite d'une certaine rigueur et d'une entière sincérité de la pensée ».

Cependant quelque vingt-cinq ans plus tard, sollicité par Gide, Pierre Louys, Jacques Rivière, il reviendra à la poésie. Je ne peux croire que ce retour ne lui apparaisse secrètement comme une défaite, ses précautions de style lorsqu'il aborde ce changement d'attitude, me semblent bien témoigner d'une gêne : quand, en 1917, paraît *La Jeune Parque*, il écrit à Gide : « Depuis des années, j'avais laissé l'art des vers; essayant de m'y astreindre encore, j'ai fait cet *exercice* (c'est moi qui souligne) que je te dédie ».

Dès lors, s'il poursuivra la composition de poèmes, il ne s'accordera ce droit qu'en restreignant la création poétique à un *exercice*. Autrement dit, la poésie n'est plus une fin mais un moyen. Selon Valéry la pensée de Mallarmé tendait à « diviniser la chose écrite », alors que lui reconnaît donner à « la volonté et aux calculs de l'*agent* une importance (qu'il retirait) à l'*ouvrage* ».

Cet exercice ne met d'ailleurs pas seulement en cause le langage mais le créateur, il fournit à ce dernier un champ d'expérience sur soi-même : « Mes vers n'ont eu pour moi d'autre intérêt direct que de me suggérer bien des réflexions sur le poète » ... « que d'observations j'ai faites sur moimême pendant que je travaillais mes vers!... » On voit par ces remarques combien pour Valéry la poésie est médiate. La connaissance de soi que donne son exercice se double d'un accomplissement par l'investigation et la difficulté vaincue : « L'art et la peine nous augmentent », « mais, ajoute Valéry, la muse et la chance ne nous font que prendre et quitter ». Par cette opposition de l'art à l'inspiration, il se sépare de l'évolution poétique plus proche de nous; le Surréalisme par exemple à la suite de Rimbaud exprimant la volonté de prendre la Muse et la chance et de s'augmenter par elles, ce qui pour Valéry serait à la fois déshonorant et effrayant. « Ce qui se fait facilement se fait sans nous », déclare-t-il. Voilà bien sa crainte profonde que quelque chose en lui ou hors de lui puisse se substituer à sa volonté, à sa lucidité, au cours de la création poétique. Il refuse droit de cité à tout ce qui n'est pas pure conscience, et ce refus est orgueil, ivresse de volonté, mais il n'est pas si parfait qu'il ne laisse parfois percevoir le pressentiment et la crainte de zones obscures de l'être, échappant au contrôle de l'intelligence, et par là même incommensurables et peut-être souveraines : « J'ai grande peur, mon vieil ami, que nous ne soyons faits de bien des choses qui nous ignorent. Et c'est en quoi nous nous ignorons. S'il y en a une infinité, toute méditation est vaine. »

Un esprit aussi pénétrant que celui de Valéry ne pouvait point en effet ne pas appréhender l'existence en lui-même de terres inconnues, il ne pouvait pas ne pas soupçonner en certains moments qu'il n'était lui-même que l'émergence dans la clarté de profonds soutènements demeurés dans l'ombre et de lui-même ignorés. Mais, semble-t-il, mû par une horreur sacrée de l'inconnu, de l'invisible, de l'inconscient, l'auteur d'Eupalinos ne pouvait, même au prix d'un appauvrissement, qu'opposer un radical refus à ce qui en lui-même était susceptible d'échapper à sa lucidité, à son contrôle. « Croyez-moi à la lettre, affirme Monsieur Teste avec dédain, le génie est facile... » De même Valéry méprise et rejette toute réussite poétique qu'il ne saurait entièrement dominer, tout son orgueil est dans la volonté intellectuelle : « que si je devais écrire, j'aimerais infiniment mieux écrire en toute conscience et dans une entière lucidité quelque chose de faible, que d'enfanter, à la faveur d'une transe et hors de moi-même, un chef-d'œuvre d'entre les plus beaux ».

Oui, toute sa rigueur incite Valéry à s'abstraire de la création poétique et pourtant il est poète. Malgré lui sans doute; mais l'appel poétique est plus fort en lui que ses raisons, l'appel et le don qui lui font écrire des poèmes plus beaux certes que ne le permettraient ses théories et les seules ressources intellectuelles qu'il veuille reconnaître. Le dur édifice de sa méthode n'est d'ailleurs pas sans faille; des notes comme celles-ci ne laissent pas de suggérer une connaissance de l'irrationnel apporté par l'*exercice* de la poésie à l'amateur d'exclusive intelligence : « Dans le poète : l'oreille parle; — la bouche écoute; — c'est l'intelligence, l'éveil, qui enfante et rêve; — c'est le sommeil qui voit clair; c'est l'image et le phantasme qui regardent; — c'est le manque et la lacune qui créent. »

Admirable remarque sur la poésie comme accomplissement de l'être total et non pas seulement d'une part privilégiée ou considérée comme telle de cet être. C'est dans cette alliance de l'intelligence et des sens, de l'imagination et d'une rêverie si je puis dire méditée que réside le secret de certaines réussites de la poésie valéryenne. Ces réussites je les trouve plus dans quelques poèmes anciens, gracieux mais dépouillés des gracieusetés néo-symbolistes que, par exemple, dans l'ambitieux et trop visiblement concerté *exercice* de la *Jeune Parque*, cette ardente sœur de l'*Hérodiade* de Mallarmé; comme son aînée fermée sur la chasteté de son corps et la pureté solitaire de son esprit mais plus soumise cependant à la tentation de la vie, du non-moi. De même le *Narcisse* qui, fuyant les nymphes, n'est pas sans évoquer par inversion le Faune mallarméen que fuient les nymphes, me semble compter moins de bonheur poétique que ces pièces brèves :

LE BOIS AMICAL

Nous avons pensé des choses pures
Côte à côte, le long des chemins,
Nous nous sommes tenus par les mains
Sans dire... parmi les fleurs obscures.

Nous marchions comme des fiancés
Seuls, dans la nuit verte des prairies;
Nous partagions ce fruit de féeries
La lune amicale aux insensés.

Et puis, nous sommes morts sur la mousse,
Très loin, tout seuls, parmi l'ombre douce
De ce bois intime et murmurant;

Et là-haut, dans la lumière immense,
Nous nous sommes trouvés en pleurant
O mon cher compagnon de silence!

LE SYLPHE

Ni vu ni connu
Je suis le parfum
Vivant et défunt
Dans le vent venu!

Ni vu ni connu,
Hasard ou génie ?
A peine venu
La tâche est finie!

Ni lu ni compris ?
Aux meilleurs esprits
Que d'erreurs promises!

Ni vu ni connu
Le temps d'un sein nu
Entre deux chemises!

Valéry a dit : « (le vers) s'établit dans un équilibre admirable et fort délicat entre la force sensuelle et la force intellectuelle du langage ». Ce propos s'applique à merveille à ses propres vers lorsque, dépassant la perfection formelle, ils nous comblent, par leur harmonie, d'une joie qui nous concerne tout entiers, de nos sens à notre intelligence. Une telle harmonie règne d'un bout à l'autre du *Cimetière marin*. Ici la *poésie savante* perd son apprêt car l'émotion du cœur et celle de l'esprit se confondent, le rêve nourrit la méditation et celle-ci de nouveau s'ouvre sur le songe; le thème familier à Valéry du moi et du non-moi se conjugue avec celui de la vie et du néant affrontés et intimement accouplés, avec le thème encore si méditerranéen du ciel et de la mer, de la lumière et de l'ombre opposés et liés. Ardeur et détachement contradictoires, simultanés; sensualité des idées, spiritualité de la chair, subtile musicalité des strophes concourent à faire de ce poème une *Somme* où Valéry, peut-être, a réalisé ce qu'une intuition jadis, peu de temps avant la mort de Mallarmé, lui avait révélé : « Au soleil, dans l'immense forme du ciel pur, je rêvais d'une enceinte incandescente où rien de distinct ne subsiste, où rien ne dure, mais où rien ne cesse; comme si la destruction elle-même se détruisît à peine accomplie. Je perdais le sentiment de la différence de l'être et du non-être. La musique parfois nous impose cette impression, qui est au-delà de toutes les autres. La poésie, pensais-je, n'est-elle point aussi le jeu suprême de la transmutation des idées ? »

LE CIMETIÈRE MARIN

Ce toit tranquille, où marchent des colombes,
Entre les pins palpite, entre les tombes;
Midi le juste y compose de feux
La mer, la mer, toujours recommencée!
O récompense après une pensée
Qu'un long regard sur le calme des dieux!

Quel pur travail de fins éclairs consume
Maint diamant d'imperceptible écume,
Et quelle paix semble se concevoir!

Quand sur l'abîme un soleil se repose,
Ouvrages purs d'une éternelle cause,
Le temps scintille et le songe est savoir.

Stable trésor, temple simple à Minerve,
Masse de calme, et visible réserve,
Eau sourcilleuse, Œil qui gardes en toi
Tant de sommeil sous un voile de flamme,
O mon silence!... Édifice dans l'âme,
Mais comble d'or aux mille tuiles, Toit!

Temple du Temps, qu'un seul soupir résume,
A ce point pur je monte et m'accoutume,
Tout entouré de mon regard marin;
Et comme aux dieux mon offrande suprême,
La scintillation sereine sème
Sur l'altitude un dédain souverain.

Comme le fruit se fond en jouissance,
Comme en délice il change son absence
Dans une bouche où sa forme se meurt,
Je hume ici ma future fumée,
Et le ciel chante à l'âme consumée
Le changement des rives en rumeur.

Beau ciel, vrai ciel, regarde-moi qui change!
Après tant d'orgueil, après tant d'étrange
Oisiveté, mais pleine de pouvoir,
Je m'abandonne à ce brillant espace,
Sur les maisons des morts mon ombre passe
Qui m'apprivoise à son frêle mouvoir.

L'âme exposée aux torches du solstice,
Je te soutiens, admirable justice
De la lumière aux armes sans pitié!
Je te rends pure à ta place première,
Regarde-toi!... Mais rendre la lumière
Suppose d'ombre une morne moitié.

O pour moi seul, à moi seul, en moi-même,
Auprès d'un cœur, aux sources du poème,
Entre le vide et l'événement pur,

J'attends l'écho de ma grandeur interne,
Amère, sombre, et sonore citerne,
Sonnant dans l'âme un creux toujours futur!

Sais-tu, fausse captive des feuillages,
Golfe mangeur de ces maigres grillages,
Sur mes yeux clos, secrets éblouissants,
Quel corps me traîne à sa fin paresseuse,
Quel front l'attire à cette terre osseuse ?
Une étincelle y pense à mes absents.

Fermé, sacré, plein d'un feu sans matière,
Fragment terrestre offert à la lumière,
Ce lieu me plaît, dominé de flambeaux,
Composé d'or, de pierre et d'arbres sombres,
Où tant de marbre est tremblant sur tant d'ombres;
La mer fidèle y dort sur mes tombeaux!

Chienne splendide, écarte l'idolâtre!
Quand, solitaire au sourire de pâtre,
Je pais longtemps, moutons mystérieux,
Le blanc troupeau de mes tranquilles tombes.
Éloignes-en les prudentes colombes,
Les songes vains, les anges curieux!

Ici venu, l'avenir est paresse.
L'insecte net gratte la sécheresse;
Tout est brûlé, défait, reçu dans l'air
A je ne sais quelle sévère essence...
La vie est vaste, étant ivre d'absence,
Et l'amertume est douce, et l'esprit clair.

Les morts cachés sont bien dans cette terre
Qui les réchauffe et sèche leur mystère.
Midi là-haut, Midi sans mouvement
En soi se pense et convient à soi-même...
Tête complète et parfait diadème,
Je suis en toi le secret changement.

Tu n'as que moi pour contenir tes craintes!
Mes repentirs, mes doutes, mes contraintes
Sont le défaut de ton grand diamant!...

Mais dans leur nuit toute lourde de marbres,
Un peuple vague aux racines des arbres
A pris déjà ton parti lentement.

Ils ont fondu dans une absence épaisse,
L'argile rouge a bu la blanche espèce,
Le don de vivre a passé dans les fleurs!
Où sont des morts les phrases familières,
L'art personnel, les âmes singulières ?
La larve file où se formaient les pleurs.

Les cris aigus des filles chatouillées,
Les yeux, les dents, les paupières mouillées,
Le sein charmant qui joue avec le feu,
Le sang qui brille aux lèvres qui se rendent,
Les derniers dons, les doigts qui les défendent,
Tout va sous terre et rentre dans le jeu!

Et vous, grande âme, espérez-vous un songe
Qui n'aura plus ces couleurs de mensonge
Qu'aux yeux de chair l'onde et l'or font ici ?
Chanterez-vous quand serez vaporeuse ?
Allez! Tout fuit! Ma présence est poreuse,
La sainte impatience meurt aussi!

Maigre immortalité noire et dorée,
Consolatrice affreusement laurée,
Qui de la mort fais un sein maternel,
Le beau mensonge et la pieuse ruse!
Qui ne connaît, et qui ne les refuse,
Ce crâne vide et ce rire éternel!

Pères profonds, têtes inhabitées,
Qui, sous le poids de tant de pelletées,
Êtes la terre et confondez nos pas,
Le vrai rongeur, le ver irréfutable
N'est point pour vous qui dormez sous la table,
Il vit de vie, il ne me quitte pas!

Amour, peut-être, ou de moi-même haine ?
Sa dent secrète est de moi si prochaine
Que tous les noms lui peuvent convenir!
Qu'importe! Il voit, il veut, il songe, il touche!

Ma chair lui plaît, et jusque sur ma couche,
A ce vivant je vis d'appartenir!

Zénon! Cruel Zénon! Zénon d'Élée!
M'as-tu percé de cette flèche ailée
Qui vibre, vole, et qui ne vole pas!
Le son m'enfante et la flèche me tue!
Ah! le Soleil!... Quelle ombre de tortue
Pour l'âme, Achille immobile à grands pas!

Non, non!... Debout! Dans l'ère successive!
Brisez, mon corps, cette forme pensive!
Buvez, mon sein, la naissance du vent!
Une fraîcheur, de la mer exhalée,
Me rend mon âme... O puissance salée!
Courons à l'onde en rejaillir vivant!

Oui! grande mer de délires douée,
Peau de panthère et chlamyde trouée,
De mille et mille idoles du soleil,
Hydre absolue, ivre de ta chair bleue,
Qui te remords l'étincelante queue
Dans un tumulte au silence pareil,

Le vent se lève!... Il faut tenter de vivre!
L'air immense ouvre et referme mon livre,
La vague en poudre ose jaillir des rocs!
Envolez-vous, pages tout éblouies!
Rompez, vagues! Rompez d'eaux réjouies
Ce toit tranquille où picoraient des focs!

Il est de notre temps, des poètes plus grands que Valéry, mais nul plus que lui, si ce n'est André Breton attentif à un autre domaine poétique, ne s'est montré chercheur passionné des secrets de la poésie afin de lui conférer un pur éclat, celui de son essence même. A ce titre, sa pensée et son exemple plus que son œuvre peut-être tiennent une place capitale dans la *poésie* vivante.

II

PAUL CLAUDEL

Camille Claudel, qui fut élève de Rodin, nous a laissé de son frère Paul[1], adolescent, un buste où le poète au visage encore enfantin et pourtant empreint de majesté, harmonieux dans son aplomb, la solidité de son large front, la gravité régulière de ses traits, nous apparaît semblable à un jeune empereur des temps antiques. Ce fut cet adolescent marqué d'une muette tristesse qui reçut au cours de la même année 1886 deux illuminations : la découverte de Rimbaud lui procura une « impression vivante et presque physique de surnaturel » et ce surnaturel il pensa l'appréhender le jour de Noël, aux vêpres de Notre-Dame de Paris. « Et c'est alors (pendant le chant du Magnificat) que se produisit l'événement qui domine toute ma vie. En un instant mon cœur fut touché et je crus. »

Rimbaud, l'initiateur, ne s'était pas contenté d'une aussi traditionnelle réponse à sa quête, Claudel devait avoir hâte, fût-ce inconsciemment, de mettre un terme à une haute mais redoutable, anxieuse recherche; l'Église était là, doublement tentatrice puisqu'elle proposait un surnaturel susceptible de combler la soif d'absolu de l'adolescent en même temps qu'un ordre et l'intégration dans une puissance propres à préserver dorénavant le jeune converti des aventures spirituelles. Un Germain Nouveau trouvait dans la foi une invite à suivre plus totalement, plus purement sa voca-

1. Né en 1868 à Villeneuve-sur-Fère (Aisne). Mort en 1955. Œuvres poétiques principales : *Cinq Grandes Odes* (N.R.F., 1911); *Connaissance de l'Est* (Mercure de France); *Cette heure qui est entre le Printemps et l'Été* (N.R.F.); *Deux poèmes d'Été* (N.R.F.); *Corona Benignitatis Anni Dei* (N.R.F.); *Trois Poèmes de Guerre* (N.R.F.); *Poèmes de Guerre, 1914-1916* (N.R.F.); *Feuilles des Saints* (N.R.F.); *Sainte Geneviève* (N.R.F.): Références : *L'œuvre de Claudel*, par Tonquedec (Beauchesne, 1917); *Paul Claudel*, par Louis Perche (Ed. Seghers, coll. Poètes d'aujourd'hui, n° 10); *Hommage à Paul Claudel* (N.R.F., septembre 1955); *Claudel*, par Stanislas Fumet (Bibliothèque Idéale, Ed. Gallimard, 1958).

tion d'errant et de pauvre, Claudel y trouva au contraire, une assise, et sans doute, en avait-il le goût et aussi l'inquiet besoin, afin de se sentir protégé contre lui-même, contre une certaine part de lui-même, contre cette tendance au dépassement de soi qu'avait fait tressaillir l'appel rimbaldien et qui résonne si violemment dans « Tête d'Or ».

Une assise donc : cette religion qui, d'une part, étanche la soif de l'âme, d'autre part, la flanque d'un garde-fou — dans un poème inspiré par sa promenade quotidienne à Tokio, Claudel dit :

Un mur continuellement à ma droite. A ma gauche, il y a la ville et les grandes avenues en partance vers toute la terre. Mais il y a un mur à ma droite...

Ce « mur » de la tradition n'est-il pas regrettable que le poète l'ait eu « continuellement » à sa droite, trouvant réconfort, sécurité bien sûr à s'y appuyer mais parfois y *bornant* son génie. Quelles que soient la beauté et la grandeur de l'œuvre claudélienne, je ne suis pas sûr que Claudel n'ait pas trahi Claudel. Il lui fallait une assise, soit : il a su donner ainsi fondations et charpentes solides, catholiques à son poème ouvert sur le cosmos, transmuer sa quête en conquête, se dresser plus vigoureusement. Mais hélas, il advient que se fasse trop pesante l'assise, entraînant le poète parmi les « assis » que stigmatisait Rimbaud. Alors, voici le revers avare, sclérosé ou sot de ce qui était acte audacieux, joyeux et généreux de possession du monde par les sens, l'esprit et l'âme, voici la courte chute après l'envol, le terre-à-terre après « l'immense octave de la création », la promiscuité du militariste, du bigot, et du plumitif après la fraternité du conquérant, du saint et du poète, après la Bible, le catéchisme. Du moins, et qu'en soit loué le Ciel, dans l'œuvre claudélienne — sinon dans l'exemple de Claudel — la balance penche magistralement vers l'authentique grandeur. C'est d'ailleurs pourquoi si longtemps le poète des *Cinq grandes odes* fut rejeté, malmené même, par les milieux conformistes dont il eut la faiblesse de se réclamer : en 1935, l'Académie Française lui préféra, comme il se devait, M. Claude Farrère; qu'à cela ne tienne, en 1946, Claudel eut enfin « l'honneur » d'être admis à prendre place aux côtés de MM. Claude Farrère, Henry Bordeaux, Pierre Benoît, Mgr Grente, l'amiral Lacaze, etc... etc... J'incline à croire que ces messieurs ont voulu faire ainsi une politesse à l'ex-ambassadeur et non pas à l'homme qui osa écrire ce poème à la gloire de Verlaine :

L'IRRÉDUCTIBLE

Il fut ce matelot laissé à terre et qui fait de la peine à la gendarmerie,
Avec ses deux sous de tabac, son casier judiciaire belge et sa feuille de route jusqu'à Paris.
Marin dorénavant sans la mer, vagabond d'une route sans kilomètres,
Domicile inconnu, profession, pas... « Verlaine Paul, homme de lettres »,
Le malheureux fait des vers en effet pour lesquels Anatole France n'est pas tendre :
Quand on écrit en français, c'est pour se faire comprendre.
L'homme tout de même est si drôle avec sa jambe raide qu'il l'a mis dans un roman.
On lui paye parfois une « blanche », il est célèbre chez les étudiants.
Mais ce qu'il écrit, c'est des choses qu'on ne peut lire sans indignation.
Car elles ont treize pieds quelquefois et aucune signification.
Le prix Archon-Despérousses n'est pas pour lui, ni le regard de M. de Monthyon qui est au ciel.
Il est l'amateur dérisoire au milieu des professionnels.
Chacun lui donne de bons conseils; s'il meurt de faim, c'est de sa faute.
On ne se la laisse pas faire par ce mystificateur à la côte.
L'argent, on n'en a pas de trop pour Messieurs les Professeurs,
Qui plus tard feront des cours sur lui et qui seront tous décorés de la Légion d'honneur.

Nous ne connaissons pas cet homme et nous ne savons qui il est.

Le vieux Socrate chauve grommelle dans sa barbe emmêlée;
Car une absinthe coûte cinquante centimes et il en faut au moins quatre pour être soûl :

Mais il aime mieux être ivre que semblable à aucun de nous.
Car son cœur est comme empoisonné, depuis que le pervertit
Cette voix de femme ou d'enfant — ou d'un ange qui lui parlait dans le paradis!
Que Catulle Mendès garde sa gloire, et Sully-Prudhomme ce grand poète!
Il refuse de recevoir sa patente en cuivre avec une belle casquette.
Que d'autres gardent le plaisir avec la vertu, les femmes, l'honneur et les cigares!
Il couche tout nu dans un garni avec une indifférence tartare.
Il connaît les marchands de vins par leur petit nom, il est à l'hôpital comme chez lui;
Mais il vaut mieux être mort que d'être comme les gens d'ici.
Donc célébrons tous d'une seule voix Verlaine, maintenant qu'on nous dit qu'il est mort.
C'était la seule chose qui lui manquait, et ce qu'il y a de plus fort,
C'est que nous comprenons, tous, ses vers maintenant que nos demoiselles nous les chantent, avec la musique
Que de grands compositeurs y ont mise et toute sorte d'accompagnements séraphiques!
Le vieil homme à la côte est parti; il a rejoint le bateau qui l'a débarqué
Et qui l'attendait en ce port noir, mais nous n'avons rien remarqué,
Rien que la détonation de la grande voile qui se gonfle et le bruit d'une puissante étrave dans l'écume.
Rien qu'une voix, comme une voix de femme ou d'enfant, ou d'un ange qui appelait : Verlaine! dans la brume.

Ah! je crains qu'à certaines narines Claudel sente toujours quelque peu le roussi : c'est qu'il y a tant de puissance, de richesse, tant d'amour de l'univers dans ses *Odes*, sa *Connaissance de l'Est, sa Cantate à trois voix*, dans son vaste théâtre plus d'une fois digne de soutenir la comparaison avec celui de Shakespeare et où la poésie ne cesse de faire entendre une voix qui va du bouffon au tragique, de la colère à la tendresse, de la grâce à la majesté :

Consens à l'Univers! ordonne Claudel. *Voici tout l'univers à toi si tu veux, libéralement consenti et embrassé. Allons! un bon mouvement! il n'y a qu'à tendre la main.*

Pour lui, le poète est, par excellence celui qui « possède, sa prérogative étant de donner à toutes choses un nom. » La poésie est connaissance, ou plutôt selon l'orthographe claudélienne : « co-naissance au monde ».

Ainsi, quand tu parles, ô poète, dans une énumération délectable, proférant de chaque chose le nom,
Comme un père tu l'appelles mystérieusement dans son principe et selon que jadis
Tu participas à sa création, tu confères à son existence...

Cette volonté cosmique et catholique d'embrasser le monde dans sa totalité, se traduit dans « la métaphore, le mot nouveau, l'opération qui résulte de la seule existence conjointe et simultanée de deux choses différentes ». L'univers lui-même n'est-il pas ensemble de métaphores, métaphore de toutes les métaphores qui font jaillir des choses, des êtres, des événements un nouveau sens, leur vrai sens, en les liant, en les mariant, en les fécondant — ainsi dans *Le Soulier de Satin*, la métaphore de l'amour qui confère une vérité unique aux existences simultanées mais séparées des deux héros.

On peut déceler chez Claudel une sorte de simultanéisme que l'aspect moderne du globe met en relief mais qui trouve sa source dans la croyance en une architecture divine de l'espace et du temps :

Chaque matin le journal nous donne la physionomie de la terre, l'état de la politique, le bilan des échanges. Nous possédons le présent dans sa totalité, tout l'ouvrage se fait sous nos yeux; toute la ligne du futur apparaît sur le rouleau d'impression qui l'attire.

Observation qu'il convient de rapprocher de cette autre :

Or, je vois Waterloo : et là-bas dans l'océan Indien, je vois en même temps un pêcheur de perles dont la tête sou-

dain crève l'eau près de son catamaran. Et il y a aussi un lien entre ces deux faits. Tous les deux écrivent la même heure, tous les deux sont des fleurons commandés par le même dessin.

A cette intuition du lien qui rend toutes choses solidaires les unes des autres, de la phrase diversifiée à l'infini mais unique qu'est la Création, correspond dans le langage claudélien, la longue, souple mais forte ligne du verset; et le blanc, le silence qui séparent un verset du suivant ne sont pas rupture mais respiration. A la croyance en une architecture divine de ce qui est, correspondent l'ampleur de l'œuvre claudélienne et son architecture présente aussi bien dans les poèmes proprement dits que dans les drames. La poésie de Claudel restitue un monde total à un homme total; à l'intelligence aussi bien qu'aux sens, à l'imagination aussi bien qu'au cœur, elle rend présent et délectable un monde où le physique et le spirituel indissolublement se conjuguent, où le mal et le bien, le rire et la douleur, la grâce et l'effroi, les ténèbres et la lumière, les êtres et les choses, les éléments et les heures concourent à édifier une unique harmonie, une unique co-naissance.

De cette union, de ce jaillissement commun, essentiel par delà toute diversité, *l'Esprit et l'Eau* par exemple seront un seul et même garant :

L'ESPRIT ET L'EAU

(fragment)

Mon Dieu, qui au commencement avez séparé les eaux supérieures des eaux inférieures,
Et qui de nouveau avez séparé de ces eaux humides que je dis,
L'aride, comme un enfant divisé de l'abondant corps maternel,
La Terre bien chauffante, tendre-feuillante et nourrie du lait de la pluie,
Et qui dans le temps de la douleur comme au jour de la création saisissez dans votre main toute-puissante
L'argile humaine et l'esprit de tous côtés vous gicle entre les doigts,
De nouveau après les longues routes terrestres,

Voici l'Ode, voici que cette grande Ode nouvelle vous est présente,
Non point comme une chose qui commence, mais peu à peu comme la mer qui était là,
La mer de toutes les paroles humaines avec la surface en divers endroits,
Reconnue par un souffle sous le brouillard et par l'œil de la matrone Lune!

Or, maintenant, près d'un palais couleur de souci dans les arbres aux toits nombreux ombrageant un trône pourri,
J'habite d'un vieux empire le décombre principal.
Loin de la mer libre et pure, au plus terre de la terre je vis jaune,
Où la terre même est l'élément qu'on respire, souillant immensément de sa substance l'air et l'eau.
Ici où convergent les canaux crasseux et les vieilles routes usées et les pistes des ânes et des chameaux,
Où l'Empereur du sol foncier trace son sillon et lève les mains vers le Ciel utile d'où vient le temps bon et mauvais.
Et comme aux jours de grain le long des côtes on voit les phares et les aiguilles de rocher tout enveloppés de brume et d'écume pulvérisée,
C'est ainsi que dans le vieux vent de la Terre, la Cité carrée dresse ses retranchements et ses portes,
Étage ses Portes colossales dans le vent jaune, trois fois trois portes comme des éléphants,
Dans le vent de cendre et de poussière, dans le grand vent gris de la poudre qui fut Sodome, et les empires d'Égypte et les Perses, et Paris, et Tadmor, et Babylone.

Mais que m'importent à présent vos empires, et tout ce qui meurt,
Et vous autres que j'ai laissés, votre voie hideuse là-bas!
Puisque je suis libre! que m'importent vos arrangements cruels? puisque moi du moins je suis libre? puisque j'ai trouvé! puisque moi du moins je suis dehors!
Puisque je n'ai plus ma place avec les choses créées, mais ma part avec ce qui les crée, l'esprit liquide et lascif!
Est-ce que l'on bêche la mer? est-ce que vous la fumez comme un carré de pois?

Est-ce que vous lui choisissez sa rotation, de la luzerne ou du blé ou des choux ou des betteraves jaunes ou pourpres ?
Mais elle est la vie même sans laquelle tout est mort, ah! je veux la vie même sans laquelle tout est mort!
La vie même et tout le reste me tue qui est mortel!
Ah, je n'en ai pas assez! Je regarde la mer! Tout cela me remplit qui a fin.
Mais ici et où que je tourne le visage et de cet autre côté
Il y en a plus et encore et là aussi et toujours et de même et davantage! Toujours, cher cœur!
Pas à craindre que mes yeux l'épuisent! Ah, j'en ai assez de vos eaux buvables.
Je ne veux pas de vos eaux arrangées, moissonnées par le soleil, passées au filtre et à l'alambic, distribuées par l'engin des monts,
Corruptibles, coulantes.
Vos sources ne sont point des sources.
L'élément même!
La matière première! C'est la mère, je dis, qu'il me faut! Possédons la mer éternelle et salée, la grande rose grise! Je lève un bras vers le paradis! Je m'avance vers la mer aux entrailles de raisin!
Je me suis embarqué pour toujours! Je suis comme le vieux marin qui ne connaît plus la terre que par ses feux, les systèmes d'étoiles vertes ou rouges enseignés par la carte et le portulan.
Un moment sur le quai parmi les balles et les tonneaux, les papiers chez le consul, une poignée de main au stevedore;
Et puis de nouveau l'amarre larguée, un coup de timbre aux machines, le break-water que l'on double, et sous mes pieds
De nouveau la dilatation de la houle!

. . . .

III

CHARLES PÉGUY

« Le grand Péguy, de son pas de soldat, marche dès cette terre vers l'Éternité; marche déjà dans l'éternel, de son pas de terrien et de paysan. »

ANDRÉ ROUSSEAUX.

Je ne pense pas qu'on puisse donner meilleur portrait de Péguy[1] que celui-ci qu'il traça lui-même dans l'un de ses Cahiers de la Quinzaine, le 23 octobre 1910 :

Moi, vous le savez bien. Les tenaces aïeux, paysans, vignerons, les vieux hommes de Vennecy et de Saint Jean-de-Braye, et de Chécy et de Bou et de Mardié, les patients aïeux qui sur les arbres et les buissons de la forêt d'Orléans et sur les sables de la Loire conquirent tant d'arpents de bonne vigne n'ont pas été longs, les vieux, ils n'ont pas tardé; ils n'en ont pas eu pour longtemps à reconquérir sur le monde bourgeois, sur la société bourgeoise, leur petit-fils indigne, buveur d'eau en bouteilles. Les ancêtres au pied pertinent, les hommes noueux comme les ceps, enroulés comme les vrilles de la vigne, fins comme les sarments et qui, comme les sarments, sont retournés en cendre. Et les femmes au battoir, les gros paquets de linge bien gonflés

1. Né en 1873 à Orléans. Mort en 1914 (sur le champ de bataille de la Marne). Œuvres principales : *Le Mystère de la Charité de Jeanne d'Arc* (Cahiers de la quinzaine, 1910, et N.R.F.); *Le Porche du mystère de la deuxième vertu* (Cahiers de la quinzaine, 1911); *Le Mystère des saints Innocents* (Cahiers de la quinzaine, 1912, et N.R.F.); *La Tapisserie de sainte Geneviève et de Jeanne d'Arc* (Cahiers de la quinzaine, 1912, et N.R.F.); *La Tapisserie de Notre-Dame* (Cahiers de la quinzaine, 1913, et N.R.F.); *Eve* (Cahiers de la quinzaine, 1914, et N.R.F.); Œuvres Complètes, N.R.F.). Références : *Notre cher Péguy*, par J. et J. Tharaud (Plon, 1926); *Charles Péguy et les Cahiers de la quinzaine*, par Halévy (Payot, 1918); *Le prophète Péguy*, par André Rousseaux (Ed. Albin Michel, 1946); *Charles Péguy*, par Louis Perche (Ed. Seghers, coll. Poètes d'aujourd'hui, 1957.

roulant dans les brouettes, les femmes qui lavaient la lessive à la rivière. Ma grand-mère qui gardait les vaches, qui ne savait pas lire et écrire, ou, comme on dit à l'école primaire, qui ne savait ni lire, ni écrire, à qui je dois tout, de qui je tiens tout ce que je suis (...) tout concourt à faire de moi un paysan non point du Danube, ce qui serait de la littérature encore, mais simplement de la vallée de la Loire, un bûcheron d'une forêt qui n'est pas même l'immortelle forêt de Gastine, puisque c'était la périssable forêt d'Orléans, un vigneron des côtes et des sables de la Loire.

Tout Péguy tient dans ces lignes perspicaces, et toute sa poésie. Je ne sais si Corbière eût englobé dans son mépris pour les *terriens*, un tel poète si exactement, si totalement *terrien*, attaché à sa terre avec autant de passion simple que le marin peut l'être à la mer, à tel point qu'on ne saurait l'imaginer ailleurs que dans un champ, une vigne, courbé, le regard attentif au sillon qu'il trace, paysan, « paisan », disait-il plutôt, « en appuyant sur pai ». Lent comme un paysan qui sait bien que sa tâche sera toujours à recommencer de jour en jour, de saison en saison, d'année en année, lourd comme un paysan dont le corps est alourdi par ce poids de glaise qui se colle aux pieds, dont l'esprit est lourd d'être façonné par les gestes du corps toujours peinant, et, comme le corps, ayant lui aussi ses « grands travaux » monotones.

Poésie plane que celle de Péguy, comparable à un immense champ aux rayons tracés de main forte; comme les vagues immobiles, égales de terre labourée, les strophes se succèdent dans le poème, chacune toute proche de celle qui la précède comme de celle qui la suit, les mêmes mots se retrouvent dans chacune, la différence et la progression ne s'établissant que très lentement sur un rythme invariable, celui de qui marche à la fois pesant et solide, fatigué et pourtant infatigable. Péguy accorde une grande attention à la fatigue et à son surmontement; il y voit une vertu. Le bond, qu'il soit cruel ou bien de désir ou de joie, ce bond rimbaldien, il l'ignore. Seule compte pour lui la fatigue, car il la juge noble et féconde : « Il y a comme un entraînement de la fatigue au travail », et encore ceci : « Les pieds vous font mal, vous cuisent, vous brûlent, toute la peau est excoriée. Mais une fois décrassé, tout cela n'empêchera pas de chanter au soleil de midi, Car il s'établit une sorte d'équilibre de marche. » La poésie de Péguy est ce chant à midi, né dans et par la marche : marche des mots, des images, des strophes mais aussi matériellement, marche de ce pèlerin, par exemple, qui va à pied de Paris à Chartres pour implorer le secours de la Vierge, la prier de sauver son troisième fils gravement malade.

PRÉSENTATION DE LA BEAUCE A NOTRE-DAME DE CHARTRES

(fragment)

Étoile de la mer, voici la lourde nappe
Et la profonde houle et l'océan des blés
Et la mouvante écume et nos greniers comblés,
Voici votre regard sur cette immense chape.

Et voici votre voix sur cette lourde plaine
Et nos amis absents et nos cœurs dépeuplés,
Voici le long de nous nos poings désassemblés
Et notre lassitude et notre force pleine.

Étoile du matin, inaccessible reine,
Voici que nous marchons vers votre illustre cour,
Et voici le plateau de notre pauvre amour,
Et voici l'océan de notre immense peine.

Un sanglot rôde et court par-delà l'horizon.
A peine quelques toits font comme un archipel.
Du vieux clocher retombe sur une sorte d'appel.
L'épaisse église semble une basse maison.

Ainsi nous naviguons vers votre cathédrale.
De loin en loin surnage un chapelet de meules,
Rondes comme des tours, opulentes et seules
Comme un rang de châteaux sur la barque amirale.

Deux mille ans de labeur ont fait de cette terre
Un réservoir sans fin pour les âges nouveaux.
Mille ans de votre grâce ont fait de ces travaux
Un reposoir sans fin pour l'âme solitaire.

Vous nous voyez marcher sur cette route droite,
Tout poudreux, tout crottés, la pluie entre les dents.
Sur ce large éventail ouvert à tous les vents
La route nationale est notre porte étroite.

Nous allons devant nous, les mains le long des poches,
Sans aucun appareil, sans fatras, sans discours,
D'un pas toujours égal, sans hâte ni recours,
Des champs les plus présents vers les champs les plus proches.

Vous nous voyez marcher, nous sommes la piétaille.
Nous n'avançons jamais que d'un pas à la fois.
Mais vingt siècles de peuple et vingt siècles de rois,
Et toute leur séquelle et toute leur volaille.

Et leurs chapeaux à plume avec leur valetaille
Ont appris ce que c'est que d'être familiers,
Et comme on peut marcher, les pieds dans ses souliers,
Vers un dernier carré le soir d'une bataille.

Nous sommes nés pour vous au bord de ce plateau,
Dans le recourbement de notre blonde Loire,
Et ce fleuve de sable et ce fleuve de gloire
N'est là que pour baiser votre auguste manteau.

Nous sommes nés au bord de ce vaste plateau,
Dans l'antique Orléans sévère et sérieuse,
Et la Loire coulante et souvent limoneuse
N'est là que pour laver les pieds de ce coteau.

Nous sommes nés au bord de votre plate Beauce
Et nous avons connu dès nos plus jeunes ans
Le portail de la ferme et les durs paysans
Et l'enclos dans le bourg et la bêche et la fosse.

Nous sommes nés au bord de votre Beauce plate
Et nous avons connu dès nos premiers regrets
Ce que peut receler de désespoirs secrets
Un soleil qui descend dans un ciel écarlate

Et qui se couche au ras d'un sol inévitable
Dur comme une justice, égal comme une barre,
Juste comme une loi, fermé comme une mare,
Ouvert comme un beau socle et plan comme une table.

Les interminables litanies de Péguy sont parfois harassantes, lorsque la grâce leur fait défaut et que ne reste qu'une sorte de piétinement. Péguy ne peut concevoir qu'il puisse tailler, émonder, ce serait pour lui rompre un flux, une durée quasi bergsonienne, et il n'est pas homme des îles ou des sommets mais lié au déroulement continu de la plaine. Le flot patient, épais s'écoule donc charriant aussi bien fatras, comme celui-ci :

Et ce n'est pas leur poids chez les pharmaciens
Qui pèseront l'offense et le péché mortel.
Et ce n'est pas leurs lois chez les praticiens
Qui laveront le sang sur le dernier autel.

que mélodieux accents comme ceux inspirés par cette figure de Jeanne d'Arc où Péguy se reconnaît : être de labeur, de pauvreté, de campagne mais aussi de croisade et de bataille, être attaché au paysage de l'enfance mais qu'une vocation plus forte arrache à cette douceur :

Adieu, Meuse endormeuse et douce à mon enfance
qui demeures aux prés, où tu coules tout bas.

Ce terrien et ce soldat n'est jamais aussi poète que lorsqu'il exalte de hautes présences féminines, celle de Jeanne, de la Vierge, d'Ève qu'il chante en dix mille vers, ce fils fidèle à la Mère.

Péguy dit de lui-même : « Il sait que l'*on* n'est pas heureux. Il sait que depuis qu'il y a l'homme nul homme jamais n'a été heureux »; ce savoir donne à sa poésie son ton attristé de résignation, mais aussi de courage tenace. Poésie de la dure condition humaine vaillamment assumée, poésie aussi de l'espérance car pour Péguy dans les blessures, les combats, les travaux de la vie l'éternité est présente : « Tout éternel est tenu, est requis de prendre une naissance, une inscription charnelle. »

On connaît la mort du poète tué d'une balle au front dans les premiers combats de 1914. Il avait écrit :

Heureux ceux qui sont morts pour la terre charnelle
Mais pourvu que ce fût dans une juste guerre.

Péguy a dû mourir heureux, je crois même qu'il ne serait pas hasardeux de dire que sa mort fut son seul bonheur.

LES « FANTAISISTES »

> Soldat libre au léger bagage,
> J'ai mis ma pipe à mon chapeau,
> Car la milice où je m'engage
> N'a ni cocarde ni drapeau.
>
> LOUIS BOUILHET.

Je l'ai déjà dit à propos de Francis Jammes et de son apport d'air frais et de sang vif dans la poésie de son temps : le siècle finissant s'attardait et s'égarait dans de brumeuses métaphysiques ou les tics d'un langage tarabiscoté. Aussi doit-on considérer avec sympathie la réaction instinctive du groupe dit des « Fantaisistes ».

A une versification vaine édifiée autour de pseudo-symboles, à un vague et superficiel romantisme, les « fantaisistes » groupés autour de leur maître P.-J. Toulet opposèrent la modestie volontaire et la gentillesse — au sens ancien du terme — de leurs poèmes.

Leurs maîtres ce sont : Verlaine, Laforgue, Corbière, Jammes, mais ils n'oublient pas non plus les « précieux » du dix-septième siècle, enfin, ils vénèrent pour lointain, admirable et fraternel ancêtre François Villon. En outre dans le florilège des poètes fantaisistes qu'il présenta en 1913 dans *Vers et Proses,* Francis Carco invoque l'exemple de Tristan Klingsor, de Paul Fort, d'Apollinaire, de Max Jacob, d'Henri Hertz[1].

Le chant des « fantaisistes » ou plutôt leur chanson requiert la pudeur toujours, l'humour souvent pour exprimer les thèmes les plus simples — ce sont les plus éternels — de la vie : les joies de l'amitié, les peines aux plaisirs mêlées de l'amour, le passage rapide des jours.

Vive est leur sensibilité; ils pensent devoir la voiler mais elle transparaît sous les masques du caprice ou de l'ironie. Quant à leur légèreté, elle est fierté secrète. De même leur art, non sans subtilité, dissimule son ordre sous le laisser-

---

1. Œuvres principales : *Tragédie des Temps Volages* (Éd. Seghers, 1955, Introduction de Pierre Morhange).

aller concerté des images ou des mots, évite la froide perfection mais retient la justesse du ton et du trait, choisit l'équilibre menacé entre sourire et larmes, entre abandon et retrait, dédaigne enfin toute emphase, fuit une gloire trop facile.

Les « fantaisistes » prennent pour devise ce vers de l'un d'entre eux, Tristan Derème[1] : « Quel admirable spectacle nous donne celui qui, au point de mourir de désespoir, sait encore dominer ses malheurs! » Ainsi dans la « Verdure dorée » ce poète *brouillera* discrètement et distraitement comme on bat prestement un jeu de cartes, ses regrets et ses plaisirs.

Chambre d'hôtel où flotte une odeur de benzine,
Les échos d'un concert sur la place voisine
Et le parfum amer de tes épaules nues.
Tu rêves dans mes bras de berges inconnues
Où le vent tiède émeut les feuillages de givre,
D'une prairie épaisse où ta chair serait ivre.
Et d'eau sous un soleil pâle comme une perle.
Tu dors; le double flot de ta gorge déferle
Doucement; d'un ruban je caresse ta joue
Et j'écoute là-bas la musique qui joue
Sous les ormes grillés, ô ma belle dormeuse,
Guillaume Tell, le Beau Danube et Sambre et Meuse.

C'est sur un fond de désespoir jamais avoué, que le maître des « fantaisistes » P.-J. Toulet[2] dessine l'arabesque fine de ses *Contrerimes* impertinentes et attristées. Il y évoque des souvenirs impalpables, émouvants pourtant, où s'allient tendresse et libertinage, rêverie et dédain; les Iles où ce créole tourangeau béarnais séjourna parent les *Contrerimes* d'images ensoleillées et nonchalantes.

Toute allégresse a son défaut
Et se brise elle-même
Si vous voulez que je vous aime,
Ne riez pas trop haut.

---

1. Né en 1889 à Marmande. Mort en 1941. Œuvres principales : *La Verdure Dorée* (Emile Paul, 1922). Référence : *Tristan Derême*, par Henri Martineau (Ed. *Le Divan*, novembre 1912, février 1921).

2. Né à Pau en 1867. Mort à Guéthary en 1920. Œuvres : *Les Contrerimes* (Emile Paul, 1921); *Poèmes inédits* (Le Divan). Références : *En rêvant à P.-J. Toulet*, par T. Derême (Le Divan, 1927); *P.-J. Toulet*, par Pierre Olivier Walzer (Ed. Seghers, 1954, coll. Poètes d'aujourd'hui).

C'est à voix basse qu'on enchante
Sous la cendre d'hiver
Ce cœur, pareil au feu couvert,
Qui se consume et chante.

*

La vie est plus vaine une image
Que l'ombre sur le mur.
Pourtant l'hiéroglyphe obscur
Q'y trace ton passage

M'enchante, et ton rire pareil
Au vif éclat des armes;
Et jusqu'à ces menteuses larmes
Qui miraient le soleil.

Mourir non plus n'est ombre vaine.
La nuit, quand tu as peur,
N'écoute pas battre ton cœur :
C'est une étrange peine.

*

Toi qu'empourprait l'âtre d'hiver
Comme une rouge nue
Où déjà te dessinait nue
L'arôme de ta chair;

Ni vous, dont l'image ancienne
Captive encore mon cœur,
Ile voilée, ombres en fleurs,
Nuit océanienne;

Non plus ton parfum, violier
Sous la main qui t'arrose,
Ne valent la brûlante rose
Que midi fait plier.

*

Comme à ce roi laconien
Près de sa dernière heure,
D'une source à l'ombre, et qui pleure,
Fauste, il me souvient;

De la nymphe limpide et noire
Qui frémissait tout bas
— Avec mon cœur — Quand tu courbas
Tes hanches, pour y boire.

*

L'immortelle, et l'œillet de mer
Qui pousse dans le sable,
La pervenche trop périssable,
Ou ce fenouil amer

Qui craquait sous la dent des chèvres,
Ne vous en souvient-il,
Ni de la brise au sel subtil
Qui nous brûlait aux lèvres ?

Plus « moderne », Jean Pellerin[1] dans *La Romance du Retour* ironise sur les souvenirs atroces de la guerre si vite, au fond du passé, rejetée et sur les mesquins déboires de l'après-guerre.

J'ai pleuré par les nuits livides
Et de chaudes nuits m'ont pleuré.
J'ai pleuré sur des hommes vides
A jamais d'un nom préféré.
Froides horreurs que rien n'efface!
La terre écarte de sa face
Ses longs cheveux indifférents,
Notre vieux monde persévère.
Douze sous pour un petit verre!
Combien va-t-on payer les grands ?

---

1. Né en 1885 à Pontcharra (Isère). Mort en 1921. Œuvres principales : *La Romance du Retour* (N.R.F., 1921); *Le Bouquet inutile* (N.R.F., 1923).

Jean-Marc Bernard[1] a fait entendre du fond des tranchées ce *De profundis* qui semble être le cri désespéré et pourtant pudique de toute une génération sacrifiée.

Du plus profond de la tranchée
Nous élevons les mains vers vous
Seigneur : Ayez pitié de nous
Et de notre âme desséchée!

Car plus encor que notre chair
Notre âme est lasse et sans courage.
Sur nous s'est abattu l'orage
Des eaux, de la flamme et du fer,

Vous nous voyez couverts de boue
Déchirés, hâves et rendus...
Mais nos cœurs, les avez-vous vus ?
Et faut-il, mon Dieu, qu'on l'avoue,

Nous sommes si privés d'espoir
La paix est toujours si lointaine
Que parfois nous savons à peine
Où se trouve notre devoir.

Éclairez-nous dans ce marasme
Réconfortez-nous et chassez
L'angoisse des cœurs harassés
Ah! rendez-nous l'enthousiasme!

Mais aux morts, qui ont tous été
Couchés dans la glaise et le sable
Donnez le repos ineffable,
Seigneur! ils l'ont bien mérité.

Mais une telle plainte sans masque est rare chez les « fantaisistes ». Presque toujours ils refusent de se laisser « emporter » par leur lyrisme, fidèles à la conception du poète selon Derême : « loin qu'il se laisse noyer aux sentiments, il les évalue, les domine, les juge et les canalise ».

---

1. Né en 1881. Mort en 1915. Œuvres principales : *Sub tegmine fagi, Amours, Bergeries et Jeux.*

Ainsi Roger Allard[1] fait-il fleurir dans ses vers vifs et narquois l'étincelle, l'épigramme, la pointe, le libertinage cependant que ce jeu s'allie précieusement et paradoxalement tantôt à une grâce nonchalante, tantôt à une soudaine acidité.

CLARA

Clara, reine du roux septembre,
Tu portes en toi cette ardeur
Qui colle les cheveux aux tempes,
Crispe les mains, tarit les pleurs.

Parmi nos fêtes balnéaires,
Tentes d'ocre, écharpes, drapeaux,
Vierge maigre à l'œil cinéraire
Tu promènes l'or de ta peau.

Martyre des saisons ferventes
Le vent, le soleil, les embruns
Cinglent de lanières savantes
L'ombre élastique de tes reins.

Vainement l'automne t'octroie
Pour prix de ta docilité
Les brocarts, les pourpres, les soies,
Ornements de ton corps fouetté,

Clara! l'amertume de vivre
Cruel et splendide équateur
Cercle ta poitrine de cuivre
Et la pénètre avec lenteur.

Vincent Muselli[2] à l'instar de ses amis se souvient de Saint-Amant, de La Fontaine, de Voiture et de Villon aussi. Les charmes de ses poèmes recouvrent parfois une réelle gravité. Très soucieux de maîtrise, il a varié ses tours et son style, passant de la finesse au piquant, du sourire à la

---

1. Né en 1885. Œuvres principales : *Les Elégies Martiales* (N.R.F., 1918); *Poésies légères* (N.R.F., 1930).
2. Né en 1880. Mort en 1956. Œuvres principales : *Les Travaux et les Jeux. Les Strophes de contrefortune.*

sévérité, des *Travaux et les Jeux* aux *Strophes de Contre-Fortune* dont voici l'une :

Après les derniers émois
Et la funèbre nacelle,
Tu renaîtras, fine et frêle,
Et biche, aux bois, je te vois :
Tantôt haute sous la branche,
Ou reposant d'une hanche
Si dédaigneuse! et tantôt,
— Les beaux rêves que nous fîmes —
Suivant d'un léger sabot
Le fil ténu des abîmes.

Les « fantaisistes » chantent l'amour sans y croire, au contraire l'amitié fut pour eux le seul sentiment qui mérite qu'enfin on dépose les masques; le temps et la mort séparent un jour ceux qui furent « presque frères » cependant au fond de la tristesse continue à veiller une tendre fidélité. Ainsi dans ce poème de Léon Vérane :

DANS LA TEMPÊTE

Pour Lionel Chassin.

O mes bons amis d'avant-guerre
Où gisez-vous ? Où gîtez-vous ?
Peut-être au sein froid de la terre,
Peut-être au bois, avec les loups.

O mes compagnons de naguère
De vos actes j'ignore tout;
Je vous appelle et désespère,
Vous nommant tout haut comme un fou.

O mes amis, mes presque frères!
Sur ce chemin sans fin ni bout
Le fardeau de notre misère
Quel jour le déposerons-nous ?

A la veine « fantaisiste » appartient encore la poésie de

Jacques Dysord, René Chlupt, Georges Gabory[1] très fleur-grise et fleur-bleue dans *Soir* :

INNOCENCE

Aux innocents les mains pleines!
Le soir, en se refermant,
Les roses de porcelaines,
Emprisonnent quelque amant;

L'amour l'a réduit en cendres —
Les paradis sont étroits —
Gros papillon, cœur à prendre,
Et lentement, sous nos doigts,

Dans les ténèbres complices,
Renaisse notre désir,
Grâce aux tendres artifices
Que nous aurons su choisir.

Quittons les « fantaisistes » avec le promoteur du mouvement, Francis Carco[2]. Dans *La Bohème et mon cœur*, il recueille des « chansons aigres-douces » qui, par leur fluidité, leur romantisme contenu, leur faix d'aventure quotidienne font de lui l'un des poètes les plus personnels et les plus sensibles de son groupe :

L'OMBRE

(fragment)

A André Rousseaux.

. . . .

Ton ombre est couleur de la pluie,
De mes regrets, du temps qui passe.
Elle disparaît et s'efface
Mais envahit tout, à la nuit.

---

1. Né en 1899 à Paris. Œuvres: : *Cœurs à prendre* (Sagittaire, 1921); *Poésie pour Dames seules* (N.R.F., 1922).

2. Né en 1886 à Nouméa (Nouvelle-Calédonie). Mort à Paris en 1958. Œuvres : *Instincts* (Le Feu, 1911); *La Bohême et mon Cœur* (N.R.F., 1922; Emile Paul, 1929); *Chansons aigres-douces* (Collection des Cinq, 1912); *Petits Airs* (R. Davis, 1920). Références : *Carco*, par Philippe Chabaneix (Ed. Seghers, coll, Poètes d'aujourd'hui).

Sous le métro de la Chapelle,
Dans ce quartier pauvre et bruyant,
Elle m'attend, derrière les piliers noirs,
Où d'autres ombres fraternelles,
Font aux passants, qu'elles appellent,
De grands gestes de désespoir.

Mais les passants ne se retournent pas.
Aucun n'a jamais su pourquoi,
Dans le vent qui fait clignoter les réverbères,
Dans le vent froid, tant de mystère
Soudain se ferme sur ses pas...

Et moi qui cherche où tu peux être,
Moi qui sais que tu m'attends là,
Je passe sans te reconnaître.
Je vais et viens, toute la nuit,
Je marche seul, comme autrefois,
Et ton ombre, couleur de pluie,
Que le vent chasse à chaque pas,
Ton ombre se perd dans la nuit
Mais je la sens tout près de moi...

Quoiqu'il n'appartienne pas à l'école fantaisiste et que son romantisme, son goût du « fantastique social » le rendent souvent plus tragique que les poètes que je viens de citer, je ferai cependant place ici à Pierre Mac Orlan[1] parce qu'il se réclame comme eux de François Villon, qu'il se plaît lui aussi au refrain sentimental et ironique, qu'il retrouve dans le décor moderne, dans l'aventure des ports ou des mauvais lieux un écho des *aventures anciennes.*

F

La potence où ce beau pendu
Fait le clown pour les musaraignes

1. Né à Péronne en 1883. Œuvres principales : *L'Inflation sentimentale* (La Renaissance du Livre, 1923, N.R.F.); *Œuvres Poétiques Complètes* (Ed. du Capitole, 1919); *Chansons pour accordéon* (Gallimard, 1953); *Poésies documentaires complètes* (Gallimard, 1954). Référence : *Pierre Mac Orlan*, par Pierre Berger (Ed. Seghers, coll. Poètes d'aujourd'hui).

Donne à la campagne ancienne
Un furieux air de déjà vu.

. . . .

H

Les maisons à cinquante étages
Vibrent comme un accordéon :
Cent vingt basses à la main gauche
Et, dans l'ascenseur, la chanson.

. . . .

A l'écart de toute mystique et de toute métaphysique, les « fantaisistes » n'ont pas cherché à transcender la condition humaine, ils ont voulu tout simplement exprimer leurs émotions au sein du monde moderne, à la fois attirant et cruel, sans pour cela se dépendre d'une longue lignée française. D'eux, Marcel Raymond a dit excellemment : « Ils sont les libertins de la bohème moderne. » Pour mineure qu'elle soit, leur chanson n'en est pas moins touchante, et notre admiration pour les « vers majeurs » de la poésie moderne de Rimbaud à Saint-John Perse ou à Eluard ne doit pas nous faire mépriser les qualités d'enjouement, de vivacité, de grâce que n'ont pas dédaigné d'accueillir parfois dans leur œuvre maints poètes parmi les plus grands, Rimbaud précisément et Mallarmé, Charles Cros ou Guillaume Apollinaire. D'ailleurs par-delà le Surréalisme ne voit-on pas des poètes aussi différents que Raymond Queneau, Prévert, Maurice Fombeure user avec bonheur de la chanson et de la moquerie ?

Au terme de ce chapitre, je veux saluer la mémoire du charmant poète que fut Louis Codet[1] ; sur le chemin de Francis Jammes ses vers enseignaient nonchalamment que la fantaisie souvent est le sourire du courage :

J'ai quitté mes amours, et tout hardi dessein;
J'ai bu mon vin charmant, j'ai ma route suivie;
J'ai touché ma misère et j'ai connu ma vie;
Déjà la mort paisible habite dans mon sein.

---

1. Né en 1876. Mort en 1914. Œuvre principale : *La Rose du jardin* (1907).

Fantaisiste encore fut la muse de Franc-Nohain; et le poète belge Odilon-Jean Périer[1], mort trop jeune, hélas! possède la pudeur et la grâce qui eussent pu l'apparenter aux « fantaisistes ». Je ne connais pas de poème aussi discret, grave dans sa légèreté, riche dans sa mesure et émouvant que celui-ci :

Garde ma récolte secrète
Et partageons ce peu de vin
Fille plus douce qu'une bête
Portant le masque du destin

Déchirée, habile à sourire
Et qui ne sais rien de mes dieux
Que le taciturne délire
Où je te confonds avec eux.

1. Né en 1904. Mort en 1928. Œuvres principales : *Le Combat de la neige et du poète; La Vertu par le chant* (1920); *Notre mère la ville* (1922); *Le Promeneur* (1927); *Le passage des anges* (roman poétique, 1926). Référence : *Cahiers du Sud*, septembre 1959.

L'ESPRIT NOUVEAU

« L'homme est une création du désir, non pas une création du besoin. »

GASTON BACHELARD.

L'ESPRIT NOUVEAU

Déjà Baudelaire assignait comme but à la poésie la recherche du nouveau, capable de surprendre et de suspendre pour un instant sa lassitude. Rimbaud reprenait cette quête avec une avidité jeune et quasi sauvage. Apollinaire et ses amis entendaient eux encore, et cette fois avec une sorte d'ivresse optimiste, instaurer dans la poésie le règne de « l'esprit nouveau ». La floraison des découvertes scientifiques à la fin du siècle dernier et dans les premiers lustres de celui-ci, ainsi que l'enthousiasme plus ou moins naïf avec lequel un large public accueillit ces « miracles » modernes, ne sont pas étrangers à cette volonté — parallèle à celle des savants — de découvertes, d'explorations et d'expériences du langage, des rêves, du hasard, de l'extrême conscience ou au contraire du subconscient, dont témoignèrent les poètes quelques années avant et après la guerre de 1914-1918.

LA VIE UNANIME

L'essor désordonné du monde moderne ne pouvait laisser indifférents certains jeunes poètes qui se voulaient attentifs à leur temps. Ce qu'en Amérique avait fait Whitman chantant l'espérance d'hommes fraternels, l'enthousiasme d'un être jeune et fort au centre d'un univers dans lequel il croit reconnaître précisément puissance et nouveauté, des poètes français le firent à leur tour avec un lyrisme moins riche, une ferveur moins sensuelle, et plus de recherche intellectuelle.

On sait comment des amis avaient fondé un groupe de travail et de vie en commun à l'Abbaye de Créteil. C'était là une sorte de phalanstère où se rencontraient de jeunes artistes, notamment : René Arcos [1], Charles Vildrac, Alexandre Mercereau, Georges Duhamel [2], Berthold Man, Jules Romains [3]. Ce fut ce dernier qui donna au groupe amical sa charte, si je puis dire, en publiant : *La vie unanime.* De cet *unanimisme* se réclamèrent les écrivains déjà cités ainsi que Georges Chennevière, Pierre Jean Jouve, Luc Durtain.

---

1. Né en 1881 à Clichy La Garenne (Seine). Œuvres principales : *L'Ame essentielle* (Ed. Juvénilia, 1901); *La Tragédie des Espaces* (Ed. L'Abbaye, 1906); *Ce qui naît* (Figuière, 1910); *L'Ile perdue* (Mercure de France, 1913); *Le Sang des Autres* (Ed. du Sablier, 1916). Références : *René Arcos* et *Ce qui naît*, par G. Duhamel (Collection Vers et Prose).

2. Né en 1884 à Paris. Œuvres : *L'Homme en Tête* (1909) ; *Selon ma Loi* (Figuière, 1910) ; *Compagnons* (N.R.F., 1912) ; *Elégies* (Bloch, 1920). Références : *Les Ouvrages de Georges Duhamel*, par Claude Aveline ; *G. Duhamel, l'homme et son œuvre*, par Luc Durtain (Crès).

3. Né en 1885 dans la commune de Saint-Julien-Chapteuil (Haute-Loire). Œuvres principales : *L'Ame des Hommes* (Crès, 1904); *La Vie unanime* (Abbaye, 1908, et Mercure de France, 1913); *Premier Livre de Prières* (Vers et Prose, 1909); *Un Etre en marche* (Mercure de France, 1910); *Odes et Prières* (Mercure de France, 1913, et N.R.F., 1923); *Les Quatre Saisons* (1917); *Europe* (N.R.F., 1916); *Le voyage des Amants* (N.R.F., 1920); *Amour couleur de Paris* (N.R.F., 1921); *Petit traité de versification* (N.R.F., 1923); *Ode génoise* (Bloch, 1925); *Chants des dix années* (N.R.F., 1928); *L'Homme blanc* (N.R.F., 1937). Références : *Histoire de la Littérature française* (Crès), chapitre VIII; *Hommage à Jules Romains*, par René Lalou; *Jules Romains*, par André Figueras (Ed. Seghers, coll. Poètes d'aujourd'hui).

Tous reconnaissaient l'importance des choses sociales, ils voulaient capter et exprimer dans leurs poèmes les sentiments collectifs, l'âme élémentaire de la foule, d'une ville, d'une nation, d'un continent; le style direct, dépouillé des vers devait transmettre fidèlement sensations, émotions, désirs d'un être en contact permanent avec une vie immédiate, pressante, communiquant à l'humanité le rythme même du cosmos.

C'est en 1908 que *La vie unanime* sortit de l'imprimerie de l'Abbaye, mais c'est en octobre 1903 que Jules Romains, remontant la rue d'Amsterdam, *perdu* dans la foule aurait eu pour la première fois, selon M. André Cusenier : « l'intuition d'un être vaste et élémentaire, dont la rue, les voitures et les passants formaient le corps, et dont le rythme emportait ou recouvrait les rythmes des consciences individuelles », d'ailleurs dès 1904, le premier ouvrage poétique de Jules Romains, l'*Ame des Hommes,* laissait pressentir les tendances de l'unanimisme dans lequel on pourra déceler l'influence de Zola et de Verhaeren.

Des poètes de l'Abbaye, Albert Thibaudet disait qu'ils furent des « esprits déversés vers le dehors... de vocation oratoire, d'éducation rhétoricienne. Mais en même temps intelligents, avisés, aimant leur temps et (...) soucieux de s'accorder pleinement avec lui ».

Ainsi Jules Romains *s'accorde-t-il* avec le développement de la vie collective, il a le sens de la communauté moderne. Les unanimistes ne sont pas dupes de la machine, du moins sont-ils sensibles à certains effets de la civilisation mécaniste : par exemple à la cohésion d'un destin qui englobe de plus en plus de nations rapprochées par la vitesse et par un mode de vie semblable, uniformisé. Jules Romains et ses amis ne sont pas matérialistes : (« Il n'y a que l'âme qui importe » affirme Romains) mais communautaires; le poète se sent et se veut le porte-parole d'une foule condamnée au silence. Alors les frontières de l'individualisme s'effacent. C'est la même vie qui anime ces passants taciturnes et parmi eux cet artiste qui s'identifie à eux :

Je suis à moi seul
Le rythme et la foule;
Je suis les danseurs
Et les hommes saouls.

Ce sentiment de fusion s'étend même aux choses, anéantit toutes les barrières, comble tous les hiatus.

Toute limite est vapeur
Toute prison est fumée

Georges Duhamel peut dire : « Un poète parle, il parle de lui. Écoutez : il parle pour vous. Approchez : il parle de vous. » Et l'on peut appliquer aux poètes de l'Abbaye cette remarque de Valéry Larbaud relative à la poésie du *moi* selon Whitman : « cessant de bouder, à l'écart, ou de se soigner, ou de cultiver ses manies, ou de s'adorer, mais vivant en contact avec les autres *moi* ». En somme, la tour d'ivoire est brisée et le poète s'avance sans masque parmi ses semblables, on dirait maintenant qu'il *s'engage*; il chante la découverte enthousiaste de l'homme plus fort que la solitude. Tant que la guerre n'aura pas éclaté, qui donnera à la poésie unanimiste une nouvelle résonance tragique, Jules Romains et ses amis s'enivreront — mais c'est une ivresse, me semble-t-il, plus intellectuellement voulue qu'affectivement subie — de leur union avec l' « être vaste et élémentaire » que compose à leurs yeux l'humanité. Il y a ainsi chez Romains une sorte de sensualité dans l'évocation de la foule :

O Foule!
. . . .
Et tes rangs noirs partent de moi comme un reflux
. . . .
Tu es chaude comme le dedans d'une chair :
. . . .
Foule! ton âme entière est debout dans mon corps.
. . . .
Ta forme est moi.

Enfin cette affirmation brutale qui à mon sens ne recèle plus aucune poésie mais prophétise bien certains rapports de la *masse* et de ses *meneurs*, en particulier le couple formé par un peuple et un dictateur — celui qui viole la foule :

Ne te défends pas, foule femelle,
C'est moi qui te veux, moi qui t'aurai!

Albert Thibaudet a justement noté le contraste qui existe entre la première manière poétique de Romains, celle de la *Vie Unanime* (1908), et la seconde, celle de *Prières* (1909), c'est le « passage du flux oratoire à la suggestion elliptique et à l'émotion dépouillée ». C'est bien l'expression elliptique des émotions qui sauve les poèmes de Romains d'une tendance à la platitude ou au didactisme. Cette *Ode* par exemple commence par des vers sensibles et justes mais ne retrouve que difficilement la qualité de son attente, de sa grâce simple, après l'inutile prosaïsme de la seconde strophe :

Deux hommes cheminent là-bas
Dans la vallée où le coq chante :
Tous les arbres sur les collines
Sont maintenant rouges et noirs.

Une brume pareille à l'âme
Semble rêver ce que je vois.
Toute chose a pris la couleur
Du sommeil et de la mémoire

Malgré novembre la fenêtre
Est ouverte à côté de moi ;
Un petit poêle furieux
Tourmente l'air de la mansarde.

Une chaleur presque charnelle
Sort de la chambre lentement,
Elle fait le tour de mon corps
Et se mêle avec mon haleine.

Je n'attends rien, je ne veux rien
Que la paix de cette vallée,
Et je n'ai pas besoin non plus
Que le présent soit éternel ;

Car je suis comme un voyageur
Assis au soir devant l'auberge ;
Il sourit, mais songe quand même
Que ce n'est pas là sa patrie.

Il arrive souvent aux « unanimistes » de perdre dans leur volonté d'atteindre la vie en ses instants les plus ordinaires, cette pureté poétique qu'au nom d'exigences diverses avaient conquis Rimbaud, Mallarmé, Verlaine, et qu'un Valéry encore allait défendre cependant que les Surréalistes tenteraient d'étendre à l'existence ce feu transparent du poème; cependant par les voies du dépouillement Jules Romains parvient à une poésie d'où le mystère n'est pas absent :

Ce fut un été vaste
Où fuyaient pêle-mêle
Des nuages, des pluies,
Et des événements.

Quelque part confondu
A cette multitude,
Le même homme que moi
Marchait plein de hasard.

Il avait oublié
Presque toute sa vie;
Il se trouvait heureux
Comme un enfant qui dort.

Il tâta sans la voir
Une ville disjointe;
Puis des villages tors
Furent sur son chemin

Mais la plus douce chose
Encore était d'entendre
Le monde se défaire
Avec tant de rumeurs

Et ces *touches* rapides, discrètes, n'ont-elles pas le pouvoir de nous faire longtemps rêver :

Amour couleur de Paris.

Une flamme à peine heureuse
Naît dans le haut de la rue;

Une lumière publique
Offerte au profond azur;

Un feu doré tout de même
Qu'assiège un fin brouillard gris;

Une flamme assez heureuse.

Amour couleur de Paris.

Il y a un sens du surnaturel chez Romains. Non pas celui d'une religion qui impose à l'homme sa filiation avec Dieu, mais au contraire un surnaturel qui naît des noces de l'homme et de l'univers. Il écrit dans son « Manuel de déification » : « Nous ne pouvons aimer qu'un Dieu plus jeune que nous, qui ne nous a pas créés, que nous créons, qui n'est pas notre père, qui est notre fils »; et ses poèmes sont souvent des *Odes et prières* adressées à ce divin issu de nous-mêmes et dont les églises sont nos maisons et nos rêves :

Cette aurore de novembre
Repousse à peine la nuit.
La tête mal réveillée
Ne peut rien contre les songes.

Il fera noir tout le jour
Dans le milieu des maisons.
Les lampes des bars profonds
Brûleront jusqu'à midi.

C'est maintenant qu'on est bien
Au creux d'une vieille rue;
Une espèce de secret
Enveloppe le tumulte.

Des souffles surnaturels
Sont expirés par les portes :
L'âme sourd du bas des murs
Et coule visiblement;

Tandis que le ciel s'éclaire
D'une joie intérieure,
Comme s'il savait déjà
Ce que nous cherchons encore.

La poésie de Romains tantôt se resserre ainsi sur une émotion autour d'un instant privilégié, tantôt se détend au contraire dans le discours; si alors elle parvient à éviter prosaïsme et rhétorique, elle trouve dans ses meilleurs moments un lyrisme de l'épopée :

Je ne puis oublier la misère de ce temps.
O siècle pareil à ceux qui campèrent sous les tentes!
Un orage inépuisable est devenu l'horizon,
Et l'espoir est remplacé par une espèce de songe.
Tous les vins arc-boutés n'abritent qu'une heure la joie.
Mille sentiments mortels passent quand même et se joignent.
Peu à peu notre destin nous ruisselle sur le dos.

Ciel des villes tressé de câbles, armure des dômes,
Ciments durcis autour d'une ferraille chevelue,
Demeures boulonnées, églises faites sur l'enclume,
Rues triples dont la rumeur rebondit sur un tunnel,
A quoi bon!
Dans la forêt scythique et les joncs de l'Elbe
Des hommes velus rampaient mieux réfugiés que nous.

Hommes, hommes d'autrefois, pauvres yeux cruels et troubles,
Dormeurs mal détendus que tourmente une odeur de l'air,
Tribus des monts perforés, peuples des lacs et des herbes,
Nous vous croyions si loin! Vous n'étiez même plus des morts.

Le sol vous avait perdus dans le grain de son écorce,
Ne pouvant faire du roc avec vos seuls ossements.
Et soudain de vous à nous le temps se contracte et manque;
L'histoire se racornit comme un carton calciné.
Je vous regarde approcher et grandir, pères funestes,
Ainsi qu'un homme à la mer aperçoit en étouffant
Le passé qui se recourbe et qui lui tend son enfance.

(Ode Génoise 1923-1924, fragments.)

*

On voit par ce poème quel assombrissement la guerre apporte aux premières couleurs de l'unanimisme. Elle accentua la prise de position des poètes de l'Abbaye en faveur des humbles, de ces victimes toutes trouvées pour les tueries provoquées par les heurts entre les intérêts divergents des *grands* de ce monde. Charles Vildrac[1] est le poète qui se trouve spontanément le plus proche de ces hommes et de ces femmes désarmés devant une vie dure. Ce qui chez ses amis procède parfois d'une décision intellectuelle est chez lui mouvement du cœur. Pour lui l'amour, un amour où domine une tendresse fraternelle, est la clef de la poésie. Ses poèmes sont pudiques, sans éloquence, ils ont une chaleureuse présence humaine et malgré une certaine mélancolie devant le trop lourd fardeau des peines ils témoignent que la vie peut être bonne et belle :

Allons donc, la vie accepte qu'on la vive
La terre n'est pas si froide encore
Et les minutes rares ne sont si rares
Où l'on se confie qu'il fait bon vivre,
Où tout simplement, on se prend à vivre

Au frais dans l'herbe, au tiède sur le sable,
Ou bien le long des rues, tout à la joie
De cueillir des yeux le passage aimable
De toutes les gentilles qu'il y a...

Ces « gentilles qu'il y a », ces femmes qu'évoque Vildrac, elles ne sont pas transfigurées par le désir, placées sur un piédestal par l'imagination amoureuse, mais toutes simples et touchantes et pitoyables. Plus que des bijoux, les signes et même les meurtrissures du travail les parent, leur beauté ne les sépare pas, bien au contraire, de la vie quotidienne, de ses espoirs et de ses fatigues, elle est comme l'émouvant et très proche visage de la liberté, de la justice, plus encore de l'espérance en cette liberté et en cette justice.

CLAN

La beauté des femmes,
Elle n'était pas parfaite et triomphale,
Ce n'était pas celle des anges et des fleurs.

---

1. Né à Paris en 1882. Œuvres principales : *Poèmes* (1905); *Images et Mirages* (Ed. de l'Abbaye, 1908); *Chants du Désespéré* (N.R.F., 1920); *Livre d'amour, suivi des prèmiers vers* (Ed. Seghers, 1959). Référence : *Charles Vildrac*, par Georges Bouquet et Pierre Menanteau (Ed. Seghers, coll. Poètes d'aujourd'hui, 1959).

Des doigts impérieux
S'étaient déjà posés sur ces visages
Et en avaient suivi les contours.

Quelques-unes croisaient des mains prostrées et tristes
Qui n'avaient jamais dû flâner dans l'eau courante
Et pour d'autres c'était le labeur ou l'attente
Qui avaient fatigué leur cou et leur sourire.

Mais leurs yeux à toutes, mais leurs voix...

Oh! non, leur beauté n'était pas
Celle impassible des fées
Non plus celle opulente des déesses,
Mais c'étaient des beautés de femmes...

*

La bonté des hommes
N'était pas constante ni tenace;
Ce n'était pas celle hélas! qu'on enseigne;

On n'avait pas pu lui donner grand-place,
On lui défendait de parler trop fort;
Si bien que, des ans, on la croyait morte.

Mais lorsque son jour arrivait,
Elle était aussi pénétrante et chaude
Qu'une eau-de-vie qu'on boit en fraude,
Dans les prisons.

Quand on prononce le nom de Vildrac, on pense presque toujours à sa pièce qui eut un grand succès, *Le paquebot Tenacity*, mais il ne faut pas que la réussite du dramaturge nous fasse oublier les qualités évidentes de ce grand poète sensible, discret et généreux. Dans cet autre poème de lui, c'est encore la femme qui est, par-delà la mort, l'annonce de la liberté.

Si l'on gardait, depuis des temps, des temps,
Si l'on gardait, souples et odorants,
Tous les cheveux des femmes qui sont mortes,
Tous les cheveux blonds, tous les cheveux blancs,

Crinières de nuit, toisons de safran,
Et les cheveux couleur de feuilles mortes,
Si on les gardait depuis bien longtemps,
Noués bout à bout pour tisser les voiles
qui vont sur la mer,

Il y aurait tant et tant sur la mer,
Tant de cheveux roux, tant de cheveux clairs,
Et tant de cheveux de nuit sans étoiles,
Il y aurait tant de soyeuses voiles
Luisant au soleil, bombant sous le vent,
Que les oiseaux gris qui vont sur la mer,
Que ces grands oiseaux sentiraient souvent
Se poser sur eux,
Les baisers partis de tous ces cheveux,
Baisers qu'on sema sur tous ces cheveux,
Et puis en allés parmi le grand vent...

★

Si l'on gardait, depuis des temps, des temps,
Si l'on gardait, souples et odorants,
Tous les cheveux des femmes qui sont mortes,
Tous les cheveux blonds, tous les cheveux blancs,
Crinières de nuit, toisons de safran
Et les cheveux couleur de feuilles mortes,
Si on les gardait depuis bien longtemps,
Noués bout à bout pour tordre des cordes,
Afin d'attacher
A de gros anneaux tous les prisonniers
Et qu'on leur permît de se promener
Au bout de leur corde,

Les liens des cheveux seraient longs, si longs,
Qu'en les déroulant du seuil des prisons,
Tous les prisonniers, tous les prisonniers
Pourraient s'en aller
Jusqu'à leur maison...

Sous un ton voilé, Vildrac nous livre un optimisme final; si la *fortune* est perdue, c'est que des hommes mauvais l'ont enlevée aux autres hommes plus purs mais désarmés, un jour on la délivrera de ses chaînes, et du bandeau qui l'aveugle.

*

Jules Romains, Vildrac ont élevé leur chant contre l'absurdité de la guerre, de même firent René Arcos dans *Le Sang des Autres,* Georges Duhamel dans ses *Élégies;* de même Luc Durtain[1] — dont le premier livre : *L'Étape nécessaire* (1906) fut considéré comme le manifeste du groupe de l'Abbaye — s'adressant « aux soldats américains » attend d'une union des morts une promesse de paix pour les survivants :

Dans cette vieille Europe gâtée de haines
Qui ressemble au malheur, qui ressemble au passé,
Venus dans la bagarre absurde
Sur notre bout de terre où un peu plus
De justice et de liberté,
Où une espèce d'innocence
Vous laissait place nette pour poser le pied,

. . . .

O morts des Mondes, est-ce que
Vous n'allez pas vous rencontrer sous cette terre ?
Trop d'espaces s'y sont unis
Pour que, limitée, fermée,
Elle s'appartienne à elle-même désormais.

O Morts des Mondes, en notre Europe
Vous n'avez pas fini votre tâche...

*

De son disciple Georges Chennevière[2] qui mourut jeune, Jules Romains a dit qu'il avait pu « atteindre la perfection sans s'y perdre ». Avant de se reconnaître une vocation poétique semblable, les deux jeunes hommes avaient été camarades de « khâgne » au lycée Condorcet, peut-être faut-il voir dans cette commune formation universitaire l'origine

---

1. Né à Paris en 1881, mort en 1959. Œuvres principales : *Pégase* (Sansot, 1907) ; *Kong Harald* (Crès, 1914) ; *Perspectives* (Stock, 1924) ; *Le Retour des Hommes* (N.R.F., 1920) ; *Lise* (Crès, 1918). Références : *Les Poètes et la Poésie,* par G. Duhamel (Mercure de France, 1922).

2. Né en 1884. Mort en 1927. Œuvres principales : *La Légende du Roi d'un jour* (N.R.F.) ; *Œuvres Poétiques* (N.R.F.) ; *Petit Traité de versification* (en collaboration avec Jules Romains).

d'une identité de vues *intellectuelles* sur la poésie : comme activité sociale. Romains et Chennevière écrivirent en collaboration le *Petit traité de versification.* Le second fait preuve dans ses remarques sur le vers d'un didactisme qui semble être plus garant de la versification que de la poésie, cependant ses poèmes ne manquent pas de grâce dans leur simplicité.

Étranger, ne te rendors pas,
Ce n'est pas encor le retour.
Ne t'attache pas à ces choses,
Ne demeure pas devant elles,
Ne laisse pas les souvenirs
Monter en eau à tes paupières,

Cette fleur, ne la cueille point,
Ne prolonge pas ce baiser,
Ne garde rien entre tes mains,
Ne fais rien qui puisse durer.
Ton cœur se viderait d'un coup
Vite, vite, il faut repartir.

Je repars, sans être venu.
Est-ce l'adieu définitif ?
Le monde glisse sous mes pas.
Je sens que je n'aurais pas dû
Hélas! regarder si longtemps
Tous ces visages.

*

Non loin de l'École unanimiste et quoiqu'il apparaisse comme une figure solitaire, comme un homme demeuré volontairement à l'écart des routes communes, on peut citer André Spire[1]. En effet, ainsi que les poètes de l'Abbaye il

1. Né en 1868 à Nancy. Œuvres principales : *La Cité présente* (Ed. Littéraires et Artistques, 1903); *Et vous riez !* (Cahiers de la quinzaine, 1905); *Versets* (Mercure de France, 1908); *Vers les routes absurdes* (Mercure de France, 1911); *Et j'ai voulu la paix* (The Egoist-Press, 1916); *Le Secret* (N.R.F., 1919); *Poèmes juifs* (Ed. l'Eventail, Genève, 1919); *Tentations* (Camille Bloch, 1920); *Poèmes de Loire* (Grasset, 1929); *Instants* (Bruxelles, les Cahiers du Journal des Poètes, 1936); *Poèmes d'ici et de là-bas* (New-York, The Dryden Press, 1944); *Poèmes d'Hier et d'Aujourd'hui* (Paris, José Corti, 1953); *Poèmes juifs* (Paris, Albin Michel, 1959). Références : *La Danse devant l'Arche*, par Henri Frank (N.R.F., 1912); *Propos critiques, première série*, par Georges Duhamel (Figuière, 1912); *Plaisir poétique et plaisir musculaire*, par André Spire (José Corti, 1949) ; *André Spire*, par Paul Jamati (Ed. Seghers, Coll. Poètes d'aujourd'hui, 1962).

prend ses sources d'inspiration dans la réalité quotidienne, il évoque souvent le peuple : ses peines, ses travaux, sa lassitude et sa colère. Ses versets rudes, rocailleux parfois, dans leurs élans ou leurs chutes obéissent au rythme de la pensée et à celui de l'émotion. De même que Georges Chennevière et Jules Romains s'étaient appliqués à étudier et à promouvoir une nouvelle forme poétique, André Spire définit ce qu'il pense être une facture libérée — peut-être en relation avec les recherches phonétiques de l'abbé Rousselot — « une forme entièrement libre et rarement rimée, un vers, non pas syllabique, mais accentué, un vers qui, écrit dans la langue de notre temps, pour les oreilles de notre temps, reçoit son rythme non plus de la forme, mais du sens, non plus du vêtement extérieur et monotone de mètres réguliers, mais du mouvement intérieur et toujours variable de la pensée poétique ». On a souvent insisté sur le caractère juif de la poésie de Spire, je préfère tout simplement rappeler qu'André Spire milita avec passion pour ses coreligionnaires et que ses poèmes portent la marque de cette passion.

— O mes frères, ô mes égaux, ô mes amis.
Peuple sans droits, peuple sans terre,
Nation, à qui les coups de toutes les nations
Tinrent lieu de patrie,
Nulle retraite ne peut me défendre de vous.

Mais son amour du peuple juif s'étend au peuple tout court, un amour passionné encore et vengeur.

ET VOUS RIEZ

Ils m'ont dit,
Ébrouant leurs petites narines fougueuses :
« Chantons la vie »
— Chantons la vie, si vous voulez;
Je m'embarque avec vous sur le fleuve de joie.

Des villages, avons passé,
Et des chesnaies, et des aunaies,
Et des pâturages et des haies,
Et des villages et des villes.

Le Peuple vient, le peuple va,
Achète, vend, et puis s'en va.

Le peuple grouille dans les rues
Le soir, son travail fini.

Les garçons agacent les filles,
Les vieux se soûlent dans les bars.

Versez, gloires de lumières,
Versez la pluie de vos rayons,
Sur ces héros dépenaillés.

Sculptez leurs faces amaigries,
Leurs mains posées sur leurs genoux.

Dessinez-leur crûment leurs femmes avachies,
Et leurs petits enfants baveux.

Allez battre les murs galeux de leurs usines;
Allez fouiller les coins moisis de leurs taudis;

Et jetez les éclairs de vos flammes féroces
Sur les passants heureux qui s'avancent là-bas.

Les beaux messieurs vont en voiture
Avec leurs petits et leurs dames.

Les beaux messieurs s'en vont au bois
Pour respirer le soir venu.

Les beaux messieurs haut-cravatés
Vous dévisagent et vous toisent.

Ouvriers qui les nourrissez,
Qu'allez-vous faire, qu'allez-vous faire?

Le peuple vient, le peuple va,
Boit des amers et puis s'en va.

Le peuple grouille dans la rue,
Et n'est pas là pour s'indigner.

Les garçons agacent les filles,
Les phonographes nasillent,
Et vous riez!... et vous riez!...

*

En marge de l'exigence qui a dominé la poésie française du romantisme à nos jours : à savoir une approche toujours plus approfondie de son essence — de ce par quoi elle diffère radicalement du discours, de la prose, de la pensée et du langage *logiques* — soit par une attention et une tension croissante de la conscience, soit par un recours délibéré à l'auscultation de l'inconscient, l'apport des poètes de l'Abbaye[1] et de quelques isolés qui peuvent leur être comparés, n'en est pas pour autant négligeable. Quand ils ont su éviter dans leurs vers les erreurs du didactisme, de platitudes à la manière de Coppée, d'observations qui eussent plus justement fait l'objet d'articles ou d'essais, ces poètes ont préservé et transmis des émotions simples et grandes et ils ont accordé la poésie aux principales lignes de forces de ce temps, ils ont cherché à capter un mystère sans se retirer pour cela dans la *tour d'ivoire* mais en se voulant au contraire toujours plus fraternels. « Nous ne pensions pas, a écrit Jules Romains, que le poète dût aller moins loin que le philosophe dans le secret des choses. » Quand lui-même et ses amis ont recherché ce *secret* par les voies de l'intuition poétique ils ont fait œuvre valable et belle.

1. Il est curieux de remarquer que l'Angleterre dont le Romantisme doit être compté avec celui de l'Allemagne, comme l'une des sources de la poésie moderne issue de Baudelaire et de Nerval, a présenté récemment avec le groupe d'Auden et de ses amis une poésie beaucoup plus proche de celle des « unanimistes » français que de celle qui, en France, pourrait se réclamer du lointain parrainage de Coleridge ou de Shelley.

POÈTES DE L'ESPACE

I

DE VALERY LARBAUD A VICTOR SEGALEN

La frénésie mécanique du XXe siècle naissant s'étend aux voyages dont les rets enserrent de plus en plus étroitement la terre cependant que la vitesse réduit l'espace. Aussi voit-on de jeunes poètes, grisés par cette apparence de nouveauté que prend soudain la vieille terre, avidement et hâtivement parcourue, troquer le goût de l'aventure intérieure pour l'appétit de l'aventure tout court : le corps à corps avec les mille aspects de l'univers devant selon eux insuffler un sang jeune à la poésie.

Valery Larbaud[1] reconnaît dans cette poésie le « sentiment géographique moderne » et prête à son personnage romanesque, le multimillionnaire A. O. Barnabooth, disciple du primitif Whitman, ses propres poèmes. Dans ces poèmes, Valery Larbaud chante avec une sorte d'enivrement mélancolique les inépuisables richesses de la terre. Sous ces regards qui glissent si vite à travers nations et capitales, derrière les vitres des trains de luxe, l'Europe paraît familière, rendue plus émouvante, plus humaine par la rapidité et la multiplicité des voyages. Le monde même, pour cet enfant gâté qu'est Barnabooth ressemble à un vaste jardin. Ce départ perpétuel qui donne à la poésie de Valery Larbaud son rythme et sa couleur s'accompagne de ferveur et de désenchantement, comme s'il était en même temps qu'une poursuite, une fuite.

1. Né à Vichy en 1881. Mort en 1957. Œuvre principale : *Les Poésies de A. O. Barnabooth* (N.R.F. 1913). Références : *Valery Larbaud*, par G. Jean Aubry (Ed. du Rocher, 1949) ; *Essai sur Valery Larbaud*, par Bernard Delvaille (Ed. Seghers, Coll. Poètes d'aujourd'hui, 1963).

L'élégance, la légèreté, la saveur du dilettantisme voilent dans la poésie de Valery Larbaud « une angoisse sans bonheur sans cesse alimentée ».

ODE

Prête-moi ton grand bruit, ta grande allure si douce,
Ton glissement nocturne à travers l'Europe illuminée,
O train de luxe! et l'angoissante musique
Qui bruit le long de tes couloirs de cuir doré,
Tandis que derrière les portes laquées, aux loquets de cuivre lourd,
Dorment les millionnaires:

Je parcours en chantonnant tes couloirs
Et je suis ta course vers Vienne et Budapesth,
Mêlant ma voix à tes cent mille voix,
O Harmonika-Zug!
J'ai senti pour la première fois toute la douceur de vivre,
Dans une cabine du Nord-Express, entre Wirballen et Pskow.
On glissait à travers des prairies où des bergers,
Au pied de groupes de grands arbres pareils à des collines,
Étaient vêtus de peaux de moutons crues et sales...
(Huit heures du matin en automne, et la belle cantatrice
Aux yeux violets chantait dans la cabine à côté.)

Et vous, grandes glaces à travers lesquelles j'ai vu passer la Sibérie et les Monts du Samnium,
La Castille âpre et sans fleurs, et la mer de Marmara sous une pluie tiède!

Prêtez-moi, ô Orient-Express, Sud-Brenner-Bahn, prêtez-moi
Vos miraculeux bruits sourds et
Vos vibrantes voix de chanterelle;
Prêtez-moi la respiration légère et facile
Des locomotives hautes et minces, aux mouvements
Si aisés, les locomotives des rapides,
Précédant sans effort quatre wagons jaunes à lettres d'or
Dans les solitudes montagnardes de la Serbie,
Et, plus loin, à travers la Bulgarie pleine de roses...

Ah! il faut que ces bruits et que ce mouvement
Entrent dans mes poèmes et disent
Pour moi ma vie indicible, ma vie
D'enfant qui ne veut rien savoir, sinon
Espérer éternellement des choses vagues.

(Poésies de A. O. Barnabooth.)

« Frère aîné » de A. O. Barnabooth, Henry-Jean-Marie Levet[1] qui chanta la richesse de l'exotisme dans ses *Cartes Postales.*

OUTWARDS

A Francis Jammes.

L'Armand-Béhic (*des messageries Maritimes*)
File quatorze nœuds sur l'Océan Indien...
Le soleil se couche en des confitures de crimes,
Dans cette mer plate comme avec la main.

— Miss Roseway, qui se rend à Adélaïde,
Vers le Sweet Home au fiancé australien,
Miss Roseway, hélas, n'a cure de mon spleen;
Sa lorgnette sur les Laquedives, au loin...

— Je vais me préparer — sans entrain! — pour la fête
De ce soir : sur le pont, lampions, danses, romances
(Je dois accompagner Miss Roseway qui quête

— Fort gentiment — pour les familles des marins
Naufragés!). Oh, qu'en une valse lente, ses reins
A mon bras droit, je l'entraîne sans violence

Dans un naufrage où Dieu reconnaîtrait les siens...

John-Antoine Nau, dans ses *Hiers Bleus,* avait lui aussi goûté les charmes modernes du dépaysement. Plus tard,

1. Né en 1874. Mort en 1906. Œuvres principales : *Le Pavillon ou la saison de Thomas W. Lance* (Collection de l'Aube, 1897); *Le Drame de l'Allée* (1897); *Poèmes* (Œuvres poétiques complètes, Aux amis du Livre, 1921).

Paul Morand[1], Georges Gabory reprendront les thèmes du cosmopolitisme ou du voyage. Aux itinéraires vers la *Vie Antérieure*, aux évasions au profond de l'âme, dans les domaines longtemps ignorés ou interdits du rêve ou de la croyance, sur les *Bateaux ivres*, dans les *Saisons en enfer*, ou vers d'imaginaires pays où « tout n'est qu'ordre et beauté », certains poètes ont substitué la course sur les mers et les continents. Souvent, cependant, leur « Invitation au voyage » traduit une insatisfaction profonde qui n'est pas si loin de celle qu'avouait Baudelaire.

C'est ainsi que pour Victor Segalen[2] l'exotisme, le dépaysement prennent un sens profond et effacent l'aventure de l'espace au profit de l'aventure intérieure.

Admirateur de Claudel, annonciateur de Saint-John Perse, Victor Segalen dresse ses *Stèles*, à la gloire d'une Chine ancienne sans doute, mais plus encore en hommage à une certaine beauté fière de l'âme.

ÉLOGE ET POUVOIR DE L'ABSENCE

Je

ne prétends point être là, ni survenir à l'improviste, ni paraître en habits et chair, ni gouverner par le poids visible de ma personne,

Ni

répondre aux censeurs, de ma voix; aux rebelles, d'un œil implacable; aux ministres fautifs, d'un geste qui suspendrait les têtes à mes ongles.

Je

règne par l'étonnant pouvoir de l'absence. Mes deux cent soixante-dix palais tramés entre eux de galeries opaques s'emplissent seulement de mes traces alternées.

---

1. Né en 1888 à Paris. Œuvres principales : *Lampes à Arc* (Au Sans Pareil, 1919); *Feuilles de Température* (Au Sans Pareil, 1920); *Poèmes* (Au Sans Pareil, 1924). Référence : *Impertinences*, par Martin du Gard (Bloch, 1927).

2. Né en 1877 à Brest. Mort en 1919 à Huelgoat (Finistère). Œuvre : *Stèles* (Crès, 1917). Référence : *Victor Segalen*, par Jean-Louis Bédouin (Ed. Seghers, Coll. Poètes d'aujourd'hui, 1963).

Et

des musiques jouent en l'honneur de mon ombre;
des officiers saluent mon siège vide; mes
femmes apprécient mieux l'honneur des nuits
où je ne daigne pas.

Égal

aux Génies qu'on ne peut récuser puis-
qu'invisibles, — nulle arme ni poison ne saura
venir où m'atteindre.

II

BLAISE CENDRARS

L'œuvre poétique de Cendrars[1] commence par le livre du *Monde entier* et s'achève par celui intitulé *Au cœur du Monde*. Ces titres assemblés, *Du Monde entier au cœur du Monde*, se trouvent assez bien définir l'ambition de Cendrars mais encore, à mon sens, l'évolution suivie par sa poésie. Cet amour frénétique de l'univers, on le lit d'abord sur le portrait de Cendrars, sur ce visage d'aventurier à la bouche sensuelle et amère, dans ce regard de vagabond très humain, sur cette figure puissante, celle un peu d'un « mauvais garçon », qui aurait tout lu, tout vu, tout senti, tout pensé, tout aimé.

Une étonnante liberté de l'esprit, du corps et du langage anime les poèmes de Cendrars; une invention toujours diverse, toujours renouvelée du rythme, des images, impose au lecteur, avec violence, le sentiment d'une vie qui se veut tout imprévisible et tout entière dans le présent, la poésie s'identifiant avec cette jeunesse absolue du monde et de l'homme. Pour atteindre la poésie, il faudra donc vivre le plus intensément possible et pour cela, user et abuser de l'activité fébrile à laquelle le monde moderne, celui qui précéda 1914, s'adonnait sans mesure, croyant y trouver sa loi et son bonheur.

La lettre océan, écrit Cendrars, *n'a pas été inventée pour faire de la poésie.*

---

1. Né en 1887, mort à Paris en 1961. Œuvres poétiques principales : *Les Pâques à New York* (Ed. des Hommes Nouveaux, 1912) ; *La Prose du Transsibérien et de la petite Jeanne de France* (Ed. des Hommes Nouveaux, 1913, Seghers, 1957) ; *La Guerre au Luxembourg* (Niestlé, 1916) ; *Le Panama ou les Aventures de mes sept Oncles* (Ed. de la Sirène, 1918) ; *Dix-neuf poèmes élastiques* (Au Sans Pareil, 1919) ; *Kodak* (Stock, 1924) ; *Feuilles de Route* (Au Sans Pareil, 1924) ; *Petits Contes nègres pour les Enfants des Blancs* (Ed. Portiques, 1928) ; *Poésies complètes* (Ed. Denoël, 1944). Références : *Blaise Cendrars,* par Louis Parrot (Ed. Seghers, Coll. Poètes d'aujourd'hui) ; *Hommage à Blaise Cendrars* (Ed. du Mercure de France, 1962).

Mais quand on voyage, quand on commerce, quand on est à bord, quand on envoie des lettres océan
On fait de la poésie.

Et ailleurs :

Le seul fait d'exister est un véritable bonheur.

La poésie de Cendrars sera donc une poésie de conquérant; il y a dans ses vers un vaste appétit du monde qui n'est pas loin de la ferveur que durent connaître les grands navigateurs du XVe siècle. Seulement, maintenant que le globe entier est connu, il faudra tenter de pénétrer le plus grand nombre possible de ses aspects, et, comme Don Juan lancé dans une infernale poursuite des femmes, Cendrars apparaît hanté par les capitales, les ports, les routes, les océans, les sierras qui lui sont autant de conquêtes amoureuses. Cette quête nécessite un rythme nerveux, un rythme de course et de combat; c'est celui de ces poèmes souvent ramassés sur eux-mêmes, où ne s'attarde aucune concession à la grâce, où il n'y a que peu de trace d'attendrissement sur soi-même ou sur autrui, mais au contraire, une volonté de se durcir pour être digne du monde qui n'a pas le temps d'être tendre. En 1924, Cendrars écrivait :

Nous ne voulons pas être tristes
C'est trop facile
C'est trop bête
C'est trop commode

On a trop souvent l'occasion
C'est pas malin
Tout le monde est triste
Nous ne voulons pas être tristes

Cette attitude, si elle permet de brillantes réussites de style, des visions d'une justesse extrême qui nous restituent mille instants de l'univers, ne va pas sans sacrifier assez souvent la poésie au pittoresque. Mais quand, sous la rigueur de ce bonheur imposé, Cendrars laisse percer les doutes, les regrets, les amours d'un homme que, malgré lui, action et aventure ne parviennent pas à combler, alors quels beaux poèmes il nous donne, poignants et drus, où la détresse humaine, d'avoir longtemps été cachée paraît encore plus inéluctable comme en cette fin des *Pâques à New-York* :

. . . .

Seigneur, je rentre fatigué, seul et très morne...
Ma chambre est nue comme un tombeau...

Seigneur, je suis tout seul et j'ai la fièvre...
Mon lit est froid comme un cercueil...

Seigneur, je ferme les yeux et je claque des dents...
Je suis trop seul. J'ai froid. Je vous appelle...

Cent mille toupies tournoient devant mes yeux...
Non, cent mille femmes... Non, cent mille violoncelles...

Je pense, Seigneur, à mes heures malheureuses...
Je pense, Seigneur, à mes heures en allées...

Je ne pense plus à Vous. Je ne pense plus à Vous.

Dans la joie comme dans le désespoir, la poésie de Cendrars est toujours proche de la violence; elle n'est jamais pour moi aussi admirable que lorsqu'elle brasse toutes les richesses contradictoires du poète : son désir de la vie et son dégoût de la vie, sa soif de voyages, de pays, d'êtres et son sens de la solitude, son lyrisme et son humour, sa passion du réel et sa complicité avec le rêve. Tout cela, toutes ces tendances si diverses et si généreuses, je les rencontre miraculeusement unies dans la *Prose du Transsibérien et de la petite Jeanne de France*, chef-d'œuvre haletant qui transcrit la grandeur et la pitié des temps modernes. En voici la troisième strophe :

. . . .

Pourtant, j'étais fort mauvais poète
Je ne savais pas aller jusqu'au bout
J'avais faim
Et tous les jours et toutes les femmes dans les cafés et tous les verres
J'aurais voulu les boire et les casser
Et toutes les vitrines et toutes les rues

Et toutes les maisons et toutes les vies
Et toutes les roues des fiacres qui tournaient en tourbillon sur les mauvais pavés
J'aurais voulu les plonger dans une fournaise de glaives
Et j'aurais voulu broyer tous les os
Et arracher toutes les langues
Et liquéfier tous ces grands corps étranges et nus sous les vêtements qui m'affolent...
Je pressentais la venue du grand Christ rouge de la révolution russe...
Et le soleil était une mauvaise plaie
Qui s'ouvrait comme un brasier.

. . . .

Il y a là la même fougue, la même liberté que dans les poèmes de Rimbaud, mais le monde, depuis Rimbaud, s'est fait plus pressant et plus dense autour de l'homme; le langage de Cendrars est le fruit de cette neuve expérience : les affirmations brèves, parfois brutales, s'y succèdent, mais voilà qu'une phrase invisible relie toutes ces phrases en apparence « décousues » et qu'elle est la secrète musique de ce monde à la fois féroce et poignant, qu'elle est très exactement poésie :

. . . .

Et pourtant, et pourtant
J'étais triste comme un enfant
Les rythmes du train
La « Moelle chemin de fer » des psychiatres américains
le bruit des portes des voix des essieux grinçant sur les rails congelés
Le ferlin d'or de mon avenir
Mon browning le piano et les jurons des joueurs de cartes dans le compartiment d'à côté
L'épatante présence de Jeanne
L'homme aux lunettes bleues qu se promenait nerveusement dans le couloir et qui me regardait en passant
Froissis de femmes
Et le sifflement de la vapeur
Et le bruit éternel des roues en folie dans les ornières du ciel
Les vitres sont givrées
Pas de nature!

Et derrière les plaines sibériennes le ciel bas et les grandes ombres des Taciturnes qui montent et qui descendent
Je suis couché dans un plaid
Bariolé
Comme ma vie
Et ma vie ne me tient pas plus chaud que ce châle
Écossais.

. . . .

Non seulement par le choix des sujets, par les images, mais encore par le rythme rapide, voire syncopé de ses poèmes, il est aisé de voir que Cendrars ne demande pas à la poésie de le défaire du temps, de lui révéler l'homme dans son essence, mais au contraire de l'affirmer dans le temps ou mieux dans « son » temps, celui des machines :

CONTRASTE

Les fenêtres de ma poésie sont grand'ouvertes sur les Bouvards et dans ses vitrines
Brillent
Les pierreries de la lumière
Écoute les violons des limousines et les xylophones des linotypes
Le pocheur se lave dans l'essuie-main du ciel
Tout est taches de couleur
Et les chapeaux des femmes qui passent sont des comètes dans l'incendie du soir
L'unité
Il n'y a plus d'unité
Toutes les horloges marquent maintenant 24 heures après avoir été retardées de dix minutes
Il n'y a plus de temps.
Il n'y a plus d'argent.
A la Chambre
On gâche les éléments merveilleux de la matière première

Chez le bistro
Les ouvriers en blouse bleue boivent du vin rouge
Tous les samedis poule au gibier
On joue
On parie

De temps en temps un bandit passe en automobile
Ou un enfant joue avec l'Arc de Triomphe...
Je conseille à M. Cochon de loger ses protégés à la Tour Eiffel.
Aujourd'hui
Changement de propriétaire
Le Saint-Esprit se détaille chez les plus petits boutiquiers

Je lis avec ravissement les bandes de calicot
De coquelicot
Il n'y a que les pierres ponces de la Sorbonne qui ne sont jamais fleuries
L'enseigne de la Samaritaine laboure par contre la Seine
Et du côté de Saint-Séverin
J'entends
Les sonnettes acharnées des tramways

Il pleut des globes électriques
Montrouge Gare de l'Est Métro Nord-Sud bateaux-mouches monde
Tout est halo
Profondeur
Rue de Buci on crie l'Intransigeant et Paris-Sports
L'aérodrome du ciel est maintenant, embrasé, un tableau de Cimabue
Quand par devant
Les hommes sont
Longs
Noirs
Et fument, cheminées d'usine

L'homme ne se cherchera pas en lui-même mais hors de lui, en étreignant l'uinvers. On peut bien l'étreindre, cet univers; malgré le krach du Panama et quelques autres bagatelles, il n'a pas encore donné le jour aux monstres qu'en cachette il porte en ses flancs : on commence bien à s'entretuer çà et là, on crève bien de faim dans certains pays, mais on peut penser que ce ne sont là qu'accidents qui témoignent au contraire d'un excès de santé. Que l'on songe à Apollinaire, même ses poèmes de guerre faisaient confiance à son époque : « Dieu que la guerre est jolie! » Mais la guerre sonne cependant le glas de cette époque, les hommes et leurs poètes ne pourront plus se satisfaire du « monde entier ». Après l'avoir si ardemment chanté, Cendrars lui aussi s'en détournera et, déjà, se retirera en lui-même vers le *Cœur du Monde.*

VIE DANGEREUSE

Aujourd'hui je suis peut-être l'homme le plus heureux du monde
Je possède tout ce que je ne désire pas
Et la seule chose à laquelle je tienne dans la vie chaque tour d'hélice m'en rapproche
Et j'aurai peut-être tout perdu en arrivant

GUILLAUME APOLLINAIRE

« Prince de l'esprit moderne. »

A. Billy.

« Il sut comprendre, et donna le vert exemple, que rien n'est dit, au contraire de ce que prétendent les impuissants. »

André Rouveyre.

« Ces débauches de l'intelligence où les sentiments n'ont pas de part, la Renaissance seule permit qu'on s'y livrât, et Jarry, par un miracle, a été le dernier de ces débauchés sublimes. » C'est Apollinaire[1] qui parle ainsi de Jarry, mais il a tort de voir dans le père d'Ubu le dernier poète de la Renaissance car lui-même est homme de la, d'une Renaissance perpétuelle, ouverte également sur hier, aujourd'hui et demain, lui aussi a le goût des débauches du savoir qui permet au poète d'être le parfait « Flâneur des deux rives », de celle du passé comme de celle du futur. Cependant, à la différence de Jarry, à ces noces de l'esprit et du monde ancien et nouveau, les sentiments ont une grande part; ils font de cette étreinte du poète et de la vie, un long combat amoureux, un généreux affrontement.

Guillaume Apollinaire est le poète qui permet le passage des siècles défunts au siècle neuf par excellence, de là ses grâces savantes sous leur naïveté et qui se souviennent de Villon et de Nerval, de Laforgue et de Verlaine, et de

1. Né en 1880 à Rome. Mort le 9 novembre 1918 à Paris. Œuvres principales : *L'Hérésiaque et Cie* (nouvelles ; Stock, 1910 et 1945) ; *Le Bestiaire ou Cortège d'Orphée* (Deplanche, 1911) ; *Alcools, 1898-1913* (Société du Mercure de France, 1913 ; Gallimard, 1951) ; *Le Poète assassiné* (nouvelles ; l'Edition, 1916 ; Gallimard 1947) ; *Calligrammes* (poèmes de la paix et de la guerre, 1913-1916 ; Société du Mercure de France, 1918) ; *Vitam Impendere Amori* (Société du Mercure de France, 1918) ; *Œuvres Poétiques Complètes* (Ed. Gallimard, Bibl. de la Pléiade, 1956). *Références : Apollinaire*, par André Billy (Ed. Seghers, Coll. Poètes d'aujourd'hui, 1947) ; *Guillaume Apollinaire*, par Jeanine Moulin (Droz, 1952) ; *Amour et poésie d'Apollinaire*, par André Rouveyre (Le Seuil, 1955) ; *Apollinaire*, in *Poésie critique*, par Jean Cocteau (Gallimard, 1959).

Racine, de là encore sa « modernité » — au sens baudelairien du mot —, le chant lyrique de son temps, de là enfin sa prophétie. « J'ai la volonté d'être un poète nouveau, écrit-il à sa marraine de guerre, et autant dans la forme que dans le fond mais au rebours de quelques modernes non fondés en leur art j'ai le goût profond des grandes époques... », « La meilleure façon d'être classique et pondéré est d'être de son temps en ne sacrifiant rien de ce que les Anciens ont pu nous apprendre. »

Ce poète dont l'œuvre et l'esprit furent l'une des plus véritables sources de la poésie française de ce siècle, ô paradoxe, naquit à Rome, portait le nom lithuanien de Wilhelm Apollinaire de Kostrowitzky, et la légende lui attribuait pour père l'évêque de Monaco. Et ce fut ce cosmopolite, ce polyglotte, cet apatride qui, sous le pseudonyme de Guillaume Apollinaire devint le plus parisien des poètes.

Parisien : je songe à cette École de Paris, synonyme non seulement de peinture, mais de poésie, et dont Guillaume est le maître avec Max Jacob et Picasso. La rencontre de ces trois génies de vif-argent devait être capitale pour l'évolution de l'art contemporain; Guillaume a une trentaine d'années lorsque paraît au Mercure de France sa nostalgique *Chanson du Mal Aimé.* 1913 voit la parution de son recueil *Alcools* qui le rend célèbre. Apollinaire règne alors non seulement sur un groupe admiratif et nombreux de poètes et de peintres, mais suscite avec les deux amis que j'ai cités, par ses propos, ses boutades, son enseignement, ses mystifications aussi, et bien entendu son œuvre, toute la poésie et la peinture modernes.

La guerre survint et un amour malheureux, l'apatride s'engage; l'enchanteur s'enchante même des combats (*Dieu que la guerre est jolie*), et de ses amours désenchantées.

15 avril 1915.

J'écris tout seul à la lueur tremblante
d'un feu de bois
De temps en temps un obus se lamente
Et quelquefois

C'est le galop d'un cavalier qui passe
Sur le chemin
Parfois le cri sinistre de l'agace
Monte. Ma main

Dans la nuit trace avec peine ces lignes
Adieu, mon cœur.
Je trace aussi mystiquement les signes
Du Grand Bonheur

O mon amour mystique, ô Lou, la vie
Nous donnera
La délectation inassouvie
On connaîtra

Un amour qui sera l'amour unique
Adieu mon cœur
Je vois briller cette étoile mystique
Dont la couleur

Est de tes yeux la couleur ambiguë
J'ai ton regard
Et j'en ressens une blessure aiguë
Adieu, c'est tard.

(Ombre de Mon Amour.)

En mars 1916, Apollinaire lisait dans la tranchée la dernière livraison du *Mercure* lorsqu'un éclat d'obus le blessa à la tête. Hôpitaux, trépanation, hôpitaux : le 9 novembre 1918, la « grippe espagnole » emporte le poète. Au-dessous de ses fenêtres, sur le boulevard Saint-Germain, la foule crie : « A mort Guillaume! » Mais vive Guillaume Apollinaire car si le poète meurt, son œuvre garde sa puissance et sa vie, et l'*Esprit nouveau*, qu'il a fait éclore, illustré puis défini dans un manifeste, va continuer à gouverner les recherches et les découvertes des poètes.

« Il eût été étrange, écrivait-il, qu'à une époque où l'art populaire par excellence, le cinéma, est un livre d'images, les poètes n'eussent pas essayé de composer des images pour les esprits méditatifs et plus raffinés qui ne se contentent point des imaginations grossières des fabricants de films. Ceux-ci se raffineront et l'on peut prévoir le jour où le phonographe et le cinéma étant devenus les seules formes d'expression en usage, les poètes auront une liberté inconnue jusqu'à présent. Qu'on ne s'étonne point si, avec les seuls moyens dont ils disposent encore, ils s'efforcent de se préparer à cet art nouveau, plus vaste que l'art simple des paroles... »

Après cette vision future et si juste, la reconnaissance du passé : « L'Esprit nouveau se réclame avant tout de l'ordre et du devoir qui sont les grandes qualités classiques par quoi se manifeste le plus hautement l'esprit français, et il leur adjoint la liberté... »

Mais c'est bien la *liberté* qui va changer la poésie, la liberté qui est toujours aventure. Il se pourrait que le poète des *Calligrammes* tînt de ses jeunes années hasardeuses le sens de cette aventure spirituelle; un sens à la fois instinctif et raisonné qui parvient à faire d'une telle aventure des images, des associations d'idées et des mots une méthode particulièrement fructueuse. Il faut bien voir que le poète, peut-être pour avoir connu les prestiges sans doute de la vie « bohème » mais aussi les surprises, les périls, les échecs d'une telle existence, garde en lui en même temps que le goût du risque intellectuel, la nostalgie d'une tradition.

Dans cette contradiction, réside le charme ambigu de la poésie d'Apollinaire. Il est fervent de La Fontaine, de Malherbe — aussi de Maynard, de Motin, de Cyrano — ce lyrique dont le romantisme intérieur ne refuse pas l'héritage classique.

Et l'héritage lamartinien du *Lac* ? Ne prierait-il pas : « O temps suspends ton vol » ? lui qui avoue : « Je n'ai jamais désiré de quitter pour ma part le lieu où je vivais et j'ai toujours désiré que le présent quel qu'il fût perdurât... Rien ne détermine plus de mélancolie chez moi que cette fuite du temps. Elle est en désaccord si formel avec mon sentiment, mon identité, qu'elle est la source même de la poésie. » Poésie du temps passé — et la forme alors est elle-même réminiscence des poèmes anciens — comme dans *Le Pont Mirabeau* ou dans *Cors de chasse*.

LE PONT MIRABEAU

Sous le pont Mirabeau coule la Seine
Et nos amours
Faut-il qu'il m'en souvienne
La joie venait toujours après la peine

Vienne la nuit sonne l'heure
Les jours s'en vont je demeure

Les mains dans les mains restons face à face
Tandis que sous
Le pont de nos bras passe
Des éternels regards l'onde si lasse

Vienne la nuit sonne l'heure
Les jours s'en vont je demeure

L'amour s'en va comme cette eau courante
L'amour s'en va
Comme la vie est lente
Et comme l'espérance est violente

Vienne la nuit sonne l'heure
Les jours s'en vont je demeure

Passent les jours et passent les semaines
Ni temps passé
Ni les amours reviennent
Sous le pont Mirabeau coule la Seine

Vienne la nuit sonne l'heure
Les jours s'en vont je demeure

(Alcools.)

CORS DE CHASSE

Notre histoire est noble et tragique
Comme le masque d'un tyran
Nul drame hasardeux ou magique
Aucun détail indifférent
Ne rend notre amour pathétique

Et Thomas de Quincey buvant
L'opium poison doux et chaste
A sa pauvre Anne allait rêvant
Passons passons puisque tout passe
Je me retournerai souvent

Les souvenirs sont cors de chasse
Dont meurt le bruit parmi le vent

(Alcools.)

Poésie du temps qui passe mais aussi poésie du temps qui éclôt et de celui qui vient car si Guillaume se plaint avec une grâce mélancolique et comme enivrée et enivrante de la fuite des jours, il est passionnément épris du présent, un présent chargé de tous les siècles qui affleurent en lui comme tout le cortège de l'humanité passée et passante compose le poète qui chante de l'instant les racines, le cœur et l'horizon.

CORTÈGE

(fragment)

A M. Léon Bailby.

. . . .

Un jour je m'attendais moi-même
Je me disais Guillaume il est temps que tu viennes
Et d'un lyrique pas s'avançaient ceux que j'aime
Parmi lesquels je n'étais pas
Les géants couverts d'algues passaient dans leurs villes
Sous-marines où les tours seules étaient des îles
Et cette mer avec les clartés de ses profondeurs
Coulait sang de mes veines et fait battre mon cœur
Puis sur terre il venait mille peuplades blanches
Dont chaque homme tenait une rose à la main
Et le langage qu'ils inventaient en chemin
Je l'appris de leur bouche et je le parle encore
Le cortège passait et j'y cherchais mon corps
Tous ceux qui survenaient et n'étaient pas moi-même
Amenaient un à un les morceaux de moi-même
On me bâtit peu à peu comme on élève une tour
Les peuples s'entassaient et je parus moi-même
Qu'ont formé tous les corps et les choses humaines

Temps passés Trépassés Les dieux qui me formâtes
Je ne vis que passant ainsi que vous passâtes
Et détournant mes yeux de ce vide avenir
En moi-même je vois tout le passé grandir

Rien n'est mort que ce qui n'existe pas encore
Près du passé luisant demain est incolore
Il est informe aussi près de ce qui parfait
Présente tout l'ensemble et l'effort et l'effet

(Alcools.)

Poète du temps, Apollinaire est encore exceptionnellement sensibilisé à l'avenir. Il veut « être un poète nouveau et autant dans la forme que dans le fond ». Fidèle à une culture, il ne veut pourtant pas en rester le prisonnier; il entend faire de la poésie, on l'a vu, la liberté même. Et quel meilleur moyen d'éprouver le jaillissement de la liberté que d'aller de surprise en surprise ? La surprise est inséparable de l'*Esprit nouveau*, et si le poème est *surprenant* c'est que d'abord le poète aura tenté de se surprendre lui-même afin de briser les inerties, les habitudes, les scléroses intérieures toujours menaçantes, toujours en train d'ensabler les sources de l'esprit. Toutes les surprises alors seront les bienvenues : surprise par l'intégration d'un ordre sentimental et esthétique étranger à celui du poète, celui par exemple du primitivisme subjectif du douanier Rousseau ou du primitivisme collectif de l'art nègre, surprise par la mystification à la Jarry, c'est-à-dire : défi lancé par besoin de la liberté aussi bien à soi-même qu'aux autres; surprise de la guerre considérée comme une féerie meurtrière, surprises de la vie moderne. « Le nouveau, note-t-il, est tout dans la surprise. C'est ce qu'il y a en lui de plus neuf, de plus vivant. »

Apollinaire ne détruit pas la théorie romantique de l'inspiration mais il la corrige en cherchant tous les moyens susceptibles de provoquer volontairement cette inspiration. Par exemple, au lieu d'engager la lutte contre le hasard comme le faisait Mallarmé, il entend faire de ce hasard un puissant allié de la poésie; pour cela il se fie aux apports imprévus du monde extérieur ou à ceux de l'écriture sinon automatique du moins machinale. Il n'est rien selon lui qui ne puisse devenir source de poésie : aussi bien les sentiments, les rêveries, les aspirations qui, jusqu'alors, étaient considérées comme le domaine choisi du poète, que ce qui pouvait passer pour l'antipoésie même : les aspects les plus banals et les plus hétéroclites de l'existence : conversations dont le décousu vient apporter humour et mouvement à un poème comme : *Lundi rue Christine,* monologue intérieur avec ses sensations, ses impressions, ses rêveries qui fait envahir, dans un poème comme *Zone,* par le discontinu du vécu, la continuité de la poésie; images de la rue : de son fantastique et de ses misères qui s'entrelacent avec les souvenirs de l'amour, avec aussi l'alcool de la vie et l'angoisse de la solitude.

ZONE

(fragment)

. . . .

Maintenant tu marches dans Paris tout seul parmi la foule
Des troupeaux d'autobus mugissants près de toi roulent
L'angoisse de l'amour te serre le gosier
Comme si tu ne devais jamais plus être aimé
Si tu vivais dans l'ancien temps tu entrerais dans un monastère
Vous avez honte quand vous vous surprenez à dire une prière
Tu te moques de toi et comme le feu de l'Enfer ton rire pétille
Les étincelles de ton rire dorent le fond de ta vie
C'est un tableau pendu dans un sombre musée
Et quelquefois tu vas la regarder de près
Aujourd'hui tu marches dans Paris les femmes sont ensanglantées
C'était et je voudrais ne pas m'en souvenir c'était au déclin de la beauté

Entourée de flammes ferventes Notre-Dame m'a regardé à Chartres
Le sang de votre Sacré-Cœur m'a inondé à Montmartre
Je suis malade d'ouïr les paroles bienheureuses
L'amour dont je souffre est une maladie honteuse

Et l'image qui te possède te fait survivre dans l'insomnie et dans l'angoisse
C'est toujours près de toi cette image qui passe

. . . .

Tu es à Paris chez le juge d'instruction
Comme un criminel on te met en état d'arrestation

Tu as fait de douloureux et de joyeux voyages
Avant de t'apercevoir du mensonge et de l'âge
Tu as souffert de l'amour à vingt et à trente ans
J'ai vécu comme un fou et j'ai perdu mon temps
Tu n'oses plus regarder tes mains et à tous moments je voudrais sangloter
Sur toi sur celle que j'aime sur tout ce qui t'a épouvanté

Tu regardes les yeux pleins de larmes ces pauvres émigrants
Ils croient en Dieu ils prient les femmes allaitent des enfants
Ils emplissent de leur odeur le hall de la gare Saint-Lazare
Ils ont foi dans leur étoile comme les rois-mages
Ils espèrent gagner de l'argent dans l'Argentine
Et revenir dans leur pays après avoir fait fortune
Une famille transporte un édredon rouge comme vous transportez votre cœur
Cet édredon et nos rêves sont aussi irréels
Quelques-uns de ces émigrants restent ici et se logent
Rue des Rosiers ou rue des Ecouffes dans des bouges
Je les ai vus souvent le soir ils prennent l'air dans la rue
Et se déplacent rarement comme les pièces aux échecs
Il y a surtout des Juifs leurs femmes portent perruque
Elles restent assises exsangues au fond des boutiques

Tu es debout devant le zinc d'un bar crapuleux
Tu prends un café à deux sous parmi les malheureux

Tu es la nuit dans un grand restaurant

Ces femmes ne sont pas méchantes elles ont des soucis cependant
Toutes même la plus laide a fait souffrir son amant
Elle est la fille d'un sergent de ville de Jersey

Ses mains que je n'avais pas vues sont dures et gercées
J'ai une pitié immense pour les coutures de son ventre

J'humilie maintenant à une pauvre fille au rire horrible ma bouche

Tu es seul le matin va venir
Les laitiers font tinter leurs bidons dans les rues

La nuit s'éloigne ainsi qu'une belle Métive
C'est Ferdine la fausse ou Léa l'attentive

Et tu bois cet alcool brûlant comme ta vie
Ta vie que tu bois comme une eau-de-vie

Tu marches vers Auteuil tu veux aller chez toi à pied
Dormir parmi tes fétiches d'Océanie et de Guinée

Ils sont des Christ d'une autre forme et d'une autre croyance
Ce sont les Christ inférieurs des obscures espérances

Adieu Adieu

Soleil cou coupé

(Alcools.)

Cet ensemble de recherches placées sous le signe de la poésie est parallèle à la richesse d'expérimentation scientifique qui marque le siècle naissant, et Apollinaire est conscient d'une telle correspondance puisque, selon lui, le poète « lutte pour le rétablisement de l'esprit d'initiative, pour la claire compréhension de son temps et pour ouvrir des vues nouvelles sur l'univers intérieur et extérieur qui ne soient point inférieures à celles que les savants de toutes catégories découvrent chaque jour et dont ils tirent des merveilles ».

Ces *merveilles*, Apollinaire les pressent, les annonce. « La grande force est le désir », affirme-t-il, ce désir qui pousse l'homme aussi bien à découvrir l'univers de son amour que celui de la progression indéfinie de ses pouvoirs. Le désir : magie et prophétie.

LES COLLINES

(fragments)

. . . .

Où donc est tombée ma jeunesse
Tu vois que flambe l'avenir
Sache que je parle aujourd'hui
Pour annoncer au monde entier
Qu'enfin est né l'art de prédire

Certains hommes sont des collines
Qui s'élèvent d'entre les hommes
Et voient au loin tout l'avenir
Mieux que s'il était le présent
Plus net que s'il était passé

Ornement des temps et des routes
Passe et dure sans s'arrêter
Laissons sibiler les serpents
En vain contre le vent du sud
Les Psylles et l'onde ont péri

Ordre des temps si les machines
Se prenaient enfin à penser
Sur les plages de pierreries
Des vagues d'or se briseraient
L'écume serait mère encore

Moins haut que l'homme vont les aigles
C'est lui qui fait la joie des mers
Comme il dissipe dans les airs
L'ombre et les spleens vertigineux
Par où l'esprit rejoint le songe

Voici le temps de la magie
Il s'en revient attendez-vous
A des milliards de prodiges
Qui n'ont fait naître aucune fable
Nul les ayant imaginés

Profondeurs de la conscience
On vous explorera demain
Et qui sait quels êtres vivants
Seront tirés de ces abîmes
Avec des univers entiers

Voici s'élever des prophètes
Comme au loin des collines bleues
Ils sauront des choses précises
Comme croient savoir les savants
Et nous transporteront partout

La grande force est le désir
Et viens que je te baise au front
O légère comme une flamme
Dont tu as toute la souffrance
Toute l'ardeur et tout l'éclat

. . . .

(Calligrammes.)

Ce sont bien des merveilles que Guillaume Apollinaire, lui aussi, a demandé à la poésie de faire éclore pour répondre à son désir et au nôtre, inquiet parfois de ce que l'on ne sache pas reconnaître, sous sa fantaisie et ses audaces, l'authenticité et la gravité de sa passion.

Nous qui quêtons partout l'aventure,
Nous ne sommes pas vos ennemis.

Celui qui écrivit ces vers et proclama :

« O bouches, l'homme est à la recherche d'un langage nouveau » accomplit cette quête et sut faire que « tout ait un nom nouveau »; son œuvre, d'une part, tout naturellement renouvelle une longue tradition du lyrisme français qui, de Villon et de Charles d'Orléans, va à Nerval et à Verlaine; d'autre part, détermine le mouvement poétique qui à travers le Surréalisme, informe la plupart des œuvres de ce temps.

« Mes chants tombent comme des graines », l'avenir a pleinement justifié cette parole d'Apollinaire en s'emplissant de l'écho de ces chants. L'un d'eux, celui qu'Apollinaire intitule *La Jolie Rousse*, est le plus beau des testaments poétiques, par-delà l'image douloureuse de la mort, il confond la poésie et notre vie, et celle de tous les poètes, celle de tous les hommes à venir.

LA JOLIE ROUSSE

Me voici devant tous un homme plein de sens
Connaissant la vie et de la mort ce qu'un vivant peut connaître
Ayant éprouvé les douleurs et les joies de l'amour
Ayant su quelquefois imposer ses idées
Connaissant plusieurs langages
Ayant pas mal voyagé
Ayant vu la guerre dans l'Artillerie et l'Infanterie
Blessé à la tête trépané sous le chloroforme
Ayant perdu ses meilleurs amis dans l'effroyable lutte
Je sais d'ancien et de nouveau autant qu'un homme seul pourrait des deux savoir
Et sans m'inquiéter aujourd'hui de cette guerre
Entre nous et pour nous mes amis
Je juge cette longue querelle de la tradition et de l'invention
De l'Ordre de l'Aventure

Vous dont la bouche est faite à l'image de celle de Dieu
Bouche qui est l'ordre même
Soyez indulgents quand vous nous comparez
A ceux qui furent la perfection de l'ordre
Nous qui quêtons partout l'aventure

Nous ne sommes pas vos ennemis
Nous voulons vous donner de vastes et d'étranges domaines
Où le mystère en fleurs s'offre à qui veut le cueillir
Il y a là des feux nouveaux des couleurs jamais vues
Mille phantasmes impondérables
Auxquels il faut donner de la réalité
Nous voulons explorer la bonté contrée énorme où tout se tait
Il y a aussi le temps qu'on peut chasser ou faire revenir
Pitié pour nous qui combattons toujours aux frontières
De l'illimité et de l'avenir
Pitié pour nos erreurs pitié pour nos péchés

Voici que vient l'été la saison violente
Et ma jeunesse est morte ainsi que le printemps
O soleil c'est le temps de la Raison ardente

Et j'attends
Pour la suivre toujours la forme noble et douce
Qu'elle prend afin que je l'aime seulement
Elle vient et m'attire ainsi qu'un fer l'aimant
Elle a l'aspect charmant
D'une adorable rousse

Ses cheveux d'or on dirait
Un bel éclair qui durerait
Ou ces flammes qui se pavanent
Dans les roses-thé qui se fanent

Mais riez riez de moi
Hommes de partout surtout gens d'ici
Car il y a tant de choses que je n'ose vous dire
Tant de choses que vous ne me laisseriez pas dire
Ayez pitié de moi

(Calligrammes.)

MAX JACOB

« ... il fait si bien que l'on ne sait plus si c'est l'âme la plus ingénue ou la plus rouée... »

MARCEL ARLAND.

A propos des vers *bretonnants* qu'il signait du pseudonyme de Morven le Gaëlique, Max Jacob[1] écrivait au sûr ami de la poésie qu'est M. Julien Lanoë : « Comme vous avez raison de penser que le moins mauvais de moi est là, ce que je dois à ma ville, à mes églises, à ma verdure sur ses rochers et jusqu'à Son *Dieu* qui est aussi le mien. »

Le mysticisme celtique a pu marquer l'œuvre et la poésie de cet enfant de Bretagne tout en s'alliant à un autre mysticisme, celui de la race juive à laquelle Max appartenait (porteur de l'étoile jaune il mourut à Drancy où l'avaient emprisonné les nazis).

En 1909, dans sa chambre parisienne de la rue Ravignan, Max vit le Christ apparaître; cinq ans plus tard il reçoit le baptême. Ce poète adonné aux jeux du monde ne rêve que solitude, ce mystificateur prépare sourdement en lui le mystique, ce pécheur acharné aspire à la sainteté, ce « burlesque » pressent qu'il finira martyr — son subconscient se souvient peut-être du long martyre de sa race. Jacob poète et prophète.

L'auteur de *Frère Matorel* deviendra, par étapes, un dévot ermite. C'est en 1921 que, fuyant les tentations du siècle, il fait retraite pour la première fois à Saint-Benoît-

---

1. Né en 1876. Mort en 1944 à Drancy. Œuvres : *Saint-Matorel* (N.R.F.); *Le Cornet à dés* (1917; Stock puis N.R.F.); *Dos d'Arlequin* (Kra, 1919); *Le Laboratoire central* (Au Sans Pareil, 1920); *Le Cabinet noir* (N.R.F., 1922); *Les Pénitents en Maillots roses* (Kra, 1925); *Visions infernales* (N.R.F., 1924); *Conseils à un jeune poète* (N.R.F., 1945); *Morven le Gaëlique* (Gallimard, 1953); *Le Cornet à Dés II* (N.R.F., 1955); Références : *Max Jacob*, par André Billy (Ed. Seghers, coll. Poètes d'aujourd'hui, 1946); *Max Jacob, l'homme qui faisait penser à Dieu*, par Jean Rousselot (Ed. Robert Laffont, 1946); *Dialogues avec Max Jacob*, par Louis Emié (Ed. Corrêa, 1954).

sur-Loire; quelques années plus tard il revient à Paris, puis de nouveau en 1936, et cette fois définitivement, se retire à Saint-Benoît, où, jusqu'à sa tragique arrestation, il mènera une vie profondément religieuse.

Les Œuvres burlesques et mystiques de Frère Matorel, Le Cornet à Dés, La Défense de Tartufe, Le Laboratoire Central, Visions infernales, Les Pénitents en maillots roses, Ballades, récemment *Les Poèmes de Morven le Gaëlique,* tels sont les principaux titres de l'œuvre poétique de Max Jacob, du moins de l'œuvre publiée car il a laissé de fort nombreux inédits. Cette œuvre a eu une influence considérable; pourtant, plus d'une fois, cette influence semble avoir été oubliée par ceux qui en tirèrent parti, et, de son vivant, Max Jacob n'eut certes pas la gloire qu'il méritait : ce sont surtout de jeunes poètes — je pense en particulier à Jean Rousselot et à ses amis — qui, dans les dernières années de sa vie, l'entourèrent de leur affectueuse admiration.

Il y a dans la poésie de Max Jacob un mélange aussi émouvant que rusé de rêve, de souvenirs d'enfance, de fantaisie, de contes de fée pour grandes personnes.

POUR LES ENFANTS ET POUR LES RAFFINÉS

A Paris
Sur un cheval gris
A Nevers
Sur un cheval vert
A Issoire
Sur un cheval noir
Ah! qu'il est beau! qu'il est beau!
Ah! qu'il est beau! qu'il est beau!
Tiou!

C'est la cloche qui sonne
Pour ma fille Yvonne.
Qui est mort à Perpignan ?
C'est la femm' du commandant.
Qui est mort à la Rochelle ?
C'est la nièce au colonel!
Qui est mort à Épinal ?
C'est la femme du caporal!
Tiou!

Et à Paris, papa chéri.
Fais à Paris! qu'est-ce que tu me donnes à Paris ?

Je te donne pour ta fête
Un chapeau noisette
Un petit sac en satin
Pour le tenir à la main.
Un parasol en soie blanche
Avec des glands sur le manche
Un habit doré sur tranche
Des souliers couleur orange.
Ne les mets que le dimanche
Un collier, des bijoux
Tiou!

C'est la cloche qui sonne
Pour ma fille Yvonne!
C'est la cloche de Paris
Il est temps d'aller au lit
C'est la cloche de Nogent
Papa va en faire autant.
C'est la cloche de Givet
Il est l'heure d'aller se coucher.

Ah! non! pas encore! dis!
Achète-moi aussi une voiture en fer
Qui lève la poussière
Par devant et par derrière,
Attention à vous! mesdames les garde-barrières
Voilà Yvonne et son p'tit père
Tiou!

(Les œuvres burlesques
et mystiques de Frère Matorel.)

LA SALTIMBANQUE EN WAGON DE TROISIÈME CLASSE

La saltimbanque! la saltimbanque
a pris l'express à neuf heures trente
a pris l'express de Paris-Nantes

Prends garde garde ô saltimbanque
que le train partant ne te manque
Et voici son cœur qui chante :
oh! sentir dans la nuit clémente
qu'on suit la direction d'un grand fleuve
dans la nuit de l'ouest dans la nuit veuve!
Mais on ne me laissera donc pas seule
sous mon rêve avec son saule
Gens de Saumur! gens de Saumur!
Oh! laissez-moi dans ma saumure.
Abstenez-vous, gens de Saumur, de monter dans cette voiture.
Elle rêve à son maillot jaune
qui doit si bien aller à sa chevelure
quand elle la rejette loin de sa figure
Elle rêve à son mari qui est jeune
plus jeune qu'elle et à son enfant
qui est visiblement un génie.
La saltimbanque est tcherkesse
elle sait jouer de la grosse caisse
Elle est belle et ne fait pas d'épates
elle a des lèvres comme la tomate.

(Les Pénitents en maillots roses.)

Une extrême mobilité de l'esprit et de la sensibilité se fait jour dans ces poèmes qui vont de la comptine à la méditation métaphysique, du calembour au sanglot, de la parodie à l'hallucination. Souvent même, dans un seul poème on rencontre toutes ces tendances auxquelles, malgré leurs contradictions, Max Jacob sait imposer une indéniable unité poétique : loin d'être le jouet de ces penchants si divers, il tire parti de chacun d'eux, de leurs contrastes notamment : utilise-t-il le calembour, c'est pour provoquer une sorte de rebondissement poétique — tout un poème des *Œuvres burlesques et mystiques de Frère Matorel* est un jeu sur les mots « manège » et « ménage ».

AVENUE DU MAINE

Les manèges déménagent.
Manèges, ménageries, où ?... et pour quels voyages ?
Moi qui suis en ménage
Depuis... ah! il y a bel âge!
De vous goûter, manèges,
Je n'ai plus... que n'ai-je ?
L'âge
Les manèges déménagent.
Ménager manager
De l'avenue du Maine
Qui ton manège mène
Pour mener ton ménage!
Ménage ton ménage
Manège ton manège.
Ménage ton manège.
Manège ton ménage.
Mets des ménagements
Au déménagement.
Les manèges déménagent,
Ah! vers quels mirages ?
Dites pour quels voyages
Les manèges déménagent.

Jongleries, pensera-t-on ? Non, plutôt : inquiétude, pudeur d'une part; volonté, d'autre part, de faire pour la poésie flèche de tout mot, de toute image, de tout hasard. *Le Cornet à Dés*, ce titre ne semble-t-il pas répondre par défi au « Un coup de dé jamais n'abolira le hasard » de Mallarmé ? C'est dans la préface à ce recueil de poèmes en prose que Max Jacob déclare : « Il y a longtemps que je me suis appliqué à saisir en moi, *de toutes manières* (c'est moi qui souligne) les données de l'inconscient : *mots en liberté*, associations hasardeuses des idées, rêves de la nuit et du jour, hallucinations, etc... ». Les surréalistes pourraient reprendre à leur compte une telle volonté et une telle méthode : l'une et l'autre présupposent, d'ailleurs, chez Max Jacob une croyance non pas en une surréalité mais au surnaturel, et pour révéler celui-ci le poète use consciemment des ressources de l'inconscient.

« Surnaturel, je me cramponne à ton drapeau de soie », dit-il. Mais dans cette quête du surnaturel, par crainte d'être dupe, le poète brise sans cesse l'élan de sa poésie, ou bien, au mystère désiré, substitue une étrangeté concertée, celle précisément des étonnants poèmes en prose du « Cornet à dés », pour lesquels il ne se « reconnaissait pour maîtres (...) que Aloysius Bertrand et Marcel Schwob ». Un vif esprit satirique né de l'observation des ridicules quotidiens, une imagination cocasse, une parodie admirative des feuilletons à la Fantômas, une connaissance subtile des métamorphoses du rêve font du « Cornet à dés » mille livres en un.

LE PARADIS ABSTRAIT

Comme le soleil était sous les arbres, il n'y avait pas d'ombre. Comme les arbres étaient parfaits, ils n'avaient pas de feuilles, et les animaux aussi étaient parfaits et sans fourrures ni griffes. C'est là que je vis et que j'entendis. Je vis des hommes d'une supériorité qui était devenue l'ingénuité, de sorte qu'ils jouaient, car rien n'était nécessaire. On jouait à la couture, au mont de piété, au bureau-caisse, au toréador, et les femmes étaient nues :

« Ma chère, donnez-moi les ciseaux pour couper ce fil, disait une jolie blonde ou blanche de six cents ans, absolument nue : Et cela faisait rire d'un rire pur ces dames séculaires qui savaient tout :

« Que ferez-vous de votre garçon quand il aura mille ans ?

— Il jouera au conseiller de préfecture, jusqu'à sa majorité, puis il jouera au conseiller d'État. »

(fragments)

. . . .

Mille bouquets de bosquets, mille bosquets de bouquets et mille camomilles. Si tu veux, ma gentille, tu mettras ta mantille. La mare a, dans la nuit, des vertèbres aussi profondément vertes que les mousses de mes pistils.

N'allumez pas! n'allumez pas la lampe! l'abbé saurait mon secret; il me suivrait dans cette chambre et mon père lui-même y viendrait. C'est comme un couteau à l'approche de mon cœur.

Le mystère est dans cette vie, la réalité dans l'autre; si vous m'aimez, si vous m'aimez, je vous ferai voir la réalité.

N'est-il pas vrai que l'épi de blé et le peuplier aient quelque ressemblance ? L'un veut dire abondance, l'autre orgueil.

Ma Séléné, à moi, n'est pas la vaseline énorme avec, ô Séléné, du démêlé, du démêloir, tout autour, c'est, rayé de jaune, de l'onyx qui brûle et brille.

Vu à contre-jour ou autrement, je n'existe pas et pourtant je suis un arbre.

Quand on donne aux magiciens le morceau d'un vêtement, ils connaissent celui qui le porte, moi, quand je mets ma chemise, je sais ce que je pensais la veille.

. . . .

De rose, l'humour ici vire aisément au noir et à ses prémonitions :

LA GUERRE

Les boulevards extérieurs, la nuit, sont pleins de neige; les bandits sont des soldats; on m'attaque avec des rires et des sabres, on me dépouille : je me sauve pour retomber dans un autre carré. Est-ce une cour de caserne, ou celle d'une auberge ? que de sabres! que de lanciers! il neige! on me pique avec une seringue : c'est un poison pour me tuer; une tête de squelette voilée de crêpe me mord le doigt. De vagues réverbères jettent sur la neige la lumière de ma mort.

Quand on songe que la vie et la poésie de Jacob sont hantées par le désir du ciel et la crainte de l'enfer, on ne peut d'abord s'empêcher d'être étonné par la prépondérance de l'humour dans l'œuvre de Max : mais il faut bien voir que cet humour est indissociable chez lui et de l'angoisse et de la soif de pureté. En détruisant l'esprit de sérieux, l'humour permet à l'ingénuité de la foi de s'épanouir, et, en conférant aux choses effrayantes un aspect cocasse il dissipe la peur.

LA NONNE SANGLANTE

Le confessionnal. La chaire à prêcher est un bol. On a transporté des bahuts à couvercles, des bancs sculptés et pendant que le surplis parle avec force gestes convaincants, les couvercles se soulèvent et des yeux ensanglantés paraissent et disparaissent et des bras verdâtres.

Sans l'humour, l'épouvante de ces *Visions infernales* pourrait-elle être vaincue, et céder la place à la plus grande ingénuité ? Celle que Max Jacob, le subtil, le virtuose, l'étrange, réclamait pour nature profonde : « Ne voyez en moi qu'un aède qui répète en balbutiant les mélodies dont on a bercé son enfance... » Et encore, proche de la mort : « Le lyrisme à l'état pur se trouve dans quelques romances populaires et dans les contes d'enfants ». Naïveté du lyrisme et de la foi, Jacob aura bien fait des détours avant de les retrouver — et sans cesse les perdant de nouveau, sans cesse les retrouvant; mais qu'il se souvienne de « la voix des ouvriers brodeurs de (son) père et (de) celle de (la) bonne », de sa grand-mère et le voilà en pleine nostalgie de légendes.

ÉTABLISSEMENT D'UNE COMMUNAUTÉ AU BRÉSIL

On fut reçu par la fougère et l'ananas
L'antilope craintif sous l'ipécacuanha.
Le moine enlumineur quitta son aquarelle
Et le vaisseau n'avait pas replié son aile
Que cent abris légers fleurissaient la forêt.
Les nonnes labouraient. L'une d'elles pleurait
Trouvant dans une lettre un sujet de chagrin
Un moine intempérant s'enivrait de raisin.
Et l'on priait pour le pardon de ce péché
On cueillait des poisons à la cime des branches
Et les moines vanniers tressaient des urnes blanches
Un forçat évadé qui vivait de la chasse
Fut guéri de ses plaies et touché de la grâce :
Devenu saint, de tous les autres adoré,
Il obligeait les fauves à leur lécher les pieds.
Et les oiseaux du ciel, les bêtes de la terre
Leur apportaient à tous les objets nécessaires.

Un jour on eut un orgue au creux de murs crépis
Des troupeaux de moutons qui mordaient les épis
Un moine est bourrelier, l'autre est distillateur
Le dimanche après vêpre on herborise en chœur.
Saluez le manguier et bénissez la mangue
La flûte du crapaud vous parle dans sa langue
Les autels sont parés de fleurs vraiment étranges
Leurs parfums attiraient le sourire des anges,
Des sylphes, des esprits blottis dans la forêt
Autour des murs carrés de la communauté.
Or voici qu'un matin quand l'Aurore saignante
Fit la nuée plus pure et plus fraîche la plante
La forêt où la vigne au cèdre s'unissait,
Parut avoir la teigne. Un nègre paraissait
Puis deux, puis cent, puis mille et l'herbe en était teinte

Et le Saint qui pouvait dompter les animaux
Ne put rien sur ces gens qui furent ses bourreaux.
La tête du couvent roula dans l'herbe verte
Et des moines détruits la place fut déserte
Sans que rien dans l'azur ne frémît de la mort.

C'est ainsi que vêtu d'innocence et d'amour
J'avançais en traçant mon travail chaque jour
Priant Dieu et croyant à la beauté des choses
Mais le rire cruel, les soucis qu'on m'impose
L'argent et l'opinion, la bêtise d'autrui
Ont fait de moi le dur bourgeois qui signe ici.

Max Jacob me paraît avoir expérimenté dès son enfance la vertu défensive de l'humour poétique; « quand mes cinq frères et sœurs et moi, écrit-il, tout petits, revenions de la foire des saltimbanques à la nuit, sous la conduite de la bonne, nous avions très peur dans l'escalier, sans minuterie, j'avais improvisé ceci : « Messieurs les chats et messieurs les voleurs, messieurs les chats ne me griffez pas! Messieurs les voleurs, ne me faites pas peur! » Toute l'œuvre primesautière, tendre et déconcertante, ingénue et rouée, rigoureuse et pathétique de Max Jacob n'est-elle pas — comme sa foi — une conjuration de l'angoisse ?

MES SABOTS

Mes sabots, mes sabots
ouss que j'ai laissé mes sabots ?
— En bas de l'escalier
l'escalier des sardines
l'escalier de l'Entrepont
— Mes sabots, mes sabots
ouss que j'ai laissé mes sabots ?
— A la porte du cimetière
le jour de votre enterrement
— Oh! mon Dieu! quelle misère!
j'avais oublié mon serment
de ne pas emporter la terre
au paradis ou à l'enfer.

(Poèmes de Morven le Gaëlique.)

LÉON-PAUL FARGUE

Fargue[1] aime le langage pour le langage. Il s'en barbouille comme d'une exquise et inépuisable confiture. Il peuple le monde, le rêve, la solitude et le silence de fourmilières de mots. Non pas de n'importe quels mots mais de ses mots à lui. Mots qu'il a assemblés, tordus, déchirés, recollés jusqu'à ce qu'ils lui appartiennent corps et âmes. Ainsi sa solitude ne se nourrit-elle (mais alors à en déborder!) que de ce monologue que le poète ne cesse de pétrir avec amour.

Cette coulée de langage traduit la vérité d'un homme accroché à la vie et à la vie de sa ville comme asphalte à la chaussée. Pas d'intervalles, pas de ruptures, nul trou dans le jour ni dans la nuit, et pas de frontières. Là où manque un être ou un objet, fantômes et souvenirs sont tapis, plus denses encore que la chair ou que la pierre.

RAPPEL

Il aime à descendre dans la ville à l'heure où le ciel se ferme à l'horizon comme un vaste phalène. Il s'enfonce au cœur de la rue comme un ouvrier dans sa tranchée. La cloche a plongé devant les fenêtres et les vitrines qui s'allument. Il semble que tous les regards du soir s'emplissent de larmes. Comme dans une opale, la lampe et le jour luttent avec douceur.

Des conseils s'écrivent tout seuls et s'étirent en lettres de

---

1. Né en 1876 à Paris. Mort en 1947. Œuvres : *Tancrède* (Ed. de la Phalange, 1894-1911); *Pour la Musique* (N.R.F.); *Poèmes* (N.R.F., 1918); *Banalité* (N.R.F.); *Vulturne* (N.R.F.); *Epaisseurs* (N.R.F.); *Suite familière* (N.R.F.); *D'après Paris* (N.R.F.); *Le piéton de Paris* (Gallimard, 1939); *Haute Solitude* (Emile Paul, 1914) ; *Poésies*, préface de Saint-John Perse (Ed. Gallimard, 1963). Références : *L. P. Fargue*, par Claudine Chonez (Ed. Seghers, Coll. Poètes d'aujourd'hui, 1950).

lave au front des façades. Des danseurs de corde enjambent l'abîme. Un grand faucheux d'or tourne sur sa toile aux crocs d'un buisson plein de fleurs. Un acrobate grimpe et s'écroule en cascade. Des naufrageurs font signe à d'étranges navires. Les maisons s'avancent comme des proues de galères où tous les sabords s'éclairent. L'homme file entre leurs flancs d'or comme une épave dans un port.

Sombres et ruisselantes, les autos arrivent du large comme des squales à la curée du grand naufrage, aveugles aux signes fulgurants des hommes.

(D'après Paris.)

S'il n'y a pas place pour le vide, hélas, il y a bien place pour les blessures du cœur : dans cet univers si tassé, la mort, la trahison frappent. Un jour il ne reste plus à l'auteur de *Vulturne* que la solitude.

ACCOUDÉ

. . . .

J'ai vu mentir les bouches que j'aimais; j'ai vu se fermer, pareils à des ponts-levis, les cœurs où logeait ma confiance; j'ai surpris des mains dans mes poches, des regards dans ma vie intérieure; j'ai perçu des chuchotements sur des lèvres qui ne m'avaient habitué qu'aux cris de l'affection. On a formé les faisceaux derrière mon dos, on m'a déclaré la guerre, on m'a volé jusqu'à des sourires, des poignées de main, des promesses. Rien, on ne nous a rien laissé, mon âme. Nous n'avons plus que la rue sous les yeux et le cimetière sous les pieds. Nous savons qu'on plaisante notre hymen désespéré. Nous entendons qu'on arrive avec des faux de sang et de fiel pour nous couper sous les pieds la dernière herbe afin de nous mieux montrer le sentier de la fosse.

Mais nous serons forts, mon âme. Je serai le boulon et toi l'écrou, et nous pourrons, mille et mille ans encore, nous approcher des vagues; nous pourrons nous accouder à cette fenêtre de détresse. Et puis, dans le murmure de notre attente, un soir pathétique, quelque créature viendra. Nous la reconnaîtrons à sa pureté clandestine, nous la devinerons à sa fraîcheur de paroles. Elle viendra fermer nos yeux, croiser nos bras sur notre poitrine. Elle dira que notre amour, tout cet amour qu'on n'a pas vu, tout cet amour qu'on a piétiné, qu'on a meurtri, oui, que notre amour n'est plus que notre éternité.

Alors, mon âme, tandis que je serai allongé et déjà bruissant, tu iras t'accouder à la fenêtre, tu mettras tes beaux habits de sentinelle, et tu crieras, tu crieras de toutes tes forces!

On entendra
Qui est cet On ?
Qui ? demandes-tu ?
Mais toutes les âmes le savent.

(Haute Solitude.)

De sa fenêtre, ou de la rue, Fargue penche un regard de tendre ironie sur la hâte de ses frères, sur leurs vaines amours, sur la vanité, sur leurs petits destins. Dans son poème, il inscrit tous leurs ridicules, toutes les grimaces aussi qu'ils imposent à la matière et qu'ils nomment progrès, et voici que grâce à lui, par cette fresque des tares, la foule gagne une pitoyable grandeur.

Sous tant d'agitation, le poète nous laisse deviner un grand tireur de ficelles : le Diable, que Fargue s'entend à merveille à coiffer de plaies et bosses bien humaines. Au-delà se tient Dieu mais qui laisse sa création patauger dans la misère et le poète face à face avec sa *Haute Solitude.*

Aussi bien Fargue refait-il la création, depuis la *Visitation Préhistorique* grouillante à souhait comme ces céramiques de Bernard Palissy où s'enlacent reptiles, grenouilles, crapauds et scorpions, jusqu'à cette *Danse Mabraque* où l'on assiste à la liquéfaction de notre planète. Entretemps le poète nous enseigne son admirable *Géographie Secrète,* il esquisse le plan de son âme qui a nom : Paris.

Fargue, le *piéton de Paris,* le flâneur, le noctambule, Fargue le poète total. Pas de place en sa vie à ce qui ne serait pas la poésie : la poésie qu'il rêve, qu'il vit, qu'il lit, qu'il écrit. Mais si la poésie envahit parfaitement son existence, il n'en donne témoignage au public que de loin en loin, consentant rarement à ce que paraisse un livre de lui et encore reprenant, corrigeant indéfiniment les épreuves de ses recueils.

Pourtant ces quelques livres qu'il laisse enfin paraître,

notamment : *Tancrède* (1911), *Poèmes* (1918), *Banalité* (1928), *Le Piéton de Paris* (1939), ces quelques livres classent leur auteur parmi les plus authentiques poètes de ce temps. Le Surréalisme naissant lui rend hommage, mais Fargue demeure à l'écart de toute école et s'il influence, n'entend céder à nulle autre instance qu'à celle de sa propre expérience de poète amoureux, jusqu'à la gourmandise, de la vie et du langage.

« J'écris pour mettre de l'ordre dans ma sensualité », remarque-t-il. Il est vrai qu'un poème de Fargue nous retient d'abord par *l'épaisseur* de son langage, épaisseur qui est une sorte d'équivalence de la chaleur, de la saveur des sensations simples ou subtiles qui, de toutes parts, et aussi bien de l'intérieur que du dehors, assaillent le poète. Il affirme : « Assez des langues cartésiennes... Le besoin se fait sentir d'un clichage instantané des érections du subconscient, d'une langue sortie de la succulence intérieure... » C'est une telle succulence qui nous fait évoquer dans le lointain les richesses verbales si différentes mais d'une égale vitalité de Rabelais, de Lautréamont, de Laforgue, c'est une telle succulence qui s'impose au lecteur de Fargue. Il y a une sorte de volupté dans l'invention de ces longues phrases qui se pressent, s'amoncellent, se succèdent avec une aisance confondante.

Cependant ce bonheur du langage ne traduit pas un bonheur de l'être. Fargue lui-même avouait : « Toute sa vie a été l'entrelacement d'un chagrin secret et d'une apparente joie de vivre », et encore « La vie n'était pas bonne, mais elle était belle ». La profusion des images, le jaillissement des mots et des rythmes, s'ils correspondent à l'élan de la vie, traduisent, paradoxalement, la blessure que cette vie inflige au poète. Les vers de Fargue par leur musique à la fois grave et légère semblent trouver leur source dans cette dualité de la vie mauvaise mais belle.

TREMBLANT

Sept variantes pour scander
la marche ou calmer les nerfs.

1

Amour.
Amour.
Crainte de plomb. Fronde de proie.
Je sais vos deux instincts frappants!
Toi qui veux que la fille riche
Tremble au toucher de sa servante,
L'enfant pointe dans son lexique
Tes sales mots qu'il va rêvant,
Tes sales mots comme des crans!
Servante qui ris toute seule.
Amour tenace. Amour tremblant!

2

Crainte. Tu causes! Marché sombre.
Feu de bois vert. Grand cyprès blond.
Feu de lucarne au vent claquant.
Bruit du feuillage. Forêt sombre
Où s'espacent des croisées bleues.
Lampe dont l'anse lape et danse.
Tenace crainte au flanc stoppant,
Mystère de l'étang craquant
Comme l'armoire du poltron.
Bruit de pas du moulin tremblant.
Bruit de l'eau qui donne la fièvre.
Crainte, sorte d'amour tremblant.
Austère vaisseau qui échancre
A grand bruit les fleuves dormants
Se découplant. Secret sifflant
Qu'on ne peut taire plus! Ton sexe,
Geste fatigué des statues,
C'est toi fidèle. Amour tremblant.

3

Amour. Ton sexe frémissant
Comme le fleuve sous l'arc sombre.
Comme l'écluse aux crins stridents
Dont le sévère bruit méprise
Le son câlin des violons.
Amour tenace. Amour tremblant.
Sexe. Ruche au bruit de jetons.
Nid plaintif des guêpes troublées.
Fluxion du beau soldat gauche
Qui épointe l'onglée des fleurs.
Meringue frileuse au toucher.
Suro du vieux cheval tremblant.

4

Crainte. Grand chêne frissonnant
Triste et seul d'être au premier plan.
Visage du mauvais passant.
Sauveur qui prend comme un amant
Le corset de la vague sombre.
Spirale obscure en pas de vis!
Gouffre d'encre aux bracelets clairs
Qui se creuse en cône au glissant
Baiser du grand vaisseau tremblant!

5

Ruisseau des femmes de Viterbe.
Vol frôleur des frelons sonnant
Le travail au diapason!
Lèvre sèche et lisse du feu.
Gourmande. En plein jour et sans bruit.
Criquet rapide s'abattant.
Veuve qui fait la révérence.
Cyprès de flamme qui s'ébrèche
Et rembrunit l'étoile d'or.

6

Main charitable qui réchauffe
L'autre main glacée, chastement.
Paille qu'un peu de soleil baise
Devant la porte du mourant.
Femme, qu'on tient sans la serrer
Comme l'oiseau ou bien l'épée.
Bouche souriante de loin
Qui veille à ce qu'on meure bien.
Armée qui croit ne point déplaire
Aux yeux de la reine amoureuse.
Et redresse un peu sa langueur.
Et retient mal ses yeux tremblants.

7

Amour tremblant. Crainte de proie.
J'aime vos deux instincts frappants.
Crainte tenace. Amour tremblant.
Je sais ton style heureusement.
Je suis le maître dans la nuit.
Amour tenace. Amour tremblant.
Tu t'es posé sur le rebord
De l'âme la plus misérable,
Comme un aigle sur un balcon!
Amour tenace. Amour tremblant!
Moi le voyageur sans souci
J'ai dû prier pour ta beauté.
Amour tenace. Amour tremblant.
L'horloge creuse de la mort
Je l'honore dans tes beaux yeux,
Je la distingue aux seins blessants.
Les fleurs qu'on ne voit que la nuit
C'est ce qui fait qu'on réfléchit.
Mais veuille surveiller nos yeux.
Quand nous souffrons fais-nous pleurer.
Lorsqu'on pleure on est presque heureux.
Amour tenace. Amour tremblant!

Chez Fargue, sensualité et sensibilité sont également extrêmes, nulle frontière ne vient les séparer, mieux, elles échangent sans cesse leurs ressources : aussi voit-on un rêve, un souvenir, un sursaut affectif, une intuition faire éclore dans le poème quelque image charnelle, quelque rencontre de mots très concrets, palpables si j'ose dire, et, au contraire, une sensation, un plaisir, atteindre au fantastique le plus immatériel. C'est ainsi que partant du décor quotidien : celui de la rue parisienne : de ses voitures, de ses passants, de ses gares, de ses maisons, de ses vitrines, Léon-Paul Fargue aura créé une poésie mythique et parfois cosmique où le fiacre devient un être de la Fable, le piéton un fantôme, et le réverbère une étoile.

Fargue était admiré des Surréalistes, mais il ne les suivit pas dans leur mépris pour l'art, lui qui disait : « Le génie est une question de muqueuses. L'art est une question de virgules », et ce poète maître d'un langage original, puissant et minutieux, définit exactement le sens et la portée de son art personnel, à la fois instinctif et concerté, lorsqu'il nota : « Une phrase parfaite est au point culminant de la plus grande expérience vitale. »

Sans doute, dans la sûreté et la souplesse de la vision et de l'écriture, ce frère tendre et parfois amer de Rabelais trouva-t-il un sorte de joie : celle d'avoir changé en mots la forte et mélancolique saveur de la vie.

PIERRE REVERDY[1]

Les yeux à peine ouverts
La main sur l'autre rive
Le ciel
Et tout ce qui arrive
La porte s'inclinait
Une tête dépasse
Dans le cadre
Et par les volets
On peut regarder à travers
Le soleil prend toute la place
Mais les arbres sont toujours verts
Une heure tombe
Il fait plus chaud
Et les maisons sont plus petites
Ceux qui passaient allaient moins vite
Et regardaient toujours en haut
La lampe à présent nous éclaire
En regardant plus loin
Et nous pouvions voir la lumière
Qui venait
Nous étions contents
Le soir
Devant l'autre demeure où quelqu'un nous attend.

---

1. Né à Narbonne en 1889, mort à Solesmes en 1960. Œuvres : *Poèmes en prose* (Ed. du Nord-Sud, 1915) ; *La Lucarne ovale* (Ed. du Nord-Sud, 1916) ; *Quelques poèmes* (Ed. du Nord Sud, 1916) ; *Les Ardoises du Toit* (Ed. du Nord-Sud, 1918) ; *La Guitare endormie* (Ed. du Nord-Sud, 1919); *Etoiles peintes* (Le Sagittaire, 1921); *Cœur de chêne* (Galerie Simon, 1921); *Cravates de Chanvre* (Ed. Nord-Sud, 1922); *Les Epaves du Ciel* (N.R.F., 1924); *Ecumes de la Mer* (N.R.F.); *Grande Nature* (N.R.F., 1925); *Flaques de Verre* (N.R.F.); *Sources du Vent* (N.R.F., 1929); *Risques et Périls* (N.R.F.); *Le Gant de Crin* (Grasset, 1927); *Ferraille* (N.R.F., 1937); *Plein Verre* (N.R.F., 1940); *Plupart du Temps* (1915-1922; N.R.F., 1945); *Main-d'Œuvre* (1913-1949; Ed. Mercure de France); *Le Livre de mon bord* (Mercure de France, 1948); *En Vrac* (Ed. du Rocher, 1956). Référence : *Pierre Reverdy*, par J. Rousselot et M. Manoll (Ed. Seghers, Coll. Poètes d'aujourd'hui, 1951) ; *Hommage à Pierre Reverdy* (Ed. du Mercure de France, 1962).

Une attente profonde et une certitude hantent chaque poème de Reverdy, attente et certitude d'un mystère jamais nommé, jamais atteint non plus et pourtant toujours promis. Non qu'il soit ici, en apparence, question d'ineffable, d'inconnu, d'absolu. Nulle exaltation facile, nuls grands mots, le lyrisme ne se paie pas de gestes, de grimaces, d'*effets* du ton ou de l'image : des êtres qui passent ou s'immobilisent, presque toujours silencieux, ou s'ils parlent on ne retient d'eux que la voix non les paroles, des choses simples, habituelles : une lucarne, une chaise, une rue : pas d'action, pas de récit, l'horreur de tout pittoresque; voilà, c'est tout, quelques mots comme des îles sur la blancheur de la page et le poème naît : pur, comparable à quelque rigoureux dessin cubiste. Mais ce n'est pas qu'à notre sens esthétique — je dirais même plastique tant la figure du poème chez Reverdy est essentielle — ce n'est pas qu'à notre sens d'harmonie que cette œuvre s'adresse : elle provoque une émotion secrète, celle que pourrait donner le pressentiment d'on ne sait quel proche et grave événement. Joie et tristesse sont dépassées dans cette poésie qui *feint* de n'être qu'impressions instantanées et qui révèle, avec une sorte de sobriété janséniste, tout le réel tapi sous quelques signes passagers.

MIRACLE

Tête penchée
Cils recourbés
Bouche muette
Les lampes se sont allumées
Il n'y a plus qu'un nom
Que l'on a oublié
La porte se serait ouverte
Et je n'oserais pas entrer
Tout ce qui se passe derrière
On parle
Et je peux écouter

Mon sort était en jeu dans la pièce à côté

FAUSSE PORTE OU PORTRAIT

Dans la place qui reste là
Entre quatre lignes
Un carré où le blanc se joue
La main qui soutenait ta joue
Lune
Une figure qui s'allume
Le profil d'un autre
Mais tes yeux
Je suis la lampe qui me guide
Un doigt sur la paupière humide
Au milieu
Les larmes roulent dans cet espace
Entre quatre lignes
Une glace

(Les Épaves du Ciel.)

Fallait-il donc s'étonner qu'une poésie aussi close sur elle-même demeurât dans l'ombre ? « Rien n'approche du bruit qui accompagne l'éclosion de certaines œuvres trop brillantes si ce n'est l'intensité du magnifique silence qui suit », a pu dire M. Pierre Reverdy. Ce grand poète, quant à lui, a banni rigoureusement de son œuvre tous les charmes faciles, tous les éclats, toutes les couleurs flatteuses qui vite se fanent. Il ne s'est soucié, selon une stricte exigence, que de saisir et de restituer « le lyrisme de la réalité ».

Cette grandeur et cette simplicité ont écarté de lui une gloire bruyante mais ont fait de son œuvre l'une des plus importantes de la poésie contemporaine. Une unité profonde lie les premiers poèmes de Reverdy qui commença de publier ses vers quelques années après Apollinaire et Jacob, à ceux qu'il nous donne actuellement. Que ce soit dans *Les Épaves du Ciel, Grande Nature, La Balle au bond, Flaques de verre, Sources du Vent, Pierres Blanches, Ferraille, Plein Verre*, ou dans *Bois Vert*, une réussite simple mais admirable retient éminemment notre attention, réussite fondée sur une possession intérieure du réel.

Tout ce que celui-ci semblait offrir d'incertain, de fragile, de contradictoire, a disparu, et le poème nous livre la part la plus émouvante et la plus vraie des choses, celle que le poète découvre grâce à une extrême vigilance et à une totale liberté de l'esprit.

On conçoit la sympathie de M. Reverdy pour le cubisme — chacun de ses poèmes forme un monde parfait, homogène et statique comme peut l'être, par exemple, un tableau de Picasso ou de Juan Gris. N'est-ce pas à *La Repasseuse* de Picasso que semble correspondre ce poème en prose :

LA REPASSEUSE

Autrefois ses mains faisaient des taches roses sur le linge éclatant qu'elle repassait. Mais dans la boutique où le poêle est trop rouge, son sang s'est peu à peu évaporé. Elle devient de plus en plus blanche et dans la vapeur qui monte on la distingue à peine au milieu des vagues luisantes des dentelles.

Ses cheveux blonds flottent dans l'air en boucles de rayons et le fer continue sa route en soulevant du linge des nuages — et autour de la table son âme qui résiste encore, son âme de repasseuse court et plie comme le linge en fredonnant une chanson — sans que personne y prenne garde.

Le langage dans ces poèmes semble avoir été usé. Il ne présente aucun relief, se méfie du mouvement, son ton est monodique et retenu; c'est peu de dire qu'il se refuse la moindre éloquence il fuit tout rythme qui pourrait devenir satisfait et flatteur; volontiers banal, il est hostile aux images rares, emprunte les expressions familières qui disent les humbles actes quotidiens; la forme indéfinie y est fréquente : le *on* alternant avec le *je*. Bref, on croit d'abord entendre un *langage parlé*. Mais c'est le langage de quelqu'un parlant seul à mi-voix et qui raconte ainsi, doucement, des choses dont on devine sous leur indifférence ou leur pudeur qu'elles ne sont que la limite calme d'un monde bouleversant. Au seuil de cette réalité qui le comblerait, le poète demeure dans sa solitude.

D'UN AUTRE CIEL

Que veux-tu que je devienne
Je me sens mourir
Secours-moi
Ah Paris... le Pont Neuf
Je reconnais la ville
Un peu jouir
Un peu pleurer
Ma vie
Est-ce vraiment la peine d'en parler
Tout le monde en dirait autant
Et comment voudriez-vous que l'on passât son temps
Je pense à quelque autre paysage
Un ami oublié me montre son visage
Un lieu obscur
Un ciel déteint
Pays natal qui me revient tous les matins
Le voyage fut long
J'y laissai quelques plumes
Et mes illusions tombèrent une à une
Pourtant j'étais encore au milieu du printemps
Presque un enfant
J'avançais
Un train bruyant me transportait
Peu à peu j'oubliais la nature
La gare était tout près
On changeait de voiture
Et sur le quai personne n'attendait
La ville morte et squelettique
Là-bas dresse ses hauts fourneaux
Que vais-je devenir
Quelqu'un touche mon front d'une ombre fantastique
Une main
Mais ce que j'ai cru voir c'est la fumée du train
Je suis seul
Oui tout seul

Personne n'est venu me prendre par la main

TARD DANS LA NUIT

La couleur que décompose la nuit
La table où ils sont assis
Le verre en cheminée
La lampe est un cœur qui se vide
C'est une autre année
Une nouvelle ride
Y aviez-vous déjà pensé
La fenêtre déverse un carré bleu
La porte est plus intime
Une séparation
Le remords et le crime
Adieu je tombe
Dans l'angle doux des bras qui me reçoivent
Du coin de l'œil je vois tous ceux qui boivent
Je n'ose pas bouger
Ils sont assis
La table est ronde
Et ma mémoire aussi
Je me souviens de tout le monde
Même de ceux qui sont partis

(Les Épaves du Ciel.)

Le choix d'un tel langage n'a rien d'arbitraire, il est déterminé par la recherche d'une nouvelle unité poétique.

L'auteur demande aux mots le plus de pureté et de simplicité possible afin qu'en eux rien ne vienne dissimuler, falsifier ou feindre l'authentique poésie du monde. Dans *Le Gant de Crin*, M. Reverdy pense des poèmes qu'ils sont les « cristaux déposés après l'effervescent contact de l'esprit avec la réalité »; et il est vrai que les siens laissent apparaître en transparence ce que l'heure, les choses, les êtres contiennent de secret. Vous connaissez ce jeu qui consiste à s'immobiliser soudain, sur un coup de sifflet par exemple, et à garder le geste, l'expression que l'on avait au moment où l'ordre a brisé le mouvement. Tout poème de M. Reverdy suspend ainsi un instant de l'univers, le fixe et le dénude si totalement que chaque apparence qui le composait se dissipe, laissant affleurer la part de réalité essentielle qu'elle voilait. Le poème est fait ici de la complicité, ou mieux de la communion qu'il révèle entre des faits, des objets, des pensées, des actes, des rêves, des vies qui d'abord n'avaient paru que juxtaposés dans l'espace ou simultanés dans le temps; la poésie naît de leur rapport, maintenant évident et pourtant demeuré indéfinissable, elle témoigne d'une seule et même réalité derrière tel nuage, telle couleur de la terre, tel cri dans la rue, tel amour blessé, telle goutte de pluie. C'est dire que le poème n'a pas seulement une unité formelle, il est lui-même appréhension de l'unité du monde.

MÉMOIRE

Une minute à peine
Et je suis revenu
De tout ce qui passait je n'ai rien retenu
Un point
Le ciel grandi
Et au dernier moment
La lanterne qui passe
Le pas que l'on entend
Quelqu'un s'arrête entre tout ce qui marche
On laisse aller le monde
Et ce qu'il y a dedans
Les lumières qui dansent
Et l'ombre qui s'étend
Il y a plus d'espace
En regardant devant
Une cage où bondit un animal vivant
La poitrine et les bras faisaient le même geste
Une femme riait
En renversant la tête
Et celui qui venait nous avait confondus
Nous étions tous les trois sans nous connaître
Et nous formions déjà
Un monde plein d'espoir

Et cependant, ce n'est point la paix ni le bonheur ni la béatitude que nous porte l'œuvre de M. Reverdy : son accent demeure celui d'une anxiété d'autant plus vive qu'elle est plus retenue. C'est que l'auteur de *Plupart du*

Temps, assuré de la grandeur et de l'importance de la poésie, entend ne jamais la trahir, serait-ce en exagérant l'étendue de ses pouvoirs. Tout ce qu'elle peut atteindre, ses vers nous le restituent, mais seulement, strictement cela. Ils nous suggèrent qu'en ce monde chaque chose signifie plus qu'elle-même; quant à cette ultime signification, si la poésie nous en révèle l'existence, elle ne nous en livre pas la clef, et nous restons avec au cœur notre inquiétude purifiée, mais brûlante.

LA LANGUE SÈCHE

Le clou est là
Retient la pente
Le lambeau clair au vent soulevé c'est un souffle
et celui qui comprend
Tout le chemin est nu
Les pavés les trottoirs la distance le parapet sont
blancs
Pas de goutte de pluie
Pas une feuille d'arbre
Ni l'ombre d'un habit
J'attends
la gare est loin
Pourtant le fleuve coule des quais en remontant
la terre se dessèche
tout est nu tout est blanc
Avec le seul mouvement déréglé de l'horloge
le bruit du train passé
J'attends

A-t-on remarqué que ce langage si dépouillé, et comme si *absent* peut paraître semblable à celui par lequel Camus, dans *L'Étranger,* entend nous restituer l'angoisse physique de l'absurde ? Cette *Langue sèche* est bien ici et là, celle d'une absence, mais alors que celle-ci pour Camus est totale et définitive, celle qui dénude la poésie de Reverdy est partielle et transitoire, elle est un appel, comme le vide peut être *appel d'air.*

CUBISTES

ANDRÉ SALMON

Il advint qu'on dénommât cubistes des poètes comme Apollinaire, Jacob ou Reverdy. En fait on peut dire seulement qu'ils furent les amis et les défenseurs des peintres de leur temps. Cubistes encore dans ce sens : André Salmon[1], Pierre Albert-Birot, Paul Dermée.

André Salmon eut dans sa famille peintres et sculpteurs; lors de ses débuts à *La Plume*, vers 1903, il rencontra Picasso; ainsi de son enfance à ses amitiés de jeunesse la peinture ne cessa de susciter sa ferveur; on le vit bien lorsque avec Apollinaire il fit campagne en faveur du Cubisme. Avec Apollinaire encore et Max Jacob, il fonda *Le Festin d'Esope* qui eut... neuf numéros. En 1905, il avait fondé avec Paul Fort une autre revue : *Vers et Prose*.

On prit d'abord Salmon pour un poète « fantaisiste », mais la guerre et la Révolution russe — il passa en Russie une partie de son enfance et de sa jeunesse — devaient profondément modifier sa poésie qui dès lors tendit à l'épopée moderne inspirée par la Révolution d'Octobre. « Ce poème, écrivait l'auteur, est le premier de la seconde époque des ouvrages poétiques d'André Salmon, la première étant close avec *Le Calumet* (1910) et divers poèmes publiés dans les revues de 1910 à 1914. Prikaz est un premier essai de poésie substituant aux saisons du vieux lyrisme le climat

---

1. Né à Paris en 1881. Œuvres principales : *Les Féeries* (Vers et Prose, 1907); *Le Calumet* (Ed. Falque, 1910); *Le Livre et la Bouteille* (Ed. Bloch, 1920); *Prikaz* (La Sirène, 1921; Stock, 1922); *L'Age de l'Humanité* (N.R.F., 1922); *Peindre* (La Sirène, 1922); *Créances, 1905-1910* (N.R.F., 1926); *Carreaux* (N.R.F., 1928). Références : *André Salmon*, par G. Apollinaire (Vers et Prose, 1907); *Histoire de la Littérature*, par René Lalou (Crès, 1922); *La Muse aux besicles*, par André Billy (Renaissance du Livre, 1922); *André Salmon*, par Pierre Berger (Ed. Seghers, coll. Poètes d'aujourd'hui, 1956).

instable de l'inquiétude universelle. Il relève d'un art esquissé en des essais anciens déjà (*Les Féeries*, 1907, et d'autres) restituant l'émotion à l'impersonnel, un art tendant encore à créer chaque chose par sa description verbale ». Ce dernier propos fit attacher à la poésie de Salmon l'étiquette de « nominaliste » ? Ce qui nous convient davantage c'est d'y voir la poésie tragique de l'aventure contemporaine; chaque événement de ce monde de la machine, des voyages, des guerres passe sur le plan du merveilleux. André Salmon note ceci : « délibérément rejetée, toute intention d'absoudre, glorifier, condamner : l'acceptation du fait sur le plan merveilleux ».

La triple influence de Salmon, de Cendrars et de Larbaud se révélera après-guerre dans les poèmes d'un Paul Morand et d'un Drieu La Rochelle.

Ce fragment de *Prikaz* montre la communauté de l'innocence et de l'action révolutionnaire :

Innocence du monde.
Quand l'arbre de science avec sa pomme ronde
Est un arbre de mai
L'Arbre de la Liberté
Adoré
Insulté
Planté
Devant la cathédrale vide de chantres
Quand de la nudité d'Ève seul resplendit le ventre,
Quand Adam adamite a vendu ses habits
Pour être Adam
Ou bien en a vêtu le déserteur
Tel qu'on voit son maître vêtir le serviteur,
Quand l'Ève est une grande dame
Déshabillée par les soldats ivres, la farce ayant sa place au plus fort du drame.
Innocence du monde
Lorsque la pomme ronde
Crépite
Mélinite, cheddite, dynamite, ypérite,
Quand le serpent à tête plate
Collant ses écailles noires au fût du bel arbre écarlate,
Aux yeux du plus pauvre d'esprit n'est absolument rien
Qu'une enseigne de pharmacien

Ou bien le signe grave sur les boutons d'uniforme
Des médecins militaires gantés de caoutchouc
Traînant dans les salons un relent d'iodoforme,
Quand ils vont faire l'amour sous prétexte de thé
Avec la sœur laïque épuisée de bonté
D'extase et de dégoût.
Innocence du monde
A la clarté dansante
Des flammes qu'alimentent
Le bitume et les jus du maître d'Amsterdam
L'Ermitage est en feu, le Musée Alexandre
Réchauffe son deuil à ses cendres.
Et l'étudiant aux trop longs cheveux
Coiffé d'une casquette verte à turban bleu,
Tout à la fois soldat, juge, consul et bourreau
A la langue ardente offre encore la librairie de Diderot.
Le plomb des imprimeries s'écoule ainsi qu'un fleuve
Pour fondre l'alphabet des humanités neuves
Et dans un galetas du quartier Kameny
Par un père mourant deux fiancés sont bénis.
Les ombres de ce qui meurt composent sur les murs rougis
à blanc une ronde,
Une ronde de naissances,
Innocence du monde,
Innocence! Innocence!

. . . .

PIERRE ALBERT-BIROT

En 1917 paraissait une plaquette intitulée *Trente et un poèmes de poche* avec un poème-préface prophétie de Guillaume Apollinaire. L'auteur, Pierre Albert-Birot[1], fut comparé par son préfacier à un pyrogène et Guillaume soulignait l'utilité des allumettes. Certes, ne serait-ce que pour mettre le feu aux poudres! Ce que faisait Pierre Albert-Birot dans sa petite revue *Sic*, en imprimant lui-même ses poèmes « à hurler et à danser ». Un souffle vigoureux anime, bouscule les vers de Pierre Albert-Birot aussi bien que la prose de son étonnant *Grabinoulor*, Tarzan du fantastique.

LA JOIE DES SEPT COULEURS

Le monde aujourd'hui a la forme d'une romance
Je ne sais où je finis où je commence
Et je fais le tour infini
Du monde infini que je suis
Boum un coup de canon vient de partir
Arrivera-t-il avant moi
Après tout le ciel est un abat-jour
Et nous ne pouvons pas tous passer notre vie sous la lampe
Et clown je crève la carte postale.
J'aime ceux qui rient
Et ma peau couleur de couchant
Je suis venu dans la ville pour entendre la guerre
Elle y faisait un bruit de flux

---

1. Né en 1885 à Chalonnes (Maine-et-Loire). Œuvres : *Trente et un poèmes de poche* (poème-préface d'Apollinaire; Ed. Sic, 1917); *Poèmes quotidiens* (Ed. Sic, 1919); *La Joie des sept couleurs* (Ed. Sic, 1919); *La Triloterie* (Ed. Sic, 1920); *La Lune ou le Livre des Poèmes* (Ed. Budry), *110 Gouttes de Poésie* (Seghers, 1952); *Les Amusements Naturels* (Denoël); *Grabinoulor* (Denoël).

Mais je suis revenu de la ville
Et le bruit est resté derrière moi
Il reste encore bien du silence dans le ciel
Et ces enfants tuent des fleurs
Cependant que leur mère fait faire A
Au petit bois qui bientôt sera du feu sous sa poêle
Et le crieur sur la route
Emplit l'air de carottes de radis et de fraises
Et pourtant d'autres ronflent dans la ville antipodique endormis
De la splendeur de mon jour je regarde votre nuit
Il y a toujours quelqu'un d'éveillé sur la terre
Et ceux-ci que font-ils au soleil
Pouh pouh pouh chou genou hibou
Sombres et mous
Ce sont des gens laids qui barrent la route
Do si je voudrais que l'on m'accrochât
Une belle nacelle aux notes qui s'en vont
Mais n'en est-il pas qui reviennent
Et pourquoi tous ces trous bleus dans la forêt
Ce sont peut-être les chants des oiseaux qui les ont faits.

JEAN COCTEAU

Bernard Grasset qui eut l'intuition profonde des lettres modernes a dit la vérité sur Jean Cocteau[1] lorsque, préfaçant de celui-ci l'*Essai de Critique Indirecte* il a affirmé de l'auteur d'*Opéra* dont la vie publique — et privée — semble pourtant se confondre avec une mise en scène très parisienne : qu'il se cache. Et M. Grasset d'ajouter : « qu'il me suffise ici de rattacher ce goût de l'énigme au besoin d'être deviné qui est le propre de l'enfance... »

Cocteau se cache. Oui, et pour qu'on le devine, qu'on le trouve; il lui faut donc se montrer d'abord, et sa cachette c'est lui-même, il doit être caché à l'intérieur, ce qu'il tient à démontrer. Souvent il s'est plaint de ce qu'on ne le trouvait pas, mais s'est-il trouvé lui-même ? Il a pourtant, et sans doute dans ce dessein, suivi bien des pistes. Sur chacune d'elles, il est passé, dansant, brillant, voyant, il nous a surpris, mais s'est-il surpris ? Il a inscrit toute son œuvre sous le signe de la poésie : poésie de roman, poésie de théâtre, poésie critique, graphique, cinématographique, enfin, si je puis dire, poésie de poésie. Je ne suis pas sûr que ce soit dans celle-ci qu'il se révèle toujours le plus poète. Il manque à ses poèmes la chaleur que donnent par exemple la voix et les gestes à ses pièces de théâtre, ou encore l'emprise hallucinante des images sur l'écran. Jean Cocteau nous répète bien dans ses vers que l'encre est le *sang du poète*, il ne parvient pas à nous convaincre, alors que nous convainc

---

1. Né en 1889 à Maisons-Laffitte, mort à Milly-la-Forêt en octobre 1963. Œuvres poétiques principales : *La Lampe d'Aladin* (Société d'Editions, 1909) ; *Le Prince frivole* (Mercure de France, 1910) ; *La Danse de Sophocle* (Mercure de France, 1912) ; *Le Cap de Bonne-Espérance* (*Idem*, 1919) ; *Poésies* (Ed. de la Sirène, 1920) ; *Escales* (Ed. de la Sirène, 1920, en collaboration avec André Lhote) ; *Vocabulaire* (Ed. de la Sirène, 1922) ; *Plain-Chant* (Stock, 1923) ; *Poésies* (1916-1923 ; N.R.F., 1924) ; *L'Ange Heurtebise* (Stock, 1925) ; *Opéra* (Stock, 1927) ; *Allégories* (N.R.F., 1941) ; *Léone* (Gallimard, 1954) ; *Cérémonial espagnol du Phénix* (Ed. Gallimard, 1961) ; *Le Requiem* (Ed. Gallimard, 1962). Références : *Cocteau*, par Roger Lannes (Ed. Seghers, Coll. Poètes d'aujourd'hui, 1946 et 1964) ; *Cocteau*, par J.-J. Kim (Gallimard, Bibliothèque Idéale, 1960).

son film qui porte ce titre. De même lorsqu'il nous dit en 1923 :

> *Car ce n'est pas la mort elle-même qui tue,*
> *Elle a ses assassins,*

il nous émeut seulement, alors que, près de trente ans plus tard, dans son film *Orphée*, les sombres, lourds, bruyants et rapides motocyclistes qui *tuent* au nom de la Mort nous épouvantent. Ainsi plus d'une fois, un poème, un vers paraissent être le simple scénario d'un film ou d'un drame brûlants.

Et pourtant Cocteau ne se fait pas faute de puiser abondamment dans le pathétique de l'époque. La guerre d'abord, les machines nouvelles : l'avion, lui fournissent des prétextes poétiques; plus tard : le sommeil, le rêve, les prémonitions qui devaient être le terreau de la poésie surréaliste servent à la sienne de décor. Et c'est bien là le drame de Cocteau : de ne pouvoir saisir que le décor du drame; non pas la neige de l'enfance, le sang, la mort, mais leur simulacre. Le thème du miroir brisé et traversé est cher à Cocteau, n'est-ce pas que du réel il ne sait joindre que le reflet ? et plus la statue que l'être, plus le chloroforme que la source nocturne du sommeil ?

Cependant on s'illusionne si l'on ne voit là que jeux d'illusions. J'ai bien dit : le drame de Cocteau : celui de qui se cherchant ne rencontre que ses masques, et scène, loges, rideaux, anges d'opéra où il voudrait atteindre un monde nu, l'énigme de celui qui, à la poursuite d'un secret, s'égare en devinettes, de qui voudrait chiffrer l'indéchiffrable (« la poésie c'est l'exactitude, le chiffre ») et le chiffre qu'il énonce est faux. Ce perpétuel écart entre ce que signifie le silence et ce que disent les mots, donne aux poèmes de Cocteau leurs perspectives en trompe-l'œil. On songe à un joueur qui serait condamné à n'utiliser que dés pipés, et qu'il joue à merveille ne saurait changer le résultat final : l'extrême vivacité de la vue, l'adresse, l'intelligence, la vitesse et son comble : « la vitesse surprise par l'immobilité », ne parviennent pas à restituer le mystère dans l'imitation du mystère (« La poésie imite une réalité dont notre monde ne possède que l'intuition »).

« Je dis ce qui est vrai », proclamait Eluard et comme le remarque Jean Paulhan : nous le croyons. Tandis que

Cocteau : « Comprenne qui pourra : *je suis un mensonge qui dit toujours la vérité.* » Et son Athénée même : « Je suis née grecque. Je suis l'aînée. J'ai le nez grec, le nez d'Énée. Je suis le mur, l'art mûr, l'armure. Je suis la sève héritée. Je suis lasse et vérité. Je suis la sévérité... *Mes mensonges c'est* vérité. Sévérité même en songe. »

Cocteau voudrait avouer, mais ses aveux sont calembours. « On s'apercevra vite, dit-il à propos d'*Opéra*, que mes calembours n'étaient pas l'esprit mais le cœur de mon livre. » C'est vrai, dans la mesure où l'esprit reconstruit une mécanique du cœur, comme il compose « un poème avec le mécanisme du rêve. Une figure qui en devient une autre. Un mot qui change de sens en cours de route. Voler et voler ».

Les plus sûres qualités de Cocteau sont graphiques : celle du trait, il les a lui-même fort justement signalées : « La brièveté, la précision, la promptitude, la couleur, voilà de quoi nous faire prendre pour des écrivains hermétiques », hermétique non, mais élégant et gracieux certes.

LA MORT DE L'AMIRAL

Les savons,
les neiges,
la rage,
le rire du cheval sauvage,
sortant nu de chez le barbier.

Nos mains, capucines de l'âtre,
Et le couteau de la colombe
et la momie en son herbier;

Et l'amiral debout : il sombre
comme un rideau de théâtre,
applaudi par tout le rivage.

ROSIER SAUVAGE

L'églantine est un piège,
Un cruel ornement
Des guerres enfantines.

Sade, marquis charmant,
Voleur des églantines,
Rougit sa main d'amant.

Il signe sur la neige,
Et sur la glace ment
Avec un diamant.

L'AGE INGRAT

Il revient à ma mémoire
Que l'enfance aux yeux trompeurs
Se cachait dans les armoires
Pour faire mourir de peur.

Ou bien que, derrière un globe
Terrestre, te souviens-tu ?
Elle tirait par la robe
Nos sœurs changées en statues.

Tout se passait sur des espèces d'acatènes,
Savoir : des bicyclettes bleu de ciel sans chaîne;
On se laissait couler le long d'un mur
De l'âge ingrat dans l'âge mûr.

Que fîmes-nous, couchés derrière les groseilles ?
A vrai dire surtout des rires moqueurs;
Nos boucles fleurissaient des filles les oreilles,
Près des grenouilles, mortes la main sur le cœur.

L'HOTEL

La mer veille. Le coq dort.
La rue meurt de la mer. Ile faite en corps noirs.
Fenêtres sur la rue meurent de jalousies.
La chambre avec balcon sans volets sur la mer
Voit les fenêtres sur la mer,
Voile et feux naître sur la mer
Le bal qu'on donne sur la mer.

Le balcon donne sur la mer.
La chambre avec balcon s'envolait sur la mer.
Dans la rue les rats de boue meurent
(Le 14 que j'eus y est) ;
Sur la mer les rameurs debout.
La fenêtre devant haït celles des rues;
Sel de vent, aisselles des rues,
Aux bals du quatorze Juillet.

Il est cependant un grand poème de Cocteau où le cœur et l'esprit se sont réconciliés et ne font qu'un, c'est le poème de l'amour inquiet des mille pièges de l'absence dans la passion, c'est *Plain-Chant :*

Je n'aime pas dormir quand ta figure habite,
La nuit contre mon cou;
Car je pense à la mort laquelle vient trop vite
Nous endormir beaucoup.

Je mourrai, tu vivras, et c'est ce qui m'éveille!
Est-il une autre peur?
Un jour ne plus entendre auprès de mon oreille
Ton haleine et ton cœur.

Quoi, ce timide oiseau, replié par le songe
Déserterait son nid,
Son nid où notre corps à deux têtes s'allonge,
Par quatre pieds fini.

Puisse durer toujours une si grande joie
Qui cesse le matin,
Et dont l'ange chargé de construire ma voie
Allège mon destin.

Léger, je suis léger sous cette tête lourde,
Qui semble de mon bloc,
Et reste en mon abri, muette, aveugle, sourde,
Malgré le chant du coq.

Cette tête coupée, allée en d'autres mondes,
Où règne une autre loi,
Plongeant dans le sommeil des racines profondes,
Loin de moi, près de moi.

Ah! je voudrais, gardant ton profil sur ma gorge,
Par ta bouche qui dort
Entendre de tes seins la délicate forge
Souffler jusqu'à ma mort.

Mauvaise compagne, espèce de morte,
De quels corridors,
De quels corridors pousses-tu la porte,
Dès que tu t'endors?

Je te vois quitter ta figure close,
Bien fermée à clef,
Ne laissant ici plus la moindre chose,
Que ton chef bouclé.

Je baise ta joue et serre tes membres,
Mais tu sors de toi,
Sans faire de bruit, comme d'une chambre
On sort par le toit.

Peut-être la vie, l'œuvre de Cocteau auront-elles été une course contre la montre de la mort. Toujours changer, toujours tenter d'être autre et de faire autre chose pour échapper à la mort jusqu'à l'instant de mourir ; et dans ce perpétuel changement trouver une unité ; il pourrait y avoir là une clé du destin vécu et du destin écrit de l'auteur des *Enfants terribles.* Cocteau a-t-il *joué* avec le feu (de la passion, du rêve, du tragique, de la déraison, de la poésie) pour s'y brûler ? Ou, au contraire, pour l'exorciser ? Ou seulement pour feindre l'un et l'autre ? A en croire le poète d'*Opéra,* jeu et feu en lui se confondaient. En fin de compte, et de conte, ne devons-nous pas le croire, maintenant qu'en lui-même l'éternité change ce poète à métamorphoses, et que son jeu brillant, déroutant, séduisant, par son absence soudaine démasque sa secrète valeur.

Comment ne pas associer au nom de Cocteau celui d'un jeune prodige qu'il révéla : Raymond Radiguet[1] qui, mort à vingt ans, en 1923, trouva dans la brève impatience du génie le temps d'écrire *Le Diable au corps,* le *Bal du Comte d'Orgel,* ces romans polis et vifs et les poèmes des *Joues en feu.* Agiles flèches de l'adolescence ces vers :

1. Né à Saint-Maur (Seine) en 1903. Mort à Paris en 1923. Œuvres principales : *Les Joues en Feu* (Bernouard, 1920, et Grasset); *Le Diable au Corps* (roman, Grasset); *Le Bal du comte d'Orgel* (roman, Grasset). Référence : *Raymond Radiguet,* par M. Massis (Cahiers Libres, 1929).

QUE LE COQ AGITE SA CRETE

Que le coq agite sa crête
Où l'entendent les girouettes ;
Adieu, maisons aux tuiles rouges,
Il y a des hommes qui bougent.

Ame ni mon corps n'étaient nés
Pour devenir cette momie,
Bûche devant la cheminée
Dont la flamme est ma seule amie.

Vénus aurait mieux fait de naître
Sur le monotone bûcher
Devant lequel je suis couché,
La guettant comme à la fenêtre.

Nous ne sommes pas en décembre.
Je ne serais guère étonné
Pourtant, si, dans la cheminée,
Un beau matin je vois descendre

Vénus en pleurs du ciel chassée,
Vénus dans ses petits sabots
(De Noël les moindres cadeaux
Sont luxueusement chaussés).

Mais, Echo ! je sais que tu mens.
Par le chemin du ramoneur,
Comme en un miroir déformant,
Divers fantômes du bonheur,

A pas de loup vers moi venus,
Surprirent corps et âme nus.
Bonheur, je ne t'ai reconnu
Qu'au bruit que tu fis en partant.

Reste étendue, il n'est plus temps,
Car il vole, âme, et toi tu cours,
Et déjà mon oreille avide,
Suspendue au-dessus du vide,

Ne perçoit que la basse-cour.
Coq, dans la gorge le couteau
Du criminel, chante encor :
Je veux croire qu'il est trop tôt.

L'APRÈS GUERRE

« Et ce n'est pas à la légère, sans doute, que l'on compare la poésie à un air plus pur. Mais à qui était près d'étouffer, tout air semble très pur. »

JEAN PAULHAN (*Clef de la Poésie*).

HAUTES SOLITUDES[1]

« Je me recueille, j'écoute. Cela me suffit. »

ROBERT MARGERIT.

« L'homme doit-il être révolté ? Je lui demande simplement d'être *insoumis.* Et s'il l'est, ce sera beaucoup. »

MAX-POL FOUCHET.

O.-V. DE L. MILOSZ[2]

On pense, quand on évoque l'enfance de ce prince nordique : Milosz, à une autre enfance, imaginaire celle-ci : l'enfance du personnage de Rilke : Malte Laurids Brigge. Un vieux pays, un vieux château, un vieux sang, une jeune âme; des sortilèges clairs et des sortilèges tragiques (le père de Milosz tenta de se suicider en s'ouvrant le ventre avec un sabre).

On ne s'arrache pas au souvenir d'une telle enfance, même si l'on s'exile, surtout si l'on s'exile. Milosz, toute sa vie, demeurera tourné vers son passé — vers le passé —, changé pour lui en une sombre, envoûtante légende.

De vingt à quarante ans, Milosz entreprend de longs voyages désespérés : « Aussi bien, écrit-il, n'est-il pas de

---

1. C'est volontairement que l'auteur a omis d'étudier ici l'œuvre d'Henri Michaux, ce poète étant présenté dans *Les Nouveaux Poètes Français* de Jean Rousselot, publié aux mêmes éditions Seghers.

2. Né en Lithuanie en 1877. Mort en 1939. Œuvres principales : *Poèmes des Décadences* (Les Mathurins, 1899); *Les Sept Solitudes* (Jouve, 1904); *Les Elements* (Bibliothèque de l'Occident, 1911); *L'Amoureuse Initiation* (Grasset, 1910); *Miguel Manãra; La Confession de Lemuel* (La Connaissance, 1922); *Les Arcanes* (Librairie Tellion, 1927); *Œuvres complètes* (Sylvaire, éd.). Références : Numéro spécial *Milosz* (Seghers, 1942); *Milosz*, par Jean Rousselot (Ed. Seghers, coll. Poètes d'aujourd'hui, épuisé et pilonné); *Milosz*, par Armand Godoy (Egloff).

L'éditeur des *Œuvres Complètes* de Milosz ayant exigé la mise au pilon de 480 exemplaires du *Milosz* (Poètes d'aujourd'hui) et fait saisir l'Anthologie *De l'Amour au Voyage* pour deux poèmes de Milosz reproduits dans ce volume, Pierre Seghers s'excuse auprès des lecteurs s'il s'abstient d'illustrer l'étude de G. E. Clancier par une citation de Milosz.

cul-de-sac si obscur en Europe, depuis Whitechapel à Londres jusqu'à Freta à Varsovie, que je ne connaisse mieux que le monde de mon propre cœur, si plein d'amertume et de ténèbres. »

Les premiers poèmes de Milosz sont d'obédience symboliste. A trente ans, il publie *Les Sept Solitudes* qui révèlent sa voix véritable et son univers d'une obsédante nostalgie, son amour du passé, de ce qui est détruit, perdu, déchiré — déchirant; les événements, les paysages, les êtres qu'il évoque se situent « dans un pays d'enfance retrouvée en larmes ». Plus tard Milosz se délivrera de ce qu'il y avait de languissant, de morbidesse, de délectation morose, de lassitude « d'être et de n'être pas » dans les poèmes des *Sept Solitudes*. Mais il gardera sa musique fascinante et désespérante dans la *Confession de Lémuel* au pathétique plus dépouillé, plus pudique. Dès lors, Milosz nous donne les poèmes les plus ensorcelants — il n'est pas d'autre mot — que nous ait valu la lignée poétique issue de Poe et de Baudelaire.

Cette perpétuelle blessure du cœur qui marquait la poésie de Milosz semble lui avoir fait trouver à la fois victoire et refuge non plus dans le monde malheureux et trouble de l'amour profane que, longtemps, guetta ce poète de don Juan, mais dans celui glorieux de l'Amour divin. De l'émotion poétique, Milosz passe alors à la vision mystique, sa métrique tend au verset biblique; une fermeté nouvelle et une lumière, une confiance jusqu'alors inusitées, se font jour dans les poèmes qui ne sont plus des plaintes, des souvenirs poignants, des coups d'aile étranges, mais des cantiques comme ce *Cantique de la Connaissance* où Milosz définit ainsi sa volonté religieuse :

Les poètes de Dieu voyaient le monde des archétypes et le décrivaient pieusement par le moyen des termes précis et lumineux du langage de la connaissance.

Le déclin de la foi se manifeste dans le monde de la science et de l'art par un obscurcissement du langage.

Les poètes de la nature chantent la beauté imparfaite du monde sensible selon l'ancien mode sacré.

Toutefois, frappés de la discordance secrète entre le mode d'expression et le sujet,

Et impuissants à s'élever jusqu'au lieu seul situé, j'entends Pathmos, terre de la vision des archétypes,
Ils ont imaginé, dans la nuit de leur ignorance, un monde intermédiaire, flottant et stérile, le monde des symboles.

Milosz nous le dit donc lui-même, il entend passer du monde des symboles, « monde intermédiaire, flottant et stérile », celui de ses anciens poèmes, au monde des archétypes, de son ancienne certitude de la perfection — et de l'attrait — du non-être à l'étude et à la révélation de la Parole divine. Mais, dans cette ambition, Milosz sacrifiera le poème à l'exégèse, la poésie à la métaphysique puis à l'étude religieuse; il consacrera par exemple son temps à l'interprétation cryptographique de l'Apocalypse d'où il tirera en 1933 de terribles prophéties pour les années 1938 à 1944.

« Il n'y a que les oiseaux, les enfants et les saints qui soient intéressants », disait Milosz. Fidèle à cette affirmation, ce grand poète fut l'extraordinaire ami des oiseaux et comme eux doué des pouvoirs du chant ou de ceux de l'élan vers les hauteurs; il fut aussi, longuement, hanté par le paradis perdu de l'enfance, il s'éleva enfin, par les chemins qui vont de l'amour profane à l'amour mystique, aux confins de la sainteté. Mais à ces confins, il se perd pour nous dans le silence, tandis que nous gardons de sa poésie la voix mélodieuse et blessée.

JEAN DE BOSCHÈRE[1]

« Toute la correspondance de Milosz montre un homme subtilement sensible au maniement des cœurs d'hommes. J'ai voulu montrer que cette Tour où il fut laissé n'est pas un refuge de méchant ni d'orgueilleux. Je dis laissé, car c'est une surprise qui, un jour, vient à tous ceux de la pensée solitaire de se retrouver sur un étroit caillou, toute leur propriété. Certes, ils ne se souviennent pas d'avoir gravi des marches. Au contraire, c'est autour d'eux que l'univers de la terre s'est creusé, refoulant au loin les terres tendres, les émotions quotidiennes. » Ces lignes que Jean de Boschère écrivit pour la préface aux poèmes de son ami O. V. de Milosz, conviennent tout aussi bien à définir le grand isolement du poète de *La Confession de Lémuel* que la solitude de l'auteur des *Derniers Poèmes de l'Obscur*.

Cette exigence de la vraie gloire qui fait manquer la gloire habituelle, c'est encore aussi bien un trait de Milosz que de Boschère. « La gloire, pensait Milosz, ne pouvait être une conséquence ni de la publication, ni de la louange. La gloire, dans le secret de son âme, était acquise au moment de la première rencontre du poète avec le poème sur le plan transparent de l'inspiration. »

Il est donc évident que le poète était peu connu. Je le crois connu de tous ceux qui méritent le don de comprendre ce « roi de la pensée poétique ».

Je souhaite que soit connu aussi, mieux connu cet autre « roi de la pensée poétique », Jean de Boschère. L'ami de Milosz, mais aussi de Joyce — c'est Jean de Boschère qui, avec Pound, alla d'éditeur en éditeur pour tenter de faire

1. Né en 1878 en Belgique. Mort à La Châtre (Indre) en 1953. Œuvres principales : *Derniers poèmes de l'Obscur* (Ed. Fourcade); *Héritiers de l'Abîme* (poèmes, 1941-1949), précédés de *Lumières sur l'Obscur*, suivis de *Pièces anciennes* (Paris, Ed. Fourcade, 1950). Référence : *Jean de Boschère l'admirable*, par Luc Estang, Hélène Frémont, Grouas et André Lebois (Au Parchemin d'Antan, 1952).

publier *Ulysse* — d'Artaud — qui en 1927 déclarait : « Jean de Boschère m'a fait — est mort dans la solitude; avec lui a disparu le dernier représentant de cette race de *voyants* et de *maudits* superbes qui de Byron à Poe, de Baudelaire à Saint-Pol-Roux, ont dressé la parade orgueilleuse et blessée de leur vie *loin des foules.*

J'ai passé une journée avec Jean de Boschère, quelques semaines avant sa mort, dans son refuge de La Châtre. Le vieux poète paraissait avoir conquis la paix, mais au prix de quelle lutte ? Lui qui connut les abîmes en lui et autour de lui, fut chargé, par d'extravagants imbéciles, « des péchés inspirés par Satan (dont il) prit le nom selon un procédé révulsif de magie très connu ».

Celui qui se nomma lui-même, par défi, mais aussi par douleur *L'Enragé, Le Paria, L'Obscur*, revendiquait fièrement le droit à l'hermétisme que d'aucuns lui reprochaient : « Mes textes sont peu compréhensibles pour les profanes, me disait-il, comme le sont les commentaires des découvertes de la microchimie pour les ignorants. La poésie ne demande pas moins d'initiative que la science ». Il ajoutait : « Il faut des grands prêtres de l'art et des grands théologiens pour éclairer les médiocres. » Ce *grand prêtre* vécut plus dans une tour de glace et de flamme que d'ivoire :

Je vis gratuitement dans un paradis noir
Sans signaux, sans murmures,
Ange véritable sans ciel

. . . .

Canaille illuminée

. . . .

Étranger.

Cet *étranger* mena « l'innommable quête », il nourrit les « torturants désirs — d'être le grand témoin de l'Être et du temps », il sut que « l'Amour fut la substance du temps » et toujours demeura « ... celui qui — croit encore — croit que la lésine n'a pas vaincu la poésie — la bêtise paradoxale n'a pas dévoré la poésie, — qui croit comme vierge candide aux légendes — sur l'ourlet d'une vague de la mer ». Cet Obscur arracha aux ténèbres la poésie, lui qui avoua, poète d'Apocalypse :

Comme elle fut belle parfois, la vie
pendant que durait un vol de palombes.

De lui, de ce poète qui fait face et attend, nous pouvons dire ce qu'il notait lui-même à propos de Milosz : « Se lever vraiment est la part de ceux qui contemplent — c'est abandonner la surface, la sève et le minéral. Cet abandon qui implique une solitude effroyable est la rude échelle des falaises qui se dressent devant toute ascèse. »

DÈS QUE L'HOMME...

Dès que l'homme ne sera plus père
Et qu'il aura jeté aux femmes
Les noires robes des doctorats
Et les autres choses des mensonges
Nous goûterons les prémices de la mort enchantée.

Les besognes viriles seront à nous
Et non celles des papiers,
Les femmes tâteront les chairs
Et diviseront une vérité tremblante
En vingt mensonges de barre.
Et je vous somme de leur donner la banque
Et les domesticités des politiques.
L'homme alors,
Plus rare qu'aujourd'hui,
Vivra vite et dans l'ardeur inouïe,
Dans les débauches sans chairs
Sans plus de drogues amères,
Il construira dans les arts de paix
Son repos pour toujours
Il pourra enfin finir.
C'est l'homme qui doit,
C'est lui qui mettra la barre
Vers le cap de la fin
Dès qu'il aura jeté les besognes
Féminines aux femmes.

Et si tu te souviens
Dans les palais de la belle mort
Où je te convie
Dès que l'homme saura qu'il doit être le dernier,

Si tu te souviens,
Toi, mon frère misérable,
Nous ouvrirons sur l'ombre
Une porte oubliée.
Et dans le gris du portail
Nous verrons sur la terre du passé,
S'éteindre dans leurs cendres,
Les bivouacs du Jugement dernier.

IL Y A... C'EST

En nous tous
hommes tous,
je dis hommes,
non pas pions ni marchands
aviateurs ou trafiquants,
il y a un couteau poème,
pas des vers de tambours fifres,
il n'y a qu'un poème
il y a
c'est un poing de meurtre
un flambeau qui tue
c'est le coup de massue sur la porte fermée
le crachat bien au centre du but
la colère volcanique dans les liens
le délire dans l'entrave innommable
le bond hors du chaos
dans le vide éternel sans voix
c'est
ou c'est le coup de poing qui passe la limite
s'enfonce dans l'éternité aveugle muette
qui ne répond aucun son
l'épouvantable ouragan du rien
devant la soif maudite
vertige noir de la chute éternelle
flambeau enfin
qui incinère le cœur et la main
c'est
il y a
c'est le poing de flamme
qui ne brûle pas en vain.

SAINT-JOHN PERSE

« L'œuvre de Saint-John Perse apparaît dans une superbe solitude. »

ROGER CAILLOIS.

Si à l'origine la poésie et le sacré correspondent, alors nulle n'est plus près de l'originel que la riche, solennelle, hermétique épopée qu'aura proféré non sans mystère ni dédain, en marge puis au terme d'une vie d'action, celui qui crut devoir n'être poète que sous le masque non situé ni daté de Saint-John Perse[1]. A quel siècle, à quelle nation en effet pourrait appartenir ce nom ? Nous serions bien en peine de le dire si l'histoire littéraire de notre temps ne nous avait livré les clefs de l'énigme et révélé sous le vocable fabuleux mêlant, semble-t-il, les idiomes et les temps, celui d'Alexis Léger, haut personnage officiel de la IIIe République. De même, s'il nous arrivait de perdre les traces contemporaines que pour sa part Saint-John Perse a jalousement bannies de son œuvre mais que des critiques se sont plus à baliser, pourrions-nous dire à quelle ère et à quelle civilisation appartient ce livre sacré que composent : *Éloges*, *Anabase*, *Exil* et *Vents*, et si l'admirable texte français que nous en connaissons est langage original ou bien heureuse transposition de quelque langue morte oubliée (comme ces autres heureuses traductions en anglais, espagnol, allemand, russe, italien d'*Éloges* et d'*Anabase*).

Alors que les lignes de force de la poésie moderne tendaient presque toutes, dans un mouvement de révolte et de désir, vers un futur libéré, Saint-John Perse a donné à ses

1. Né en 1887 à la Guadeloupe. Prix Nobel 1960. Œuvres : *Eloges* (1907) ; *Amitié du Prince* (1924) ; *Anabase* (1924 ; Gallimard, 1948) ; *Exil* (Ed. Cahiers du Sud, 1942 ; Gallimard, 1945) ; suivi de *Poème à l'étrangère, Pluies, Neiges* (1945) ; *Vents* (Gallimard, 1946) ; *Amers* (Gallimard, 1947) ; *Œuvre poétique* (Gallimard, 1953) ; *Chronique* (Gallimard, 1960) ; *Poésie* (Gallimard, 1961) ; *Oiseaux* (Gallimard, 1963). Références : *Saint-John Perse, poète de gloire*, par Maurice Saillet (Mercure de France) ; *Saint-John Perse*, par Alain Bosquet (Ed. Seghers, Coll. Poètes d'aujourd'hui) ; *Poétique de Saint-John Perse*, par Roger Caillois (Gallimard, 1954).

versets la charge d'un passé si vertigineux qu'il semble plus relever de l'éternité que du temps; il a composé la chronique d'un Age d'or qui ne serait pas pureté, lumière, bonheur ou grâce, mais luxe, violence et, avant tout, audessus de ses charmes, de ses brûlures ou de ses tentations, hiératique grandeur.

Il est un personnage mythique situé au cœur de la plupart des poèmes de Saint-John Perse; qu'il soit nommé ou non, nous reconnaissons sa beauté, son orgueil, sa hardiesse, sa puissance, ce personnage c'est le Prince. Prince de l'enfance d'abord, de cette enfance chargée de sortilèges qui fut celle d'Alexis Léger sur l'île de Saint-Léger-les-Feuilles, aux abords de la Guadeloupe. La mer, les palmes, les servantes antillaises, les floraisons luxuriantes, les cyclones (un jour, ils jettent l'enfant dans un arbre, une autre fois, plantent au milieu de l'île un navire qui bientôt disparaît sous les fleurs), les anciennes coutumes (une servante hindoue peignit d'or l'enfant, le changeant en idole), telles sont les sources des premiers chants de Saint-John Perse, « éloges » de cette vie patriarcale où chaque chose, chaque être était signe à la fois élémentaire et prestigieux (« Je parle, d'une haute condition, alors, entre les robes, un règne de tournantes clartés »). L'enfant est bien le prince de ce paradis terrestre aux « fleurs voraces », aux « insectes verts », où « tout n'était que règnes et confins de lueurs ».

ÉLOGES

(fragments)

... Or ces eaux calmes sont de lait
et tout ce qui s'épanche aux solitudes molles du matin.

Le pont lavé avant le jour, d'une eau pareille en songe au mélange de l'aube, fait une belle relation du ciel. Et l'enfance adorable du jour par la treille des tentes roulées, descend à même ma chanson.

Enfance, mon amour, n'était-ce que cela ?

Enfance, mon amour... ce double anneau de l'œil et l'aisance d'aimer...

Il fait si calme et puis si tiède
il fait si continuel aussi,
qu'il est étrange d'être là, mêlé des mains à la facilité du jour...

Enfance mon amour! il n'est que de céder... Et l'ai-je dit, alors ? je ne veux plus même de ces linges
à remuer, dans l'incurable, aux solitudes vertes du matin... Et l'ai-je dit, alors ? il ne faut que servir
comme de vieille corde... Et ce cœur, et ce cœur-là! qu'il traîne sur les ponts, plus humble et plus sauvage et plus, qu'un vieux faubert,
exténué...

XVIII

A présent laissez-moi, je vais seul.
Je sortirai, car j'ai affaire : un insecte m'attend pour traiter. Je me fais joie
du gros œil à facettes : anguleux, imprévu, comme le fruit du cyprès.
Ou bien j'ai une alliance avec les pierres veinées-bleu : et vous me laissez également,
assis, dans l'amitié de mes genoux.

Puis voici, prélude au chant épique d'*Anabase*, *Amitié du Prince*, significatif de la dualité constante chez Saint-John Perse du pouvoir et du rêve, du roi et du poète : « O Prince, sous l'aigrette et le signe invisible du songe. » En apparence, on ne peut trouver poésie moins subjective que celle de Saint-John Perse, plus dépouillée de toute allusion au destin de l'auteur, et pourtant chacun de ses versets concourt à dresser un portrait souverain qui n'est autre que celui intérieur du poète. Ainsi, lorsque Alain Bosquet dit du conquérant d'*Anabase*, dévastateur et fondateur d'empire comme Alexandre ou Gengis Khan, qu'il est « un homme d'action habité d'un grand dessein inexpliqué », on est enclin à appliquer cette clef non seulement à *Anabase* mais au créateur de ce poème. De même lorsque Maurice Saillet note « le vainqueur d'*Anabase* (...) élargit vertigineusement les frontières de ce pays, tant il se sent étranger à toute patrie de ce monde », comment ne pas penser à Saint-John Perse, fidèle à son exil.

Le jeune prince auquel le monde s'offrait jadis passionnément, sous le signe d'îles limitées et pourtant inépuisables, est devenu ce dur conquérant d'*Anabase* qui a pour vocation d'étreindre le monde entier, semble-t-il, sous les espèces d'une Asie abstraite, illimitée et dont l'Empire cependant au terme indéfiniment reculé de la conquête, laisse au vainqueur un goût de songe et d'absence :

VIII

Lois sur la vente des juments. Lois errantes. Et nous-mêmes. (Couleur d'hommes.)

Nos compagnons ces hautes trombes en voyage, clepsydres en marche sur la terre,

et les averses solennelles, d'une substance merveilleuse, tissées de poudres et d'insectes, qui poursuivaient nos peuples dans les sables comme l'impôt de capitation.

(A la mesure de nos cœurs fut tant d'absence consommée!)

Non que l'étape fût stérile : au pas des bêtes sans alliances (nos chevaux purs aux yeux d'aînés), beaucoup de choses entreprises sur les ténèbres de l'esprit — beaucoup de choses à loisir sur les frontières de l'esprit — grandes histoires séleucides au sifflement des frondes et la terre livrée aux explications...

Autre chose : ces ombres — les prévarications du ciel contre la terre...

Cavaliers au travers de telles familles humaines, où les haines parfois chantaient comme des mésanges, lèverons-nous le fouet sur les mots hongres du bonheur ? — Homme, pèse ton poids calculé en froment. Un pays-ci n'est point le mien. Que m'a donné le monde que ce mouvement d'herbes ?...

Jusqu'au lieu dit de l'Arbre Sec :

et l'éclair famélique m'assigne ces provinces en Ouest.

Mais au-delà sont les plus grands loisirs, et dans un grand pays d'herbages sans mémoire, l'année sans liens et sans anniversaires, assaisonnée d'aurores et de feux. (Sacrifice au matin d'un cœur de mouton noir.)

Chemins du monde, l'un vous suit. Autorité sur tous les signes de la terre.

O Voyageur dans le vent jaune, goût de l'âme!... et la graine, dis-tu, du cocculus indien possède, qu'on la broie! des vertus enivrantes.

Un grand principe de violence commandait à nos mœurs.

Dans son livre si attentif sur « Saint-John Perse, poète de gloire », Maurice Saillet juge assez sévèrement après *Anabase*, l'œuvre de Perse. Il semble déplorer qu'*Exil* soit un « poème de résistance » (devrait-on alors déplorer dans l'œuvre de Rimbaud ces « poèmes de résistance » : « l'Orgie Parisienne », ou « Les Mains de Jeanne-Marie » ?), et qu'on y assiste « à l'intrusion de l'Histoire contemporaine dans la geste imaginaire issue d'*Anabase* et d'*Amitié du Prince* ». A mon sens, pourtant, le langage d'*Exil*, de *Pluies*, de *Vents*, n'a rien perdu de l'harmonie, du nombre, ni du pouvoir d'essentiel dépaysement de l'être qui s'attachaient à *Anabase*. Et même, un désenchantement du cœur et de l'âme qui ne vient pas démentir la fidélité aux travaux humbles ou grandioses — par quoi l'homme affirme sa noblesse — un désenchantement transgressé apporte à ces nouvelles œuvres une émotion qui, pour être dominée, n'en laisse pas moins percevoir sa secrète vibration. Seulement, il est probable que l'apparition des poèmes récents de Saint-John Perse dérange chez certains de ses admirateurs, sans peut-être qu'ils prennent conscience de l'origine de leur trouble, une ancienne, intime rêverie aux couleurs d'adolescence, que suscitait en eux le rare et lointain *Anabase*. En outre, de brève qu'elle fut pendant plus de trente années (de 1909 à 1922, publication d'*Éloges* et d'*Anabase*, suivie d'un silence de vingt ans), en quatre ans (1942-1946) l'œuvre de Saint-John Perse devient abondante — son volume a doublé — et cette ampleur laisse plus aisément déceler une courbe qui dans le rapide ravissement d'*Éloges* ou d'*Anabase* demeurait inaperçue, je veux dire, ainsi que le note Friedhlem Kemp dans les « Cahiers de la Pléiade » : « une certaine touche oratoire ».

Cependant, du primitif éloge du pays luxuriant de l'enfance, des richesses palpables, sensuelles, à la nouvelle et amère louange des signe du vide, de l'absence et de la solitude : pluies, neiges, vents; de ce flux chaleureux à ce reflux hivernal demeure la constante d'un langage non pas reflet du monde réel, mais créateur d'un monde mythique et destiné à célébrer, sous un cérémonial chiffré, le culte de toute grandeur matérielle et immatérielle.

NEIGES

I

Et puis vinrent les neiges, les premières neiges de l'absence, sur les grands lés tissés du songe et du réel; et toute peine remise aux hommes de mémoire, il y eut une fraîcheur de linges à nos tempes. Et ce fut au matin, sous le sel gris de l'aube, un peu avant la sixième heure, comme en un havre de fortune, un lieu de grâce et de merci où licencier l'essaim des grandes odes du silence.

Et toute la nuit, à notre insu, sous ce haut fait de plume, portant très haut vestige et charge d'âmes, les hautes villes de pierre ponce forées d'insectes lumineux n'avaient cessé de croître et d'exceller, dans l'oubli de leur poids. Et ceux-là seuls en surent quelque chose, dont la mémoire est incertaine et le récit est aberrant. La part que prit l'esprit à ces choses insignes, nous l'ignorons.

Nul n'a surpris, nul n'a connu, au plus haut front de pierre, le premier affleurement de cette heure soyeuse, le premier attouchement de cette chose fragile et très futile, comme un frôlement de cils. Sur les revêtements de bronze et sur les élancements d'acier chromé, sur les moellons de sourde porcelaine et sur les tuiles de gros verre, sur la fusée de marbre noir et sur l'éperon de métal blanc, nul n'a surpris, nul n'a terni cette buée d'un souffle à sa naissance, comme la première transse d'une lame mise à nu... Il neigeait, et voici, nous en dirons merveilles : l'aube muette dans sa plume, comme une grande chouette fabuleuse en proie aux souffles de l'esprit, enflait son corps de dahlia blanc. Et de tous les côtés il nous était prodige et fête. Et le salut soit sur la face des terrasses, où l'Architecte, l'autre été, nous a montré des œufs d'engoulevent!

Saint-John Perse a restitué au langage une fonction sacrale tout en lui refusant un arrière-plan religieux; l'extrême majesté jointe à l'extrême raffinement sont là signes d'une noblesse qui, pour être sans mesure, — et plus de l'âme que du corps (« il n'est d'histoire que de l'âme ») — n'en appartient pas moins à l'ordre humain et non au règne divin. Alain Bosquet note excellemment : dans « l'Univers de Saint-John Perse » : « Il n'y a point de hiérarchie entre créateur et créature. Il ne peut donc y avoir ni crainte, ni respect, ni haine, ni adoration. »

Le poète d'*Anabase*, familier des chancelleries modernes — et de l'histoire des chancelleries antiques — voit dans le langage qui, par les échanges diplomatiques, avant même les armées ou le commerce, règle la destinée des peuples, la source aussi bien que le fruit suprême des activités humaines — l'univers même n'est-il pas « une seule et longue phrase sans césure à jamais inintelligible » ? Aussi dresse-t-il l'éloge de celui « qui prend souci des accidents de phonétique, de l'altération des signes et des grandes érosions du langage », de « celui qui donne la hiérarchie aux grands offices du langage ».

Prince solitaire dont la voix semble, pour nous parvenir, traverser les siècles, et cette traversée à la fois l'use, la polit et la charge de charmes et d'allusions dont les clefs seraient hors de portée, Saint-John Perse nous fait, en ses œuvres, remonter « ce pur délice sans graphie où court l'antique phrase humaine ».

PIERRE JEAN JOUVE

Des poètes comme Reverdy, Supervielle, Eluard possèdent dès leur jeunesse le ton, l'univers qui demeureront leurs tout au long de l'œuvre, d'autres poètes connaissent une évolution profonde et lente, il en est de plus rares dont la poésie semble marquée par une véritable mutation, ainsi de Nerval, ainsi de Pierre Jean Jouve[1] qui a totalement *rompu* avec la poésie unanimiste de sa jeunesse. Bien entendu on trouverait cependant des traces secrètes qui peuvent suggérer une voie de l'art ancien à l'art nouveau; pour Jouve, ce seraient celles d'un sens du civisme et du tragique.

Jouve est né à Arras, la ville de Robespierre : « L'Angoisse de la Révolution française a violemment impressionné mon enfance », a-t-il noté; angoisse et espérance de la Révolution qui s'allieront en lui à l'angoisse et à l'espérance du christianisme. Ainsi marqué par la double mystique française, cet esprit profondément religieux assignera à la poésie une fonction très haute, celle de « forcer le plus réel à exister »; pour lui encore « le monde spirituel trouvera dans la poésie son unique expression ». De tous les poètes contemporains, Jouve est celui qui se rapproche le plus de Baudelaire, il a admirablement éclairé les *Fleurs du Mal*, il a su que « le secret de Baudelaire (était) la recherche de l'inconscient comme moteur de la Poésie » et lui-même a fait d'une telle recherche le moteur de sa propre poésie.

Sueur de sang, Matière céleste, Kyrie, le Paradis perdu,

---

1. Né à Arras en 1887. Œuvres principales : *Tragique* (Stock, 1923); *Prières* (Stock, 1924); *Les Mystérieuses Noces* (Stock, 1923); *Noces* (Au Sans Pareil, 1928, et N.R.F.); *Le Paradis Perdu* (Grasset, 1929); *Sueur de Sang* (Les Cahiers Libres, 1933, et N.R.F.); *Matière céleste* (N.R.F.); *Kyrie* (Gallimard); *Diadème* (Ed. de Minuit, 1949); *Langue* (Mercure de France, 1954); *En Miroir* (Mercure de France, 1954); *Lyrique* (Mercure de France, 1956); *Mélodrame* (Mercure de France, 1957); *Invention* (Mercure de France, 1959); *Proses* (Mercure de France, 1962). Référence : *Pierre Jean Jouve*, par René Micha (Ed. Seghers, Coll. Poètes d'aujourd'hui, 1956).

Vers Majeurs, toutes ces œuvres élèvent vers la lumière un lourd monde souterrain où l'âme et la chair, le spirituel et le sexuel sont indissociablement mêlés.

UNE SEULE FEMME ENDORMIE

Par un temps humide et profond tu étais plus belle
Par une pluie désespérée tu étais plus chaude
Par un jour de désert tu me semblais plus humide
Quand les arbres sont dans l'aquarium du temps
Quand la mauvaise colère du monde est dans les cœurs
Quand le malheur est las de tonner sur les feuilles
Tu étais douce
Douce comme les dents de l'ivoire des morts
Et pure comme le caillot de sang
Qui sortait en riant des lèvres de ton âme

Par un temps humide et profond, le monde est plus noir
Par un jour de désert le cœur est plus humide.

VIE DE LA TOMBE D'HÉLÈNE

Des glaïeuls (sur elle la plus belle) se balancent
Il fait beau sur sa pierre à mourir de ciel bleu
C'est le resplendissant automne sans alarme
Le cri du marbre veiné
Où elle noire est robuste enterrée
Ensevelie nue sous le poids de mes songes

Les monts brillants sont des réceptacles de larmes
On est ici bien loin de l'âge de fer
Sur eux tu dors en soupirant des feuilles
Décomposant
L'air frais du soir et tous ses spectacles du nord
Avec une affreuse haleine de terreau vert

Les larmes brillent, ô ma pierre
Les larmes coulent, ô mon sang
Les larmes sont la rosée de ce théâtre
Et la verdure veut ressusciter ton pied des montagnes
Et nous attire
Vers le bloc adouci de terre de ton cœur

BLANCHES HANCHES

Une joie souterraine est partie loin de moi
Blanches hanches! Je cours et recours et brandis vers!
Je soulève le beau vêtement
Reculé dans les parfums les plus chauds et les plus noirs
J'épuise dans des bras
La chaleur de Saturne et la désolation de l'ardeur
Je tremble encore une fois jusqu'à perdre la raison
A cause des rutilants soleils de la privation future

Les azurs sonnent clair
Les dents blanches sont ivres
Les silences des hanches quand les oiseaux du temps
Ont presque fini de vivre

Autre union passionnée dans l'œuvre de Jouve : celle de la vie et de la mort.

PAYS D'HÉLÈNE

C'est ici que vécut incomparable Hélène

Ici l'ancien lieu de verdure et d'argent
Les larmes de rochers
Un soupir bleu mais des déchirures pensives
Un noir éclatement de rocs argentés

Inhumaine inimaginable en robe à traîne
Qu'elle était belle vêtue de rochers
Et costumée des fleurs de l'herbe! Dans les grands soirs
Des maisons hautes blanches et nues, grillagées

Qu'elle était nue, et triste! et quel amour aux mains
Et quelle force aux reins de sa splendeur rosée
Qu'elle avait pour aimer et pour vivre! et quel sein
Pour nourrir! et les douces pensées
De son ombre! et comme elle sut bien mourir

Dans un baiser rempli de palmes et de vallées.

On voit ici ses larmes
Conservées dans ce couloir vert du cimetière
Un immense noyer endormi par le jour
Tient à ses pieds les tombes perles de couleur

Quand le noyer touche aux glaces penchées
Étincelantes du glacier de l'autre bord
Où cinq dents d'argent difformes du malheur
Luisent
Sur le gouffre harmonie d'éternelle chaleur.

Prairie du jour! avec les flots et les forêts
De maigre vert et les roches du ciel
Ta pureté céleste cri cruel
Fait mal, comme une morte ici marchait.

Hélène aimait-elle glaciers et noyers
Passait-elle son bras nu sur ces montagnes
Baisait-elle de sa robe les prairies
Dans les yeux de son amant jeune espérait-elle
Et la lumière d'or ?

Loin, les rochers d'Hélène
Découpés par le soleil des funérailles
Luisaient au milieu des dents noires et dures
Et le soleil se déchirait religion pure.

« Le monde va finir », notait Baudelaire dans *Fusées*. Cette menace d'anéantissement pour le poète de *Kyrie* porte la vie à son point le plus haut, lui confère sa pleine signification. Jouve écrivait en 1933, dans sa préface à *Sueur de Sang*, ceci qu'il intitulait : *Inconscient, Spiritualité et Catastrophe* :

Tout cet édifice assez merveilleux (la connaissance de la vie abyssale en poésie) est d'ailleurs traversé par un autre mouvement de l'inconscient, que nous apprenons à lire comme tel, qui se nomme la catastrophe. Comme si nous étions, relativement à l'âme humaine, dans un de ces bouleversements primaires qui doivent toucher l'aspect de toutes choses, détruire le bien avec le mal, effacer l'homme dans le même temps où elle l'instruit. La catastrophe la pire de la civilisation est à cette heure possible parce qu'elle se tient dans l'homme, mystérieusement agissante, rationalisée, enfin d'autant plus menaçante que l'homme sait qu'elle répond à une pulsion de la mort déposée en lui. La psychonévrose du monde est parvenue à un degré avancé qui peut faire craindre l'acte de suicide.

La société se ressouvient de ce qu'elle était au temps de saint Jean ou à l'an mille : elle attend, elle espère la fin. Il n'y a pas à prouver que le créateur des valeurs de la vie (le poète) doit être contre la catastrophe; ce que le poète a fait avec l'instinct de la mort est le contraire de ce que la catastrophe veut faire; en un sens, la poésie c'est la vie même du grand Eros morte et par là survivante.

La poésie de Jouve est parcourue tout entière par le sens du péché, par le pressentiment de l'Apocalypse. Elle est à fond d'angoisse, mais le tragique y est garant de la grandeur et les forces du mal y sont à la fois reconnues, exorcisées, et dominées par l'exigeante beauté du langage.

CATASTROPHE

Que deux yeux étonnants plongent dans l'étendue
Que les demeures de larmes soient fraîches
Que le tonnerre s'avance en riant chantant
C'est l'heure où l'homme est nu où les puissances meurent
Entendez-vous ces bruits d'armes sanglants
Entendez-vous ce travail obscur de la terre
Ces fortes mains de femme avec des ongles blancs
Les voyez-vous qui déchirent la peau du ciel ?

Par sa densité, sa puissance, sa couleur, sa musique, le langage ici possède une pureté solennelle et dure qui convient à une poésie expression du sacré, à une poésie qui toujours est hymne. Jouve remarque : « Il s'agissait (et il s'agit toujours) de briser en un certain sens l'instinct logistique de la langue française — le plus impérieux qui soit. » Le poète des *Vers majeurs* obéit à cette exigence. Grâce à une syntaxe audacieuse, grâce encore aux rapports nouveaux qui les ordonnent, dans ses poèmes les mots rejoignent leur pouvoir originel. L'épithète, par exemple, prend dans ses vers une force, un éclat remarquables : il suffit d'un rejet séparant le nom de l'adjectif pour que l'un et l'autre jouissent d'une lumière inattendue qui les lave de leur usure séculaire et leur restitue pleinement leur sens. Ainsi :

Libre de l'éclairer de fulguration
Forte et par le vent et par l'amour.

L'enjambement est d'ailleurs fréquent dans l'œuvre de Jouve qui l'utilise non seulement pour détacher une épithète, mais encore pour donner au poème son mouvement pressé, son élan :

C'est le vent, c'est l'absence et que jamais son heure
Ne soit venue! Avec la poudre et le volcan
De révolution, le feu, la flamme d'or!

Jouve, si attentif à l'inconscient, s'est construit un art poétique très conscient que viennent enrichir encore des moyens empruntés à la musique et à la peinture. C'est qu'en Jouve le poète se double d'un critique pénétrant : il faut lire ses pages d'une rare profondeur sur Delacroix, Courbet ou sur Mozart. Là encore on retrouverait la parenté spirituelle qui relie Jouve à Baudelaire et repose sur une commune appréhension des « correspondances » qui élèvent vers leur sens éternel les événements subjectifs ou historiques dont sont formés nos jours.

La poésie de Jouve, tragique et religieuse expression du destin, découverte des forces obscures de l'amour ou de la mort, trouve son accomplissement dans la prophétie.

JULES SUPERVIELLE

Je ne vais pas toujours seul au fond de moi-même
Et j'entraîne avec moi plus d'un être vivant.
Ceux qui seront entrés dans mes froides cavernes
Sont-ils sûrs d'en sortir, même pour un moment ?
J'entasse dans ma nuit, comme un vaisseau qui sombre,
Pêle-mêle, les passagers et les marins,
Et j'éteins la lumière aux yeux, dans les cabines,
Je me fais des amis des grandes profondeurs.

Oui, Supervielle[1] poète de l'amitié et non seulement de l'amitié des hommes, mais de celle des animaux, des plantes et de celle des éléments et de celle des êtres obscurs qui vivent en nous comme dans les profondeurs d'un océan ou d'une nuit. Orphelin très jeune, peut-être devint-il, pour combler en lui le trop vaste sentiment de sa solitude, l'enfant des espaces : de la pampa, de l'océan, du ciel nocturne, cependant qu'à la faveur d'une singulière inversion de la conscience de l'abandon, les objets et les êtres — qu'ils fussent passés, présents ou futurs — semblaient s'offrir à sa protection, à son amour : orphelins à leur tour, ce cheval, cet arbre, cette vague, cet animal préhistorique, si, un instant, le poète détournait d'eux son regard et son cœur. Bien sûr, cette hypothèse, on peut la faire seulement après coup, loin chronologiquement de l'enfance ou de la jeunesse de Supervielle, enseigné par la lecture de son œuvre. Celle-ci à son origine ne permettait guère de dégager de telles suppositions sur la genèse d'une conscience poétique. Les débuts littéraires de Supervielle sont en effet proches à la fois de l'unanimisme et de l'Ecole fantaisiste — Laforgue,

---

1. Né à Montevideo en 1884, mort à Paris en 1960. Œuvres : *Poèmes de l'Humour triste* (La Belle Edition, 1919) ; *Poèmes* (Figuière, 1919) ; *Débarcadère* (Revue de l'Amérique Latine, 1922) ; *Gravitations* (N.R.F., 1932) ; *Le Forçat Innocent* (N.R.F., 1930) ; *Les Amis Inconnus* (N.R.F., 1934) ; *La Fable du Monde* (N.R.F., 1938) ; *Poèmes* (Gallimard, 1946) ; *Le Corps tragique* (Gallimard, 1959). Références : *Supervielle*, par Claude Roy (Ed. Seghers, Coll. Poètes d'aujourd'hui) ; *Jules Supervielle*, par Etiemble (Ed. Gallimard, La Bibliothèque Idéale).

ne l'oublions pas, était son compatriote — mais l'on verra les poèmes de Supervielle aller vers toujours plus de simplicité en même temps que de profondeur, et la voix si personnelle du poète obtiendra enfin son pouvoir véritable lorsqu'elle aura acquis ce ton à la fois grave et gentil, gauche et majestueux, tendre et moqueur qui rend si amicale ou plus exactement : fraternelle. la poésie de *Gravitations, Le Forçat innocent, Les Amis inconnus* ou de *La Fable du Monde.*

« Mon frère l'Oiseau », pourrait dire Supervielle, et « Mon frère l'Ours », « Mon frère le Cheval ».

L'OISEAU

Oiseau, que cherchez-vous, voletant sur mes livres,
Tout vous est étranger dans cette étroite chambre.

— J'ignore votre chambre et je suis loin de vous,
Je n'ai jamais quitté mes bois, je suis sur l'arbre
Où j'ai caché mon nid, comprenez autrement
Tout ce qui vous arrive, oubliez un oiseau.

— Mais je vois de tout près vos pattes, votre bec.

— Sans doute pouvez-vous rapprocher les distances
Si vos yeux m'ont trouvé ce n'est pas de ma faute.
— Pourtant vous êtes là puisque vous répondez.

— Je réponds à la peur que j'ai toujours de l'homme,
Je nourris mes petits, je n'ai d'autre loisir.
Je les garde en secret au plus sombre d'un arbre
Que je croyais touffu comme l'un de vos murs.
Laissez-moi sur ma branche et gardez vos paroles,
Je crains votre pensée comme un coup de fusil.

— Calmez donc votre cœur qui m'entend sous la plume.

— Mais quelle horreur cachait votre douceur obscure
Ah! vous m'avez tué, je tombe de mon arbre.
— J'ai besoin d'être seul, même un regard d'oiseau...

— Mais puisque j'étais loin, au fond de mes grands bois!

L'OURS

Le pôle est sans soupirs.
Un ours tourne et retourne
Une boule plus blanche
Que la neige et que lui.
Comment lui faire entendre
Du fond de ce Paris
Que c'est l'ancienne sphère
De plus en plus réduite
D'un soleil de minuit,
Quand cet ours est si loin
De cette chambre close,
Qu'il est si différent
Des bêtes familières
Qui passent à ma porte,
Ours penché sans comprendre
Sur son petit soleil
Qu'il voudrait peu à peu
Réchauffer de son souffle
Et de sa langue obscure
Comme s'il le prenait
Pour un ourson frileux
Qui fait le mort en boule
Et ferme fort les yeux.

(LE CHEVAL)

Ce bruit de la mer où nous sommes tous,
Il le connait bien, l'arbre à chevelure,
Et le cheval noir y met l'encolure
Allongeant le cou comme pour l'eau douce,
Comme s'il voulait quitter cette dune,
Devenir au loin cheval fabuleux
Et se mélanger aux moutons d'écume,
A cette toison faite pour les yeux,
Être enfin le fils de cette eau marine.
Brouter l'algue au fond de la profondeur.
Mais il faut savoir attendre au rivage,
Se promettre encore aux vagues du large,
Mettre son espoir dans la mort certaine,
Baisser de nouveau la tête dans l'herbe.

Le héros qui se glisse, à la fois heureux et meurtri, derrière chacun des vers de Supervielle, que ceux-ci parlent d'un nuage, d'une pierre ou d'un chien, ce héros porte tout un passé cosmique, animal et humain : sa vie est lourde de cette vie enfuie vers quoi chaque jour, en le rapprochant de la mort, le ramène. Comme il est le poète d'une terre et d'un ciel à l'image de l'homme, Supervielle est le poète de l'homme fait de ciel et de terre, venu du fond des nuits, du fond des temps, chargé de messages à lui-même inconnus.

Rien qu'un cri différé qui perce sous le cœur
Et je réveille en moi des êtres endormis,
Un à un, comme dans un dortoir sans limites,
Tous, dans leurs sentiments d'âges antérieurs,
Frêles, mais décidés à me prêter main forte.
Je vais, je viens, je les appelle et les exhorte,
Les hommes, les enfants, les vieillards et les femmes,
La foule entière et sans bigarrures de l'âme
Qui tire sa couleur de l'iris de nos yeux
Et n'a droit de regard qu'à travers nos pupilles.
Oh! population de gens qui vont et viennent.
Habitants délicats des forêts de nous-mêmes,
Toujours à la merci du moindre coup de vent
Et toujours quand il est passé, se redressant.
Voilà que lentement nous nous mettons en marche,
Une arche d'hommes remontant aux patriarches
Et lorsque l'on nous voit on distingue un seul homme
Qui s'avance et fait face et répond pour les autres.
Se peut-il qu'il périsse alors que l'équipage
A survécu à tant de vents et de mirages.

Ces messages qui sont aussi bien d'ordre intime qu'universel, de la mort que de la vie toujours entrelacées, Supervielle nous les révèle dans ses poèmes qui, presque toujours, sous l'apparence d'un récit, reflètent les pulsations secrètes du corps, de l'univers ou de l'âme confondus; et il entend que le langage rende le plus clair possible, sans jamais en trahir la nature, ce qui appartient aux régions obscures de l'être.

LE CORPS

Ici l'univers est à l'abri dans la profonde température de l'homme
Et les étoiles délicates avancent de leurs pas célestes
Dans l'obscurité qui fait loi dès que la peau est franchie,
Ici tout s'accompagne des pas silencieux de notre sang
Et de secrètes avalanches qui ne font aucun bruit dans nos parages,
Ici le contenu est tellement plus grand
Que le corps à l'étroit, le triste contenant...
Mais cela n'empêche pas nos humbles mains de tous les jours
De toucher les différents points de notre corps qui loge les astres,
Avec les distances interstellaires en nous fidèlement respectées.
Comme des géants infinis réduits à la petitesse par le corps humain, où il nous faut tenir tant bien que mal,
Nous passons les uns près des autres, cachant mal nos étoiles, nos vertiges,
Qui se reflètent dans nos yeux, seules fêlures de notre peau.
Et nous sommes toujours sous le coup de cette immensité intérieure
Même quand notre monde, frappé de doute,
Recule en nous rapidement jusqu'à devenir minuscule et s'effacer,
Notre cœur ne battant plus que pour sa pelure de chair,
Réduits que nous sommes alors à l'extrême nudité de nos organes,
Ces bêtes à l'abandon dans leur sanglante écurie.

« Le poème, déclare Supervielle, ne doit pas être un rébus, que le mystère en soit le parfum, la récompense. Je me suis toujours refusé, pour ma part, à écrire de la poésie pour spécialistes du mystère », et encore : « le conteur surveille en moi le poète », ou bien : « ... je suis d'une famille d'horlogers, je tiens à ce que mes poèmes soient bien agencés ».

De telles dispositions artisanales ne nuisent en rien à la grandeur de l'œuvre chez Supervielle car il est riche d'une « immensité intérieure » et, justement, sa lucidité et sa patience lui servent à ne pas se perdre dans cette « immensité » mais au contraire à la rendre communicable.

La poésie de Supervielle, pour employer l'un de ses titres, nous fait « boire à la source ». Elle nous rappelle cette identité de l'univers et de l'homme que notre civilisation tend constamment à nous faire oublier; elle est « l'art... de nous combler de tout » en nous rendant sensible la continuité de notre moi et du monde, l'analogie du microcosme qu'est notre corps et du macrocosme de la nature, elle nous ramène vers l'unité originelle de la nuit :

Nuit en moi, nuit au dehors,
Elles risquent leurs étoiles,
Les mêlant sans le savoir.
Et je fais force de rames
Entre ces nuits coutumières,
Puis je m'arrête et regarde.
Comme je me vois de loin!
Je ne suis qu'un frêle point
Qui bat vite et qui respire
Sur l'eau profonde entourante.
La nuit me tâte le corps
Et me dit de bonne prise.
Mais laquelle des deux nuits,
Du dehors ou du dedans ?
L'ombre est une et circulante,
Le ciel, le sang ne font qu'un.
Depuis longtemps disparu,
Je discerne mon sillage
A grande peine étoilé

Elle nous aide enfin à vivre, cette poésie, non pas seulement dans l'instant mais tout au long de notre existence, donnant je ne sais quel visage familier aux énigmes, même lorsqu'elles appartiennent à l'angoisse ou à la mort; tout poème de Supervielle est un

HOMMAGE A LA VIE

C'est beau d'avoir élu
Domicile vivant
Et de loger le temps

Dans un cœur continu,
Et d'avoir vu ses mains
Se poser sur le monde
Comme sur une pomme
Dans un petit jardin,
D'avoir aimé la terre,
La lune et le soleil,
Comme des familiers
Qui n'ont pas leurs pareils,
Et d'avoir confié
Le monde à sa mémoire
Comme un clair cavalier
A sa monture noire,
D'avoir donné visage
A ces mots : femme, enfants,
Et servi de rivage
A d'errants continents,
Et d'avoir atteint l'âme
A petits coups de rame
Pour ne l'effaroucher
D'une brusque approchée.
C'est beau d'avoir connu
L'ombre sous le feuillage
Et d'avoir senti l'âge
Ramper sur le corps nu,
Accompagné la peine
Du sang noir dans nos veines
Et doré son silence
De l'étoile Patience,
Et d'avoir tous ces mots
Qui bougent dans la tête,
De choisir les moins beaux
Pour leur faire un peu fête,
D'avoir senti la vie
Hâtive et mal aimée,
De l'avoir enfermée
Dans cette poésie.

LE SURRÉALISME

« La Raison écrivant les mémoires de la Folie sous sa dictée. »

THÉOPHILE GAUTIER.

« Boileau fait rimer *poète* et *influence secrète.* »

RAYMOND QUENEAU.

Dans cette partie consacrée au Surréalisme, si les œuvres de : Antonin Artaud, René Char, Robert Desnos, Jacques Prévert, Raymond Queneau, n'ont pas été étudiées, c'est parce que ces poètes sont présentés dans les *Nouveaux Poètes français* de Jean Rousselot parus aux mêmes éditions Seghers.

D'autre part, dans les citations, une plus large place a été, en général, réservée aux œuvres appartenant à l'*époque surréaliste*.

LA RÉVOLTE DADAISTE ET LA CONQUÊTE SURRÉALISTE

« Toute expression purement révélatrice est impossible. »

A. ROLLAND DE RENÉVILLE.

L'apparition des poèmes destructeurs, visionnaires de Rimbaud et de Lautréamont coïncide avec la guerre de 1870 et l'insurrection de la Commune, de même le nouveau cataclysme guerrier de 1914-1918 et la révolution d'Octobre 1917 ensanglantent et illuminent le temps qui verra la révolte des poètes adolescents guidés par les appels, les blasphèmes, les colères et les enthousiasmes clamés jadis dans le désert, à travers les *Illuminations* et *les Chants de Maldoror*.

Cette société dont Ubu dénonçait l'absurdité, l'hypocrisie, la férocité travestie sous les oripeaux solennels et papelards des principes et de la Tradition, cette société qui se prétend conduite par la Raison, la Morale et pense se reconnaître dans un « Art » également rationnel, trouve son aboutissement dans la folie et le crime guerriers; bien entendu, couverts eux aussi du masque de la civilisation. Le moment est venu pour les jeunes poètes qui ont entendu la leçon des grands « maudits » de démasquer, cette fois définitivement, une société qui ne sait que ruiner matériellement, spirituellement et assassiner l'humanité. Et puisque sont d'abord mises en avant la Raison, la Tradition, celles-ci doivent être abattues. Pour cela le meilleur moyen n'est-il pas de les ridiculiser ? A la violence et à l'absurdité de leur temps, les jeunes poètes vont répondre par une violence et une absurdité délibérées et poétiques. Mus par un sursaut vital ils vont cracher à la face du monde « qu'on leur a fait » leur dégoût; ils vont en appeler à tout ce que ce monde feint d'ignorer : la déraison va s'opposer à la raison, le désordre pur à l'« ordre » qui ne parvient même plus à camoufler un ignoble chaos; au satisfait, au solennel enfin, l'humour va appliquer de froides et cinglantes gifles. Dans cette révolte l'humour se présente comme l'élément destructeur par excellence; il procède de l'esprit de scandale dont Jarry déjà avait tiré parti; il est un condensé de scandale, il énonce des propositions capables de ruiner soudain l'assurance de l'esprit, il ouvre, sans bruit ni geste, des trappes, il tire d'un trait les chaises, et les « assis » s'écroulent. « Humour noir », a fort bien dit Breton. Noir certes du désespoir profond de ses promoteurs — si profond qu'il ne laisse plus paraître à la surface aucun de ses signes habituels — et noir de l'obscurité dans laquelle il tend à plonger brusquement la raison de ceux, qu'avec un étrange sourire, il défie. Un désespoir devenu arme, celle d'abord de l'isolé qui oppose une incohérence choisie à la cohérence sociale qui l'opprime.

L'exemple d'un tel humour est donné par quelques jeunes gens qui furent dadaïstes et surréalistes avant la lettre. Parmi eux le plus parfait sans doute fut Jacques Vaché[1], (André Breton, alors mallarméen, le rencontra à Nantes en 1916, cette rencontre détermina une métamorphose qui devait marquer à jamais Breton et à travers lui le futur surréalisme). Ce passage d'une lettre de Vaché exprime de façon saisissante l'état d'esprit de ces adolescents jetés dans le non-sens de la guerre : « Je m'ennuie beaucoup derrière mon monocle de verre, m'habille de kaki et bats les Allemands. — La machine à décerveler marche à grand bruit, et j'ai non loin, une étable à tanks — un animal bien « ubique » mais sans joie. »

« Sans joie », voici la clef de cette révolte glaciale. Ce monde qui a tué toute joie ne mérite-t-il pas le mépris, les sarcasmes de ces poètes qui tous pourraient écrire, désespérés, désinvoltes comme Jacques Vaché : « Je serai ennuyé de mourir si jeune. Ah! puis Merdre. » La plus exacte définition de cet humour, nous la devons encore à Jacques Vaché lorsqu'il écrit — et son orthographe montre bien la filiation Ubuesque de la lettre initiale : « l'Umour », « sens de l'inutilité théâtrale et sans joie de tout, quand on sait ». Faut-il s'étonner que Jacques Vaché, après l'armistice, se

1. Né en 1896. Mort en 1919. Œuvres : *Lettres de Guerre* (Au Sans Pareil, 1919); Introduction par A. Breton. Référence : *Anthologie de l'Humour Noir*, par A. Breton (Sagittaire).

soit suicidé ? Mais la *joie* est difficile à tuer à jamais dans le cœur vif de la jeunesse, et pour un Jacques Vaché qui prend congé de cette société monstrueusement bouffonne et tragique, voici d'autres jeunes qui entendent mettre en commun leur rébellion et ne pas *quitter la scène* sans avoir au préalable signifié à leur époque une fin de non-recevoir absolue.

Tzara, le fondateur du Dadaïsme, dira à propos de ce mouvement : « Cette guerre (1914-1918) ne fut pas la nôtre; nous l'avons subie à travers la fausseté des sentiments, et la médiocrité des excuses. Tel fut il y a trente ans, lorsque *Dada* naquit en Suisse, l'état d'esprit de la jeunesse à ce moment. Dada naquit d'une exigence morale, d'une volonté implacable d'atteindre à un absolu moral... Dada naquit d'une révolte qui était commune à toutes les adolescences, qui exigeait une adhésion complète de l'individu aux nécessités profondes de sa nature, sans égards pour l'histoire, la logique ou la morale ambiante (...). La phrase de Descartes : « *Je ne veux même pas savoir qu'il y a eu des hommes avant moi* », nous l'avions mise en exergue à une de nos publications. » Cette politique de la *table rase* trouva de fervents adeptes en Suisse, en Allemagne, en France où autour de Tzara se groupèrent Arp, Aragon, Soupault, Eluard, Breton, Péret, Picabia, Duchamp. Avec une tumultueuse passion et un cynisme étudié, dons de leur vingtième année éclose en un temps qui venait d'apprendre, selon le mot de Valéry, que les *civilisations* sont mortelles, ces jeunes poètes à peine sortis du combat, reprirent à leur façon, une contre-guerre, une *guerre sainte* contre l'ordre établi. Il s'agit de *provoquer* et de démoraliser. Le scandale pour le scandale tel est le mot de passe. Tzara évoquant le souvenir d'une manifestation dada à la Salle Gaveau décrit le public debout, les bras en l'air, vociférant et ajoute : « le spectacle était dans la salle, nous étions réunis sur la scène et regardions le public déchaîné ». Bel effet d'humour, ce renversement des rôles. De Dada bien entendu, il ne pouvait, par définition, rien sortir sinon « le bruit et la fureur », sinon aussi, de cette « violence sacrilège » comme le note Tristan Tzara, « une espèce de nouvel héroïsme intellectuel, une sorte de civisme littéraire ». Ces jeunes gens n'étaient si impatients de tout détruire autour d'eux que par pressentiment d'une *vraie vie* susceptible de jaillir lorsqu'auraient été dispersés les décombres de cette inacceptable existence à eux proposée par les puissances en place et dont ils s'appliquaient à dénoncer l'intime malédiction en même temps que la prochaine ruine. Dada ou la dérision absolue ne pouvait lui-même échapper à son propre acide; système fait de la mise à mort de tous les systèmes il ne pouvait qu'à son tour se détruire. C'est ce qui advint. A la destruction dadaïste succéda la conquête surréaliste. Plus exactement la tentative de mettre en déroute les valeurs personnelles ou sociales jusque-là consacrées par la hiérarchie bourgeoise, alla de pair dorénavant avec la volonté d'instituer, au-dessus de ce bouleversement purificateur, la primauté d'un homme enfin libéré de tous les asservissements qu'ils fussent d'origine économique, intellectuelle, morale ou religieuse.

Évidemment, ce sont les contraintes d'une brève analyse qui me font nettement séparer ce qui en fait s'opéra dans la complexité mouvante de la vie; à l'intérieur même de Dada, bien avant la *fin* officielle de ce mouvement, le Surréalisme se cherchait. Par exemple, c'est dans la revue *Dada* intitulée par ironie *Littérature* que paraît en 1919 le premier texte spécifiquement « surréaliste » : « Les Champs Magnétiques », écrit en collaboration par André Breton et Philippe Soupault.

De même que la rencontre de Jacques Vaché avait apporté à Breton la découverte de l'humour — menace de mort, de même la rencontre du freudisme, sa mise en évidence du psychisme inconscient incitèrent l'auteur des *Vases communicants* à rechercher dans le domaine de l'irrationnel des promesses de vie. Puisque la vie active et dirigée de l'intelligence aboutit à une barbarie mécanique qui se pare hypocritement du nom de civilisation, le seul recours réside dans « la vie passive de l'intelligence », dans le rêve et les manifestations de l'inconscient. L'une de ces manifestations, Breton l'appréhende fortuitement — mais est-il rien de fortuit ? Le hasard, précisément pour les surréalistes, est le véhicule du merveilleux — en prenant conscience un soir d'une image auditive surgie dans sa pensée d'une façon tout insolite et suivie d'une image visuelle : *il y a un homme coupé en deux par la fenêtre*. Breton n'aura de cesse qu'il n'ait provoqué en lui, de nouveau, l'apparition de semblables voix et visions. Il s'emploiera avec Philippe Soupault à noter dans « Les Champs Magnétiques » ces créations automatiques de l'esprit. Ainsi naîtra l'un des moyens d'expression essentiels du Surréalisme : l'écriture automatique.

C'est en hommage à Apollinaire que fut emprunté à son œuvre le mot « Surréalisme », mais en fait, observe Breton, le terme Nervalien de « Supernaturalisme » ou encore celui de Saint-Pol-Roux « idéoréalisme » eussent mieux répondu à la définition donnée dans le *Premier Manifeste*. Voici cette définition : « Surréalisme, nom masculin : Automatisme psychique pur par lequel on se propose d'examiner, soit verbalement, soit par écrit, soit de toute autre manière, le fonctionnement réel de la pensée. Dictée de la pensée, en l'absence de tout contrôle exercé par la raison, en dehors de toute préoccupation esthétique ou morale... *Encycl. philos.* Le surréalisme repose sur la croyance à la réalité supérieure de certaines formes d'associations négligées jusqu'à lui, à la toute puissance du rêve, au jeu désintéressé de la pensée. Il tend à ruiner définitivement tous les autres mécanismes psychiques et à se substituer à eux dans la résolution des principaux problèmes de la vie. »

Comment ne pas être frappé par l'*apparence* quasi scientifique d'une telle définition. Cet effort d'expression rigoureuse d'un phénomène des plus obscurs — effort qui n'aboutit que très partiellement — témoigne du drame même du mouvement surréaliste, à savoir la revendication du rêve, du merveilleux, du fantastique, de faits séduisants mais souvent incertains : ici authentiques, un peu plus loin illusoires, bref d'un domaine riche mais confus, mais rebelle à l'investigation dans un Temps soumis à l'essor vertigineux de l'investigation scientifique.

Ainsi la volonté de « connaissance rationnelle de l'irrationnel » connaîtra-t-elle maintes contradictions internes, de même plus tard échoueront les tentatives désespérées d'accorder la révolution surréaliste qui veut « changer la vie », selon Rimbaud, à la révolution marxiste qui entend « transformer le monde », selon Marx. Le Surréalisme, triomphe du subjectif, se propose d'atteindre à l'objectivation de ce subjectif, là résident sa grandeur et sa faiblesse, de là proviennent ses crises, ses déchirements. Un Romantisme total voulant enfanter son *Discours de la Méthode*, voilà, pour une part, le Surréalisme, et cette part, on voit mal comment elle aurait abouti. Mais qu'importe, s'il nous suffit que le Surréalisme, pour sa gloire, ait formé les poètes les plus admirables ou les plus originaux de ce temps, qu'il ait grand ouvert la poésie sur le rêve, l'imagination, le merveilleux, l'amour, qu'il ait suivi avec quel acharnement et quel héroïsme parfois, les chemins de Rimbaud et de Lautréamont, ceux de l'ambition infinie que nous retrouvons indiqués dans cette phrase d'André Breton : « ... la fin ne saurait être pour moi que la connaissance de la destination éternelle de l'homme, de l'homme en général, que la Révolution seule pourra rendre pleinement à cette destination ». Le poète surréaliste parfois s'efface devant le mystique — sans dieu —, Breton a certes écrit : « l'analogie poétique diffère foncièrement de l'analogie mystique en ce qu'elle ne présuppose nullement, à travers la trame du monde visible, un univers invisible qui tend à se manifester », mais n'est-ce pas comme le remarque M. Marcel Raymond : « Le point de vue hypothétique de Dieu sur la création » dont rêve ce même poète lorsqu'il déclare : « Tout porte à croire qu'il existe un certain point de l'esprit d'où la vie et la mort, le réel et l'imaginaire, le passé et le futur, le communicable et l'incommunicable, le haut et le bas cessent d'être perçus contradictoirement. Or c'est en vain qu'on chercherait à l'activité surréaliste un autre mobile que l'espoir de déterminer ce point. »

Et Robert Desnos remarquait : « Je ne crois pas en Dieu, mais j'ai le sens de l'infini. Nul n'a l'esprit plus religieux que moi. Je me heurte sans cesse aux questions insolubles. Les questions que je veux bien admettre sont toutes insolubles. »

C'est l'honneur du Surréalisme d'avoir posé — posé en les vivant — des questions insolubles sans doute, mais qui, du moins, tendent à élargir indéfiniment les limites de la condition humaine. Pour tenter de briser ces limites, le Surréalisme se tourne vers ce qui jusqu'alors est demeuré irréductible aux impératifs sociaux et à l'appauvrissement de la logique : la vie inconsciente, l'enfance, l'amour, la folie même; et les plus beaux des poèmes qui ont jalonné cette quête demeurent pour nous comme des sources où ne cesse de jaillir le *merveilleux* né de l'identification de la vie et de la poésie.

AVANT LA LETTRE

RAYMOND ROUSSEL ET QUELQUES AUTRES

> « La prolifération des parenthèses dans *Les Nouvelles Impressions d'Afrique* de Raymond Roussel n'effraie plus que les personnes vraiment *très* retardataires. »
>
> RAYMOND QUENEAU.

Le Surréalisme plonge ses racines à travers les siècles, il est un moment particulièrement vivace du courant romantique aussi élémentaire et premier dans l'homme que le cours obscur du sang, mais avant qu'il se déclare avec l'éclat que l'on sait il a eu ses grands annonciateurs : Rimbaud, Lautréamont, Nouveau, Cros, Jarry, puis ses signes avant-coureurs qui ont nom Jacques Vaché, Raymond Roussel, Arthur Cravan, Marcel Duchamp, Picabia.

Jacques Vaché, on l'a vu, a été une vivante et mortelle incarnation du *Lafcadio* de Gide, de même Arthur Cravan, ce géant boxeur qui disparut dans le golfe du Mexique, sur une frêle embarcation, par une nuit de 1920. Il dirigea et vendit dans la rue, de 1912 à 1915, la revue *Maintenant* — 25 centimes le numéro — où il lançait un défi permanent à l'Occident. « Tout grand artiste, disait-il, a le sens de la provocation », ou bien, se souvenant des paroles de Rimbaud (« Je suis une brute... Je suis une bête, un nègre ») : « Tout le monde comprendra que je préfère un gros Saint-Bernard obtus à Mademoiselle Fanfreluche qui peut exécuter les pas de la gavotte et, de toute façon, un jaune à un blanc, un nègre à un jaune et un nègre boxeur à un nègre étudiant. » Une terrible nostalgie de l'innocence anime de tels êtres. Cette nostalgie apparaît à l'état pur dans la brutalité d'un Cravan, alors qu'elle suit des chemins plus subtils et plus pervers avec un Marcel Duchamp, par exemple, qui semble descendre en droite ligne de Jarry, et prolonge sa pataphysique en énonçant des lois de cette sorte : « par *condescendance* un poids est plus lourd à la descente qu'à la montée », des problèmes comme ceux-ci : « Physique de bagage : calculer la différence entre les volumes d'air déplacé par une chemise propre (repassée et pliée) et la même chemise sale »; « Faut-il agir contre la paresse des voies ferrées entre deux passages de train ? » Cette *science* nouvelle a pour moteur « l'ironisme d'affirmation » qui s'oppose à l' « ironisme négateur dépendant du rire seulement », pour but l'étude de la « réalité possible (qui s'obtient) en *distendant un peu* les lois physiques et chimiques ». Sous le nom de Rose Sélavy, Marcel Duchamp étend son désordre sagace au langage; le calembour, la contrepéterie sont ses outils préférés : « Rose Sélavy et moi esquivons les ecchymoses des Esquimaux aux mots exquis », « un mot de reine, des mots de reins », « une nymphe amie d'enfance », « A coup trop tirés ». Cet inventeur, enfin, nous propose des objets peu communs!

« Parmi nos articles de quincaillerie paresseuse nous recommandons le robinet qui s'arrête de couler quand on ne l'écoute pas », ou encore cette « robe oblongue dessinée exclusivement pour dames affligées du hoquet ».

Il faudrait encore citer parmi les pré-dadaïstes et pré-surréalistes le peintre italien Chirico dont les toiles exercèrent un tel attrait sur André Breton et ses amis; ainsi que son frère Alberto Savinio. Un autre peintre, Francis Picabia fit partie des pionniers de l'extravagance appliquée, pour lui prometteuse de vérité puisque, dit-il : « La Raison est une lumière qui me fait voir les choses comme elles ne sont pas. » « Picabia, remarque André Breton, a été le premier à comprendre que tous les rapprochements de mots sans exception étaient licites et que leur vertu poétique était d'autant plus grande qu'ils apparaissaient plus gratuits ou plus irritants à première vue. » A ce propos, notons combien vite ce qui à l'origine est libération peut parfois devenir nouvelle occasion de sclérose : certes l'apport de gratuité dans le langage et les images a agi comme un facteur d'élargissement du domaine poétique, mais bientôt cette gratuité est devenue, à mon sens, l'un des *tics* du surréalisme et ce par quoi il offre prise au temps vieillit, se *démode* : effets de langage, qu'ils ressortissent au désordre ou à l'ordre, ne sont ni poésie ni poèmes. Mais peintre, Picabia sait voir, après avoir éteint la lumière raisonnable.

L'ŒIL FROID

Après notre mort, on devrait nous mettre dans une boule, cette boule serait en bois de plusieurs couleurs. On la roulerait pour nous conduire au cimetière et les croque-morts chargés de ce soin porteraient des gants transparents, afin de rappeler aux amants le souvenir des caresses.

Pour ceux qui désireraient enrichir leur ameublement du plaisir objectif de l'être cher, il existerait des boules de cristal, au travers desquelles on apercevrait la nudité définitive de son grand-père ou de son frère jumeau!

Sillage de l'intelligence, lampe steeple-chase; les humains ressemblent aux corbeaux à l'œil fixe, qui prennent leur essor au-dessus des cadavres et tous les peaux-rouges sont chefs de gare!

***

Vaché, Cravan, Duchamp, Picabia quel que soit leur goût de l'anarchie ne sont pas des isolés. Leur exemple ne puise pas dans la solitude l'étrange force de dérision que présente l'œuvre d'un Raymond Roussel[1]. Pour un peu, je dirais, comme de la République belle sous l'Empire, combien, avant sa lettre, le Surréalisme était beau, de la beauté ténébreuse de Raymond Roussel.

Une enfance, une jeunesse faciles. Salons littéraires et salons tout courts. Puis Roussel commence à écrire, se cache, s'enferme, jusqu'en ses voyages au long cours. Sa luxueuse roulotte ou les cabines des navires le protègent du monde. Qu'il aille à Pékin ou à Tahiti, il *néglige* de visiter ces lieux, l'univers fantastique de son œuvre lui rend évidemment assez fades par comparaison les sites les plus

1. Né en 1877. Mort en 1933. Œuvres : *La Doublure*, roman en vers (Lemerre, 1897) ; *La Vue* (Lemerre, 1904) ; *Impressions d'Afrique* (1910) ; *Locus Solus* (1914 ; nouvelle édition, Gallimard, 1963) ; *L'Etoile au front* (1925) ; *La Poussière des Soleils* (1926) ; *Nouvelles Impressions d'Afrique* (1932). Références : *Anthologie de l'Humour Noir*, par Breton (Sagittaire) ; *Conception et Réalité chez Raymond Roussel*, par Michel Leiris (*Revue critique*, octobre 1954) ; *Raymond Roussel*, in *Poésie critique*, par Jean Cocteau (Ed. Gallimard, 1959) ; *Raymond Roussel*, par Michel Foucauld (Ed. Gallimard, 1963).

renommés. Il y a en lui un génie sublime de l'absurde, et sa manie dut être aussi dévorante que purent l'être pour Mal larmé ou pour Joyce leur exigence. Après son suicide en 1933, un ouvrage parut où il révélait comment il avait écrit certains de ses livres; l'une de ses méthodes consistait à écrire deux phrases qui fussent l'une pour l'autre, d'un bout à l'autre, rime riche, de sonorité par conséquent quasi identique mais de sens très différent, à choisir l'une de ces phrases pour première ligne de l'œuvre à composer, la seconde pour dernière ligne et d'avancer ensuite de l'une à l'autre par un travail de modification lente de chacun des mots constitutifs de la phrase initiale. « Le propre du procédé, notait Roussel, était de faire surgir des sortes d'*équations de faits* qu'il s'agissait de résoudre logiquement. » On imagine sans peine le travail aussi gigantesque qu'arbitraire que devait nécessiter l'application de cette « méthode ». « Je saigne sur chaque phrase », disait Roussel; chaque vers des *Nouvelles Impressions d'Afrique* exigeait de lui quinze heures de travail. Voici quelques-uns de ces vers :

. . . .

Un ensorcellement eût su le rendre enclin
A prendre : — l'appareil qui, trouvé par Franklin,
Sans danger dans un puits fait se perdre la foudre
Pour un fil gris passé dans une aiguille à coudre;
— Pour ceux dont s'orne un bras arrivé d'officier
Au ciel trois jumeaux blancs astres d'artificiers;
— Quand médian, le coupe un trait, pour la bavette
D'un prêtre, un tableau noir; — l'empli tube à cuvette
D'un chaud thermomètre à bientôt péter réduit,
Pour une épingle à chef rond; — la laisse que suit,
Tiède, un collier veuf du chien que de près lui touche,
Pour un fil d'ombrelle à cercle; — une spire à douche
A système accompli, pour un naïf ressort
A boudin; — l'éteignoir fidèle au cierge mort,
Pour ce qui taille un blanc crayon noir d'ingénue
A carnet de bal; — la boule aquatique et nue

. . . .

Je parlais de Mallarmé, de Joyce; l'un et l'autre ont pu rêver de rendre après eux, le premier la poésie, le second le roman impossibles, d'écrire l'unique et dernier poème, l'unique et dernier roman. Là encore, la démarche de Raymond Roussel me semble offrir quelque parenté avec celle de ces *monstres sacrés* de la littérature : après son monumental labeur édifiant un monument d'absurdité, le mot « fin » risquait de s'écrire dans l'absolu.

Pendant quarante ans, Raymond Roussel mena consciemment et consciencieusement son entreprise insensée. Le psychiatre Pierre Janet disait de lui : « (il) a une conception très intéressante de la beauté littéraire, il faut que l'œuvre ne contienne rien de réel, aucune observation du monde ou des esprits, rien que des combinaisons tout à fait imaginaires : ce sont déjà des idées d'un monde extra-humain ».

Raymond Roussel se souvenait des récits de Jules Verne lorsqu'il écrivait ses récits pleins d'inventions effarantes, il a été un Jules Verne naviguant vingt mille lieues sous les rêves. Dans *Locus Solus,* ne voit-on pas une demoiselle suspendue à un aérostat au-dessus d'une mosaïque de dents, un diamant contenant une danseuse nue aux cheveux musicaux, un chat sans poil, les nerfs d'un crâne sans os ni chair, une cage de verre où des morts revivent une scène de leur existence ?

Ce précurseur du Surréalisme où l'image devait régner sans partage, *inventa* en 1910 l'art de l'image par excellence : le cinéma; un cinéma naturel et magique puisque dans ces pages d'*Impressions d'Afrique* nous pouvons admirer un film qui n'est autre que la circulation de la sève lumineuse dans une plante.

Soudain, comme s'il retrouvait au sein de sa torpeur quelque reste de conscience, Fogar effectua un imperceptible mouvement du corps, qui fit agir son aisselle sur la manette.

Aussitôt le phare s'alluma, projetant verticalement dans la direction du sol une gerbe électrique de blancheur éblouissante, dont l'éclat se décuplait sous l'action d'un réflecteur fourbi à neuf.

La plante blanche recourbée en ciel de lit recevait en plein sur elle cet éclairage intense qui lui semblait destiné. Par transparence on voyait dans sa partie surplombante un fin tableau net et vigoureux, faisant corps avec le tissu végétal coloré sur toute son épaisseur.

L'ensemble donnait l'étrange impression d'un vitrail admirablement uni et fondu grâce à l'absence de toute soudure et de tout reflet brutal.

L'image diaphane évoquait un site d'Orient. Sous un ciel pur s'étalait un splendide jardin rempli de fleurs séduisantes. Au centre d'un bassin de marbre, un jet d'eau sortant d'un tube en jade dessinait gracieusement sa courbe élancée.

De côté se dressait la façade d'un somptueux palais dont une fenêtre ouverte encadrait un couple enlacé. L'homme, personnage gras et barbu vêtu comme un riche marchand des Mille et une Nuits, portait sur sa physionomie souriante une expression de joie expansive et inaltérable. La femme, pure Moresque par le costume et par le type, restait languissante et mélancolique malgré la belle humeur de son compagnon.

Sous la fenêtre, non loin du bassin de marbre, se tenait un jeune homme à chevelure bouclée, dont la mise, comme temps et comme lieu, semblait coïncider avec celle du marchand. Levant vers le couple sa face de poète inspiré, il chantait quelque élégie de sa façon, en se servant d'un porte-voix en métal mat et argenté.

Le regard de la Moresque épiait avidement le poète, qui, de son côté, demeurait extasié devant l'impressionnante beauté de la jeune femme.

Tout à coup, un mouvement moléculaire se produisit dans les fibres de la plante lumineuse. L'image perdit sa pureté de coloris et de contours. Les atomes vibraient tous à la fois, comme cherchant à se fixer suivant un nouveau groupement inévitable.

Bientôt un second tableau s'édifia, aussi resplendissant que l'autre et pareillement inhérent à la contexture végétale fine et translucide.

. . . .

Chaque étrange aspect de la plante avait la même durée;

. . . .

Une dernière image, contenant selon toute évidence le dénouement tragique de l'idylle, montrait un gouffre terrible dont la paroi se hérissait d'aiguilles rocheuses. La Moresque, meurtrie à ces pointes sans nombre, accomplissait une chute effroyable, subissant l'attirance vertigineuse d'une foule d'yeux sans corps, ni visage, dont l'expression sévère était pleine de menaces. En haut, le poète éperdu se précipitait d'un bond à la suite de son amante.

Cette scène dramatique fut remplacée par le portrait inattendu d'un loup à l'œil flamboyant. Le corps de l'animal tenait à lui seul autant de place qu'un des aperçus précédents; en dessous on lisait, en grosses majuscules, cette désignation latine : « LUPUS ». Aucun rapport de proportion ni de couleurs ne reliait cette silhouette géante à la suite orientale dont l'unité restait flagrante.

Le loup s'effaça bientôt et l'on vit reparaître l'image du début, avec le jardin au bassin de marbre, le poète chanteur et le couple posté à la fenêtre. Tous les tableaux repassèrent une seconde fois dans un ordre identique, séparés par des intervalles de même durée. Le loup clôtura la série, qui fut suivie d'un troisième cycle exactement pareil aux deux premiers. Indéfiniment la plante répétait ses curieuses révolutions moléculaires, qui semblaient liées à sa propre existence.

ANDRÉ BRETON

L'importance des exposés, des systèmes, des manifestes dans l'œuvre de Breton[1] a parfois tendu à faire oublier le poète derrière le théoricien du Surréalisme. Cependant le temps — je veux dire l'évolution rapide et tragique de l'histoire — déjà atténue à nos yeux la passion ou l'intérêt jadis attachés à tels procès, tels débats, telles thèses, tels « tournants » qui marquèrent le Surréalisme entre les deux guerres et que Breton commenta avec âpreté, avec rage, ou avec éclat, alors que certains poèmes et certaines proses poétiques de *Clair de Terre*, de *Nadja*, du *Revolver à cheveux blancs*, des *Vases communicants*, de l'*Amour Fou* ou d'*Arcane 17* sont toujours aussi proches de nous; à la fois plus secrets et plus chargés de sens d'être séparés de l'*agitation*, de la fièvre, du prosélytisme qui entourèrent leur naissance. Certes cette poésie se voulut presque toujours réconciliatrice de l'action et du rêve, mais c'est bien sa part de rêve d'abord qui la conduit jusqu'à nous et lui donne pouvoir d'*agir* sur notre vie par le rêve qu'elle suscite en nous. Toute l'œuvre de Breton et à sa suite le Surréalisme auront été marqués par la tentative quasi désespérée de surmonter « l'idée déprimante du divorce irréparable de l'action et du rêve... ». Mais, pourrait-on dire, au début était le rêve, et, finalement, après maintes entreprises et maints échecs d'une action surréaliste, c'est lui qui l'emportera dans la

1. Né en 1896 à Tinchebray (Orne). Œuvres principales : *Mont-de-Piété* (Au Sans Pareil, 1919); *Les Champs Magnétiques*, en collaboration avec Philippe Soupault (Au Sans Pareil, 1921); *Clair de Terre* (collection Littérature, 1923); *Manifeste du Surréalisme, Poisson soluble* (Kra, 1924); *Nadja*, roman poétique (N.R.F., 1928); *L'Union Libre* (1931); *Le Revolver à cheveux blancs* (Éd. des Cahiers Libres, 1932); *Point du Jour* (N.R.F., 1934); *Au Lavoir Noir* (G.L.M., 1936); *Le Château Etoilé* (Minotaure, 1937); *L'Amour fou* (Gallimard, 1937); *Les Manifestes du Surréalisme* (Sagittaire, 1946); *La lampe dans l'horloge* (Robert Marin, 1948) ; *Poèmes* (Gallimard, 1948) ; *La Clé des Champs* (Sagittaire, 1952) ; *Les Manifestes du Surréalisme*, suivis de *Poisson soluble* et de la *Lettre aux Voyantes* (J. J. Pauvert, 1962). Référence : *André Breton*, par Jean-Louis Bédouin (Ed. Seghers, Coll. Poètes d'aujourd'hui), et par Julien Gracq (J. Corti, 1947).

destinée de Breton. L'auteur de *L'Introduction au discours sur le peu de réalité* fut toujours plus apparenté aux voyants qu'aux dialecticiens. S'il emprunta parfois le langage de ces derniers, ne fut-ce pas par nostalgie de ce qu'il n'était pas, de même que s'il se montra si attentif à l'humour voire si subjugué par celui de Jacques Vaché, ce put être à cause de l'irrépressible attrait d'un sentiment *étranger* à sa nature (« et bien que vous ne conceviez l'Umour qu'approximativement », lui écrivait Jacque Vaché). Si je note ceci ce n'est point pour diminuer l'importance des écrits de Breton mais pour en dégager ce qui en fait l'indéniable valeur : celle d'un ruisselant lyrisme, non celle d'une rigueur de la pensée ou de l'humour. Breton ou l'épanouissement du Romantisme. Il a dit : « Vaché est surréaliste en moi », et eût pu ajouter : « Saint-Pol-Roux, Hugo et Chateaubriand sont surréalistes en moi. » Le surréalisme qui se voulut si fanatiquement situé à l'écart de toute préoccupation d'ordre moral ou esthétique aura bel et bien, à son insu d'abord, ensuite sans tout à fait l'avouer mais non sans le savoir, institué une esthétique et une éthique qui poussent le romantisme à ses conséquences extrêmes. Morale d'une vie qui doit se livrer toute aux puissances qui tendent à exalter le moi non pas en le resserrant sur lui-même mais au contraire en le dilatant, en repoussant indéfiniment ses frontières, à la limite en effaçant celles-ci — puissances envahissantes du merveilleux, de l'amour, du rêve. Esthétique parallèle d'une beauté *éclatante* — au sens propre du terme (« la beauté sera convulsive ou ne sera pas ») — due à une succession d'étincelles qui *éclatent* dans et par l'image : éclair illuminant deux réalités aussi éloignées que possible l'une de l'autre et qui s'accomplit fortuitement et passionnément. Cette morale et cette esthétique surréalistes en général se retrouvent plus particulièrement chez Breton, morale et esthétique confondues dans l'unité poétique. Pour lui, l'image est la clef, la seule clef de la vie et de l'œuvre, elle n'est pas, selon lui, créée par le poète mais bien plutôt le poète doit se laisser créer par elle. « Il en va des images surréalistes comme de ces images de l'opium « que l'homme n'évoque plus, mais qui s'offrent à lui spontanément, despotiquement. Il ne peut pas les congédier; car la volonté n'a plus de force et ne gouverne plus les facultés » (Baudelaire). Reste à savoir si l'on a jamais « évoqué » les images (...). On peut même dire que les images apparaissent, dans cette course vertigineuse, comme les seuls guidons de l'esprit. L'esprit se convainc peu à peu de la réalite suprême de ces images. Se bornant d'abord à les subir, il s'aperçoit bientôt qu'elles flattent sa raison, augmentent d'autant sa connaissance (...). Il va, porté par ces images qui le ravissent, qui lui laissent à peine le temps de souffler sur le feu de ses doigts. » On le voit, nous sommes ici aux antipodes de l'art poétique selon Valéry. A mon sens, la création poétique de l'image doit être plus complexe que ne le pensent, ou feignent de le penser Valéry aussi bien que Breton ou encore Reverdy, chacun d'eux sans doute voit juste mais l'image efficace, rayonnante comme un être vivant, procède vraisemblablement par subtiles échanges à la fois de données conscientes et de données inconscientes, qui font qu'en définitive elle a la particularité même du poète qui la crée et par elle se recrée, et l'universalité qui la rend pour nous illuminatrice. L'image chez Breton relève de l'insolite et de la préciosité, elle a le scintillement de gemmes inconnues. Il cite parmi quelques images surréalistes, celle-ci, de lui-même : « Sur le pont la rosée à tête de chatte se berçait », et il ajoute que pour lui, l'image « la plus forte est celle qui présente le degré d'arbitraire plus élevé (...) celle qu'on met le plus longtemps à traduire en langage pratique... ». Arbitraires soit, cependant ces images ne nous touchent que lorsqu'elles sont *portées* par un jaillissement qui lui n'a rien d'arbitraire et qui impose son unité non pas formelle mais fondamentale au poème, unité par exemple de la vision amoureuse comme dans cet admirable poème de l'*Union Libre*, cantique à la beauté de la bien-aimée.

L'UNION LIBRE

Ma femme à la chevelure de feu de bois
Aux pensées d'éclairs de chaleur
A la taille de sablier
Ma femme à la taille de loutre entre les dents du tigre
Ma femme à la bouche de cocarde et de bouquet d'étoiles
de dernière grandeur
Aux dents d'empreintes de souris blanche sur la terre
blanche
A la langue d'ambre et de verre frottés
Ma femme à la langue d'hostie poignardée

A la langue de poupée qui ouvre et ferme les yeux
A la langue de pierre incroyable
Ma femme aux cils de bâtons d'écriture d'enfant
Aux sourcils de bord de nid d'hirondelle
Ma femme aux tempes d'ardoises de toit de serre
Et de buée aux vitres
Ma femme aux épaules de champagne
Et de fontaine à têtes de dauphins sous la glace
Ma femme aux poignets d'allumettes
Ma femme aux doigts de hasard et d'as de cœur
Aux doigts de foin coupé
Ma femme aux aisselles de martre et de fênes
De nuit de la Saint-Jean
De troène et de nid de scalares
Aux bras d'écume de mer et d'écluse
Et de mélange du blé et du moulin
Ma femme aux jambes de fusée
Aux mouvements d'horlogerie et de désespoir
Ma femme aux mollets de moelle de sureau
Ma femme aux pieds d'initiales
Aux pieds de trousseaux de clés aux pieds de calfats qui boivent
Ma femme au cou d'orge imperlé
Ma femme à la gorge de Val d'or
Du rendez-vous dans le lit même du torrent
Aux seins de nuit
Ma femme aux seins de taupinière marine
Ma femme aux seins de creuset du rubis
Aux seins de spectre de la rose sous la rosée
Ma femme au ventre de dépliement d'éventail des jours
Au ventre de griffe géante
Ma femme au dos d'oiseau qui fuit vertical
Au dos de vif-argent
Au dos de lumière
A la nuque de pierre roulée et de craie mouillée
Et de chute d'un verre dans lequel on vient de boire
Ma femme aux hanches de nacelle
Aux hanches de lustre et de pennes de flèche
Et de tiges de plumes de paon blanc
De balance insensible
Ma femme aux fesses de grès et d'amiante
Ma femme aux fesses de dos de cygne
Ma femme aux fesses de printemps

Au sexe de glaïeul
Ma femme au sexe de placer et d'ornithorynque
Ma femme au sexe d'algue et de bonbons anciens
Ma femme au sexe de miroir
Ma femme aux yeux pleins de larmes
Aux yeux de panoplie violette et d'aiguille aimantée
Ma femme aux yeux de savane
Ma femme aux yeux d'eau pour boire en prison
Ma femme aux yeux de bois toujours sous la hache
Aux yeux de niveau d'eau de niveau d'air de terre et de feu.

C'est encore l'adoration de la beauté féminine qui confère à la poésie un feu central où puisent leurs lueurs, toutes les images de cette prose des *Vases communicants.*

La beauté féminine se fond une fois de plus dans le creuset de toutes les pierres rares. Elle n'est jamais plus émouvante, plus enthousiasmante, plus folle, qu'à cet instant où il est possible de la concevoir unanimement détachée du désir de plaire à l'un ou à l'autre, aux uns ou aux autres. Beauté sans destination immédiate, sans destination connue d'elle-même, fleur inouïe faite de tous ces membres épars dans un lit qui peut prétendre aux dimensions de la terre! La beauté atteint à cette heure à son terme le plus élevé, elle se confond avec l'innocence, elle est le miroir parfait dans lequel tout ce qui a été, tout ce qui est appelé à être, se baigne adorablement en ce qui va être cette fois. *La puissance absolue de la subjectivité universelle, qui est la royauté de la nuit, étouffe les impatientes déterminations au petit bonheur : le chardon non soufflé demeure sur sa construction fumeuse, parfaite. Va-t-il faire beau, pleuvra-t-il ? Un adoucissement extrême de ses angles fait tout le soin de la pièce occupée, belle comme si elle était vide. Les chevelures infiniment lentes sur les oreillers ne laissent rien à glaner des fils par lesquels la vie vécue tient à la vie à vivre. Le détail impétueux, vite dévorant, tourne dans sa cage à belette, brûlant de brouiller de sa course toute la forêt. Entre la sagesse et la folie, qui d'ordinaire réussissent si bien à se limiter l'une l'autre, c'est la trêve. Les intérêts puissants affligent à peine de leur ombre démesurément grêle le haut mur dégradé dans les anfractuosités duquel s'inscrivent pour chacun les figures, toujours autres, de son plaisir et de sa souffrance.*

Comme dans un conte de fées cependant, il semble toujours qu'une femme idéale, levée avant l'heure et dans les boucles de qui sera descendue visiblement la dernière étoile, d'une maison obscure va sortir et somnambuliquement faire chanter les fontaines du jour. Paris, tes réserves monstrueuses de beauté, de jeunesse et de vigueur, — comme je voudrais savoir extraire de ta nuit de quelques heures ce qu'elle contient de plus que la nuit polaire! Comme je voudrais qu'une méditation profonde sur les puissances inconscientes, éternelles que tu recèles soit au pouvoir de tout homme, pour qu'il se garde de reculer et de subir! La résignation n'est pas écrite sur la pierre mouvante du sommeil. L'immense toile sombre qui chaque jour est filée porte en son centre les yeux médusants d'une victoire claire.

Liberté des images mais unité imaginante, telles me paraissent être les conditions nécessaires à l'accomplissement du poème, unité non pas délibérée mais *inspirée*. Le Surréalisme a cru pouvoir non pas contrôler mais susciter cette inspiration. Breton a écrit : le Surréalisme « ne tient et ne tiendra jamais à rien tant qu'à reproduire artificiellement ce moment idéal où l'homme, en proie à une émotion particulière, est soudain empoigné par ce « plus fort que lui » qui le jette, à son corps défendant, dans l'immortel ». Mais il semble bien que l'inspiration soit autre chose qu'une dictée de l'inconscient, celle-ci, dans une certaine mesure, a pu être provoquée « artificiellement » alors que « l'émotion particulière » inséparable de l'inspiration est infiniment plus difficile à saisir. Or, sans elle, il y a texte plus ou moins étrange, au mieux, expérimental, mais non poème. C'est l'imagination, son unité émotionnelle qui fait le prix de *Vigilance* où règne le *merveilleux*.

VIGILANCE

A Paris la tour Saint-Jacques chancelante
Pareille à un tournesol
Du front vient quelquefois heurter la Seine et son ombre glisse imperceptiblement parmi les remorqueurs
A ce moment sur la pointe des pieds dans mon sommeil
Je me dirige vers la chambre où je suis étendu
Et j'y mets le feu

Pour que rien ne subsiste de ce consentement qu'on m'a arraché
Les meubles font alors place à des animaux de même taille qui me regardent fraternellement
Lions dans les crinières desquels achèvent de se consumer les chaises
Squales dont le ventre blanc s'incorpore le dernier frisson des draps
A l'heure de l'amour et des paupières bleues
Je me vois brûler à mon tour je vois cette cachette solennelle de riens
Qui fut mon corps
Fouillée par les becs patients des ibis du feu
Lorsque tout est fini j'entre invisible dans l'arche
Sans prendre garde aux passants de la vie qui font sonner très loin leurs pas traînants
Je vois les arêtes du soleil
A travers l'aubépine de la pluie
J'entends se déchirer le linge humain comme une grande feuille
Sous l'ongle de l'absence et de la présence qui sont de connivence
Tous les métiers se fanent il ne reste d'eux qu'une dentelle parfumée
Une coquille de dentelle qui a la forme parfaite d'un sein
Je ne touche plus que le cœur des choses je tiens le fil.

Si j'insiste sur l'unité de *climat*, de sentiment, d'émotion — bien entendu il ne s'agit nullement d'unité logique — des meilleurs poèmes de Breton, c'est parce que sans cette unité, je le répète, à mes yeux, il n'y a plus poème mais seulement « langage surréaliste » — pour employer le titre donné par Henri Parisot à un numéro de sa revue *Quatre Vents*. Autre unité possible, celle de l'*éclairage* comme il en va dans les rêves, et les métamorphoses, les mutations, les changements de temps se trouvent alors pris dans une même perspective : qui les rend sans heurts, sans rupture, comme dans ce poème de l'Air de l'Eau :

Au beau demi-jour de 1934
L'air était une splendide rose couleur de rouget
Et la forêt quand je me préparais à y entrer
Commençait par un arbre à feuilles de papier à cigarettes

Parce que je t'attendais
Et que si tu te promènes avec moi
N'importe où
Ta bouche est volontiers la nielle
D'où repart sans cesse la roue bleue diffuse et brisée qui monte
Blêmir dans l'ornière
Tous les prestiges se hâtaient à ma rencontre
Un écureuil était venu appliquer son ventre blanc sur mon cœur
Je ne sais comment il se tenait
Mais la terre était pleine de reflets plus profonds que ceux de l'eau
Comme si le métal eût enfin secoué sa coque
Et toi couchée sur l'effroyable mer de pierreries
Tu tournais
Nue
Dans un grand soleil de feu d'artifice
Je te voyais descendre lentement des radiolaires
Les coquilles mêmes de l'oursin j'y étais
Pardon je n'y étais déjà plus
J'avais levé la tête car le vivant écrin de velours blanc m'avait quitté
Et j'étais triste
Le ciel entre les feuilles luisait hagard et dur comme une libellule
J'allais fermer les yeux
Quand les deux pans du bois qui s'étaient brusquement écartés s'abattirent
Sans bruit
Comme les deux feuilles centrales d'un muguet immense
D'une fleur capable de contenir toute la nuit
J'étais où tu me vois
Dans le parfum sonné à toute volée
Avant qu'elles ne revinssent comme chaque jour à la vie changeante
J'eus le temps de poser mes lèvres
Sur tes cuisses de verre

La poésie pour Breton est un absolu, le poète capte cet absolu, il est donc instrument de connaissance, message de cette surréalité qui « serait contenue dans la réalité même, et ne lui serait ni supérieure ni extérieure ». C'est dire : le poème est oracle (« c'est oracle, ce que je dis », affirme Rimbaud), et Breton précise : « La pitié des hommes ne me trompe pas. La voix surréaliste qui secouait Cumes, Dodone et Delphes n'est autre chose que celle qui me dicte mes discours les moins courroucés. »

Dans l'*Amour Fou*, Breton révélera que le poème *Tournesol* composé en 1923 évoquait une rencontre amoureuse qui ne devait s'accomplir que bien des années plus tard. Dans ces conditions la surréalité se situerait hors du temps, mais alors comment concilier avec cette intuition le sens de la liberté et de l'histoire qui furent aussi des éléments du surréalisme. Il semble bien que faute de trouver le point où toutes contradictions seraient abolies, André Breton soit tenté par la voie de l'évasion poétique comme en témoignent ces vers datés de 1948 :

SUR LA ROUTE DE SAN ROMANO

La poésie se fait dans un lit comme l'amour
Ses draps défaits sont l'aurore des choses
La poésie se fait dans les bois

Elle a l'espace qu'il lui faut

Pas celui-ci mais l'autre que conditionnent
L'œil du milan
La rosée sur une prêle
Le souvenir d'une bouteille de Traminer embuée sur un plateau d'argent
Une haute verge de tourmaline sur la mer
Et la route de l'aventure mentale
Qui monte à pic
Une halte elle s'embroussaille aussitôt

Cela ne se crie pas sur les toits
Il est inconvenant de laisser la porte ouverte
Ou d'appeler des témoins

Les bancs de poissons les haies de mésanges
Les rails à l'entrée d'une grande gare
Les reflets des deux rives
Les sillons dans le pain

Les bulles du ruisseau
Les jours du calendrier
Le millepertuis

L'acte d'amour et l'acte de poésie
Sont incompatibles
Avec la lecture du journal à haute voix

Le sens du rayon de soleil
La lueur bleue qui relie les coups de hache du bûcheron
Le fil du cerf-volant en forme de cœur ou de nasse
Le battement en mesure de la queue des castors
La diligence de l'éclair
Le jet des dragées du haut des vieilles marches
L'avalanche

La chambre aux prestiges
Non messieurs ce n'est pas la huitième Chambre
Ni les vapeurs de la chambrée un dimanche soir

Les figures de danse exécutées en transparence au-dessus des mares
La délimitation contre un mur d'un corps de femme au lancer de poignards
Les volutes claires de la fumée
Les boucles de tes cheveux
La courbe de l'éponge des Philippines
Les lacés du serpent corail
L'entrée du lierre dans les ruines

Elle a tout le temps devant elle.

L'étreinte poétique comme l'étreinte de chair
Tant qu'elle dure
Défend toute échappée sur la misère du monde

Que le poète, dans l'œuvre de Breton, l'emporte sur le théoricien, soit, mais que cette acceptation personnelle ne devienne pas prétexte à une nouvelle théorie générale. L'étreinte poétique, l'étreinte charnelle, certes, mais au nom de ces merveilles, guidé par leur flamme, il sied de combattre la misère du monde, non de l'ignorer. C'est là précisément l'une des essentielles leçons que donna le surréalisme d'une guerre à l'autre. Qu'il s'en souvienne, sinon que vaudrait sa réponse à un autre éventuel interdit de cette sorte :

La misère du monde tant qu'elle dure
Défend toute échappée sur l'étreinte poétique.

PAUL ELUARD

> « Et lui, il sait que l'homme peut être sans larmes et sans malheur. »
>
> CLAUDE ROY.

Poésie *ininterrompue*, ce titre de l'un des derniers livres d'Eluard[1] pourrait être non seulement celui de toute son œuvre mais encore de toute sa vie. De celle-ci la poésie fut le « cours naturel » pour reprendre encore un autre titre de l'auteur des *Poèmes pour la Paix*, de *Mourir de ne pas mourir*, de *la Rose publique*, de *Chanson complète*, de *Médieuse* ou de *Corps mémorable*. Maintenant qu'il n'est plus, l'unité de ce qu'il fut et de ce qu'il dit apparaît avec plus de force encore; sa voix demeure, de ses premiers poèmes à son silence définitif, fidèle à elle-même, voix la plus pure qui se puisse rêver, où les rêves du surréalisme se sont inscrits si parfaitement, approfondissant son courant qui, plus tard, pourra s'élargir sans du moins se perdre ni se nier. Pas de voix plus sincère, plus singulière que celle d'Eluard et pourtant, ou plutôt par là-même, aucune qui ne nous concerne si essentiellement. « Je » prononce à chaque poème et presque à chaque vers Eluard, mais nul égoïsme, nul isolement stérile dans cette affirmation comme l'a remarqué justement Pierre Emmanuel[2]. Parlant en son nom, proclamant ses évidences, le poète parle au nom de tous, parle pour tous. Si

---

1. Né à Saint-Denis (Seine) en 1895. Mort à Paris en 1952. Œuvres principales : *Capitale de la Douleur* (N.R.F., 1926); *L'Amour, La Poésie* (N.R.F., 1929); *La Vie Immédiate* (Ed. Cahiers Libres, 1932); *La Rose Publique* (N.R.F., 1934); *Les Yeux Fertiles* (G.L.M., 1936); *Cours Naturel* (Sagittaire, 1938); *Donner à Voir* (N.R.F., 1939); *Le Livre Ouvert* (1938-1940, Ed. Cahiers d'Art, 1940); *Poésie et Vérité* (Ed. de la Main à Plume, 1942); *Dignes de vivre* (1944); *Au Rendez-vous allemand* (1944); *Poésie ininterrompue* (Gallimard, 1946); *Poèmes Politiques* (1948); *Une leçon de morale* (1949) ; *Corps mémorable* (Ed. Seghers, 1958) ; *Lettres de Jeunesse* (Ed. Seghers, 1962) ; *Derniers poèmes d'amour* (Ed. Seghers, 1963) ; *Le Poète et son Ombre* (Ed. Seghers, 1963). Références : *Paul Eluard*, par Louis Parrot (Ed. Seghers, Coll. Poètes d'aujourd'hui) ; *Hommage à Paul Eluard* (*Revue Europe*, n° 91-92, juillet-août 1953).
2. Le « *Je* » *Universel chez Paul Eluard* (Ed. G.L.M.).

dans sa jeunesse l'*unanimisme* l'influença, ce fut qu'il y reconnaissait sa propre vérité — dans son cas non pas une vérité intellectuelle comme il en allait parfois pour Romains et ses disciples, mais celle même du cœur. « L'amour la poésie », écrira-t-il plus tard. Dès son adolescence il sait que voilà le double nom d'un unique mouvement intérieur qui porte son être vers tous les êtres et vers le monde qui les contient et que chacun d'eux contient. Mais cet élan est contrarié parfois jusqu'à disparaître presque, par la solitude, par le désespoir et tous les masques qu'ils peuvent revêtir, ceux de la mort qui se glisse aussi bien dans un cœur que dans un corps, ou dans tout un peuple voué à la misère, à l'oppression ou au massacre. « L'amour la poésie » c'est amour et chant du monde mais qui ne peuvent s'élever qu'à travers l'amour et le chant d'une femme. « Le poète est celui qui inspire bien plus que celui qui est inspiré » proposera Eluard, mais lui, pour inspirer les autres, il faut d'abord qu'il reçoive de l'aimée le don à leur transmettre. Toute son œuvre et son destin seront soumis à ce combat de l'amour et de la mort de l'amour; du moins après les plus cruelles épreuves la parole restera-t-elle à l'amour. *L'amour fou*, selon Breton, est merveilleuse perte de tout ce qui n'est pas lui, l'amour selon Eluard se fera d'année en année merveilleuse approche des autres. Qu'une femme trahisse ou disparaisse, c'est la nuit du désert, que survienne un nouvel amour et de nouveau voici le poète homme parmi les hommes, en plein jour.

En pleine lumière sa poésie, mais les richesses nocturnes y sont incluses, sa lumière n'est pas extérieure ni froide, elle est flamme jaillie des profondeurs, nourrie de la totalité mouvante de l'esprit comme un incendie se nourrit d'arbres opaques rendus par lui à la transparence, et dont la sève cachée avait été elle-même nourrie de rayons. Et le poète révèle l'identité de ce feu intérieur et du soleil visible. Mieux, il est lui-même ce feu mythique; signe du pouvoir prométhéen de l'homme, en même temps que signe amoureux. La chaleur de la vie, celle du désir, celle de la fraternité, brûlent dans cette flamme, comme se dresse avec elle, sexuellement et spirituellement, un orgueil viril. Dans cette œuvre, confondus le feu intime et le soleil de tous ne cessent de briller invitant tout homme à vivre *mieux*, à vaincre la solitude dans sa propre histoire et dans l'Histoire. La maladie, la guerre — cette maladie collective — ont éprouvé le jeune poète lorsqu'en 1918 il écrit ces vers dont les clefs déjà pourraient ouvrir toute l'œuvre abondante, diverse mais fidèle, qui s'étendra d'une après-guerre à l'autre.

POUR VIVRE ICI

Je fis un feu, l'azur m'ayant abandonné,
Un feu pour être son ami,
Un feu pour m'introduire dans la nuit d'hiver,
Un feu pour vivre mieux.

Je lui donnai ce que le jour m'avait donné :
Les forêts, les buissons, les champs de blé, les vignes,
Les nids et leurs oiseaux, les maisons et leurs clés,
Les insectes, les fleurs, les fourrures, les fêtes.

Je vécus au seul bruit des flammes crépitantes,
Au seul parfum de leur chaleur;
J'étais comme un bateau coulant dans l'eau fermée,
Comme un mort je n'avais qu'un unique élément.

A ce premier feu, un premier amour donnera tout son pouvoir. Eluard n'a pas vingt ans lorsqu'il proclame sa confiance dans l'amour : « Et que le ciel soit misérable ou transparent. — On ne peut la voir sans l'aimer. » Et il est proche de mourir lorsqu'il avoue en 1951 : « Et j'adorais l'amour comme à mes premiers jours », et qu'il ajoute « (les hommes) ont des enfants sans feu ni lieu — qui réinventeront le feu — qui réinviteront les hommes ». *Réinventer l'amour*, demandait Rimbaud; n'est-ce pas réinventer l'homme et son action (le feu) ? La transfiguration amoureuse, aucun poème ne nous l'a fait *éprouver* aussi parfaitement que ceux d'Eluard, c'est elle qui impose sa simplicité, sa pureté intenses à la floraison surréaliste des images, leur donne cette extraordinaire qualité d'évidence à laquelle on ne peut résister : « Toute ma vie t'écoute... » « Le monde entier dépend de tes yeux purs — Et tout mon sang coule dans leurs regards. » Il y a chez Eluard communion amoureuse par le regard, et par la caresse, par l'œil et par la main. S'il n'est pas *vu* le poète est aveugle, il ne peut s'éclairer que sous la clarté des yeux aimés; de même cette clarté de la femme c'est à lui qu'il appartient de la faire naître : « D'une seule caresse — Je te fais briller de tout ton éclat. » A l'inverse la solitude, l'absence sont négation de la vie : « Et quand tu n'es pas là — Je rêve que je dors, je rêve que je rêve. — », « Et je ne sais plus tant je l'aime — lequel de nous deux est absent. » Si le défaut d'amour est abîme, sa présence est promesse illimitée, impatiente et claire.

LE GRAND JOUR

A Gala.

Viens, monte. Bientôt les plumes les plus légères, scaphandrier de l'air, te tiendront par le cou.

La terre ne porte que le nécessaire et tes oiseaux de belle espèce, sourire. Aux lieux de ta tristesse, comme une ombre derrière l'amour, le paysage couvre tout.

Viens vite, cours. Et ton corps va plus vite que tes pensées, et rien, entends-tu ? rien, ne peut te dépasser.

Le couple est perpétuelle métamorphose de la flamme (l'amant), de l'eau (l'aimée) : « ... je te transformerais, en pleine lumière, comme on transforme l'eau d'une source en la prenant dans un verre, comme on transforme sa main en la mettant dans une autre. » L'homme devient celle qu'il aime et réciproquement; à l'unisson de cet échange, toutes les propriétés de la vie s'échangent : le rêve rayonne, le soleil est songe, le silence parle.

L'AMOUREUSE

Elle est debout sur mes paupières
Et ses cheveux sont dans les miens,
Elle a la forme de mes mains,
Elle a la couleur de mes yeux,
Elle s'engloutit dans mon ombre
Comme une pierre sur le ciel.

Elle a toujours les yeux ouverts
Et ne me laisse pas dormir.
Ses rêves en pleine lumière

Font s'évaporer les soleils,
Me font rire, pleurer et rire,
Parler sans avoir rien à dire.

Cependant si l'amour dans les poèmes proprement surréalistes d'Eluard est de tous les instants il est loin d'être paisible dans sa permanence, il va de la blessure à l'extase, de la tendresse à la violence, seule est invariable sa pureté, elle ne fait qu'une avec celle du langage.

Amour tourmenté en correspondance avec cette inquiétude qui dans le Surréalisme est contradictoirement sous-jacente au parti pris d'enthousiasme quant à la destination humaine.

BELLE ET RESSEMBLANTE

Un visage à la fin du jour
Un berceau dans les feuilles mortes du jour
Un bouquet de pluie nue
Tout soleil caché
Toute source des sources au fond de l'eau
Tout miroir des miroirs brisé
Un visage dans les balances du silence
Un caillou parmi d'autres cailloux
Pour les frondes des dernières lueurs du jour
Un visage semblable à tous les visages oubliés.

Le vertige d'un amour saccagé où le désir ne se sépare plus des larmes, où la caresse est d'autant plus cruelle que trop douce, ce vertige nous gagne à travers maints poèmes de *Capitale de la Douleur*, de *La Vie Immédiate*, de *La Pyramide Humaine*. Par la mort d'un amour, puis par la mort d'une femme, deux fois dans sa vie le poète aura traversé une épreuve qu'on a pu comparer à celle d'*Une Saison en Enfer*.

Si Rimbaud est sorti de son enfer, il y a laissé la poésie. Orphée lui perdit Eurydice mais garda sa lyre où chanter encore son amour — qui est la vie. De même Eluard pardelà l'amour perdu nous convainc de la perpétuelle présence de ce qui a été bonheur gagné, que ce soit dans le souvenir — et fût-il douloureux, c'est un au-revoir, non un adieu; ou plus mystérieusement dans une survie des instants amoureux.

Je te l'ai dit pour les nuages
Je te l'ai dit pour l'arbre de la mer
Pour chaque vague pour les oiseaux dans les feuilles
Pour les cailloux du bruit
Pour les mains familières
Pour l'œil qui devient visage ou paysage
Et le sommeil lui rend le ciel de sa couleur
Pour toute la nuit bue
Pour la grille des routes
Pour la fenêtre ouverte pour un front découvert
Je te l'ai dit pour tes pensées pour tes paroles
Toute caresse toute confiance se survivent.

Ainsi tantôt la tristesse, le désespoir cèdent la place à une intuition selon laquelle, malgré le naufrage, est sauvé ce qui un jour unit les amants, tantôt l'aveu du dénuement intérieur nous rappelle que perdant l'amour le poète a tout perdu : les autres, le monde et lui-même.

. . . .

De tout ce que j'ai dit de moi que reste-t-il
J'ai conservé de faux trésors dans des armoires vides
Un navire inutile joint mon enfance à mon ennui
Mes jeux à la fatigue
Un départ à mes chimères
La tempête à l'arceau des nuits où je suis seul
Une île sans animaux aux animaux que j'aime
Une femme abandonnée à la femme toujours nouvelle
En veine de beauté
La seule femme réelle
Ici ailleurs
Donnant des rêves aux absents
Sa main tendue vers moi
Se reflète dans la mienne
Je dis bonjour en souriant
On ne pense pas à l'ignorance
Et l'ignorance règne
Oui j'ai tout espéré
Et j'ai désespéré de tout
De la vie de l'amour de l'oubli du sommeil

Des forces des faiblesses
On ne me connaît plus
Mon nom mon ombre sont des loups.

Cependant un autre amour va surgir et avec lui une renaissance. Et ce sera encore bien sûr l'amour, la vie, la poésie avec cependant des nuances nouvelles dans la passion, dans l'accueil fait à l'existence, dans le langage. Ce langage surréaliste par sa liberté, par ses gerbes d'images, alliait déjà deux éléments en apparence contradictoires mais dont la rencontre lui donnait son pouvoir saisissant : d'une part une naturelle richesse de *trouvailles* surprenantes, voire précieuses, comme jetées dans le poème, d'autre part des affirmations profondes et d'une totale simplicité d'expression; celles-ci souvent détachées à la fin du poème comme de sensibles sentences et conférant rétrospectivement une unité, une pente à l'éclosion d'images qui les précèdent. A ce double mouvement du langage semble répondre également une alternance au cœur des poèmes entre les images rares, merveilles insolites que le poète laisse monter spontanément à sa conscience et des images d'une simplicité extrême prises dans le patrimoine le plus commun, le plus quotidien. Les images étranges sont authentifiées par les plus simples et celles-ci revivifiées par les premières : l'inconnu et le connu, le visible et l'invisible, se fondent l'un par l'autre. Ainsi dans un poème de *La Vie Immédiate* : « Un rire aux cheveux de cytise » voisine-t-il avec : « Les fumées de l'automne — Les cendres de l'hiver. » Ou encore dans ces vers de *La Rose Publique,* les sortilèges d'une magie amoureuse, le poète condense leurs suprêmes grâces en la plus habituelle remarque sur la beauté des jours :

Cherchez la nuit
Il fait beau comme dans un lit
Ardente la plus belle des filles adorantes
Se prosterne devant les statues endormies de son amant
Elle ne pense pas qu'elle dort
Il fait de plus en plus beau nuit et jour

En fait la poésie d'Eluard illustre la remarque de Breton selon laquelle surréalité et réalité sont vases communicants; ses images imprévues ou familières brûlent et laissent non point des scories mais, comme le note Eluard, ces « grandes marges blanches » qu'ont toujours les poèmes, « de grandes marges de silence où la mémoire ardente se consume pour recréer un délire sans passé ». C'est toujours vers plus de simplicité que tendra la poésie d'Eluard. Les mots et les images de tous les jours, de tous les hommes prenant de plus en plus de place dans les poèmes mais gardant l'intensité de l'imagination et du langage surréalistes. Cette ascèse coïncidera avec le nouvel amour qui redonne au poète un monde lui aussi décanté, *La Vie Immédiate* contenait bien déjà des poèmes bouleversants de présence purifiée, directe, seulement l'agonie de l'amour simplifiait le poète en appauvrissant son univers, tandis que la naissance d'un autre amour continuera à affirmer ce choix de l'élémentaire en ramenant la vie à sa plénitude. Les objets, les êtres cessent alors d'être séparés, ils recommencent à signifier plus qu'eux-mêmes, à être porteurs d'avenir, à redevenir *fertiles* comme les regards que posent sur eux le poète et sa femme et que chantent *Les yeux fertiles.*

« Force reste pourtant aux preuves de la vie. » Ce sont de telles preuves que dorénavant Eluard demandera à la poésie de révéler, d'assurer et de multiplier. S'il lui arrive encore d'enclore une menace secrète dans ses paroles d'amour, ce n'est plus là qu'un dernier retour de l'ombre, le feu ne s'éteindra plus.

Je n'ai envie que de t'aimer
Un orage emplit la vallée
Un poisson la rivière

Je t'ai faite à la taille de ma solitude
Le monde entier pour se cacher
Des jours des nuits pour se comprendre

Pour ne plus rien voir dans tes yeux
Que ce que je pense de toi
Et d'un monde à ton image

Et des jours et des nuits réglés par tes paupières.

Les jours et les nuits reprennent leur « Cours naturel ». Grâce à Nusch la femme aimée le poète accueille en lui le ciel, ses astres, ses oiseaux, la terre, ses plantes, ses animaux et bien sûr l'homme. « La solitude des poètes aujourd'hui s'efface. Voici qu'ils sont des hommes parmi les hommes, voici qu'ils ont des frères. » Vaincue la solitude, ce qui était mal passe au bien, ce qui appartenait au désespoir tourne à l'espoir. Ainsi la volonté passionnée de *changer la vie*, volonté dont la frénésie cachait mal l'angoisse, débouche des tentatives hasardeuses de la nuit à une certitude diurne : l'amour qui change la vie de deux êtres par le bonheur appelle le bonheur de tous, travaille au futur bonheur de tous.

Le ciel s'élargira
Nous en avions assez
D'habiter dans les ruines du sommeil
Dans l'ombre basse du repos
De la fatigue de l'abandon

La terre reprendra la forme de nos corps vivants
Le vent nous subira
Le soleil et la nuit passeront dans nos yeux
Sans jamais les changer

Notre espace certain notre air pur est de taille
A combler le retard creusé par l'habitude
Nous aborderons tous une mémoire nouvelle
Nous parlerons ensemble un langage sensible.

« Nous parlerons ensemble un langage sensible », dit Eluard. « La poésie doit être faite par tous, non par un », disait Lautréamont. En attendant cet avènement d'une parole commune, le poète parle : « Pour voir tous les yeux réfléchis — par tous les yeux. » — « Pour que parler — soit aussi généreux — qu'embrasser. » Il affirmera plus tard : « Si l'on voulait, il n'y aurait que des merveilles. » Et encore : « Tout homme est frère de Prométhée. » C'est en 1936, dans *L'Évidence poétique* qu'Eluard explicite sa conception des droits et des devoirs du poète : « Le temps est venu où tous les poètes ont le droit et le devoir de soutenir qu'ils sont profondément enfoncés dans la vie des autres hommes, dans la vie commune. » Et encore : « Le pain est plus utile que la poésie. Mais l'amour au sens complet, humain du mot, l'amour-passion n'est pas plus utile que la poésie... » Enfin ceci qui formule parfaitement l'unité poétique de la vie : « Tout ce que l'esprit de l'homme peut concevoir et créer provient de la même veine, est de la même *matière* que sa chair, que son sang et que le monde qui l'entoure. »

La guerre d'Espagne va encore accentuer dans la poésie d'Eluard comme dans celle de ses amis le combat pour l'espoir. La *Victoire de Guernica* annoncera les pathétiques et brefs poèmes de *Poésie et Vérité* 1942 :

Ils vous ont fait payer le pain
Le ciel la terre l'eau le sommeil
Et la misère
De votre vie.

L'amour cependant sera plus fort que l'horreur, car la femme transmet à l'homme tout ce qui est, elle supprime la distance et le temps, elle renouvelle la vision du poète :

Tout est nouveau tout est futur

sa beauté enfin est celle de toutes les femmes.

UNE POUR TOUTES

La mieux connue l'aimée on la voit à peine
Mais sa suite surgit dans des robes ingrates
Pour prendre tout au corps et laisser tout au cœur

La première la seule elle est enfermée
Comme au fond du jour noir un faux soleil de foudres
Comme dans l'herbe fraîche un ruisseau persistant

La plus belle le rêve où la vue est vaine
Sans voiles sans secret mais l'intime raison
Toutes les forces de ma vie sans un effort

Mais ses suivantes mais ses images en foule
Se coiffent gentiment et brûlent les pavés
Leurs seins libres mêlant la rue à l'éternel

Leurs charmes justifiant le seul amour possible.

Toutes les menaces qui assombrissent les dernières années de la Paix ne viendront pas à bout de cette paix intérieure que l'amour et par lui le sens de la fraternité ont donnée à Eluard. C'est une « Chanson Complète » que la sienne dorénavant, c'est-à-dire celle des rêves et celle de la conscience — « Nulle rupture : la lumière et la conscience m'accablent d'autant de mystère, de misères que la nuit et les rêves; » — celle du couple et à travers lui de tous les hommes, celle du présent et de son bonheur contesté et celle d'un futur heureux.

C'est avec nous que tout vivra

Bêtes mes vrais étendards d'or
Plaines mes bonnes aventures
Verdure utile villes sensibles
A votre tête viendront des hommes

Des hommes de dessous les sueurs les coups les larmes
Mais qui vont cueillir tous leurs songes

Je vois des hommes vrais sensibles bons utiles
Rejeter un fardeau plus mince que la mort
Et dormir de joie au bruit du soleil.

Au nom de cette espérance spontanée qui fait éclore ses poèmes mais aussi détermine sa volonté, au nom de la vérité qui se confond avec la poésie (« La vérité se dit très vite, sans réfléchir, tout uniment » — 1936), au nom du surgissement de lumière à travers les ombres, qu'est le poème, Paul Eluard fera entendre dans la France soumise à la torture l'indispensable cri de la révolte et de l'amour traqué mais non vaincu. En 1936 Eluard déclarait : « Le surréalisme travaille à démontrer que la pensée est commune à tous; il travaille à réduire les différences qui existent entre les hommes et, pour cela, il refuse de servir un ordre absurde, basé sur l'inégalité, sur la duperie, sur la lâcheté »... « Il y a un mot qui m'exalte, un mot que je n'ai jamais entendu sans pressentir un grand frisson, un grand espoir, le plus grand, celui de vaincre les puissances de ruine et de mort qui accablent les hommes, ce mot c'est : fraternisation »; il n'y a nulle rupture entre cette générosité du surréalisme et l'appel fidèle qu'Eluard lance en 1942 à la :

LIBERTÉ

(fragment)

. . . .

Sur le tremplin de ma porte
Sur les objets familiers
Sur le flot du feu béni
J'écris ton nom

Sur toute chair accordée
Sur le front de mes amis
Sur chaque main qui se tend
J'écris ton nom

Sur les vitres des surprises
Sur les lèvres attentives
Bien au-dessus du silence
J'écris ton nom

Sur mes refuges détruits
Sur mes phares écroulés
Sur les murs de mon ennui
J'écris ton nom

Sur l'absence sans désirs
Sur la solitude nue
Sur les marches de la mort
J'écris ton nom

Sur la santée revenue
Sur le risque disparu
Sur l'espoir sans souvenirs
J'écris ton nom

Et par le pouvoir d'un mot
Je recommence ma vie
Je suis né pour te connaître
Pour te nommer

Liberté.

Sur la route de la poésie commune à tous, ce sera l'honneur de Paul Eluard et de son ami Jean Lescure d'avoir fait entendre dans *L'Honneur des Poètes* les voix qui s'opposaient à la plus monstrueuse oppression. Après la guerre, Eluard connaîtra le malheur qui pouvait le plus gravement l'atteindre, la mort de celle qu'il aimait, pourtant par-delà sa nouvelle et encore plus atroce plongée dans la solitude, il retrouvera avant de mourir la certitude sur laquelle toute son existence et son œuvre s'épanouirent en un seul feu : l'amour, la poésie d'un couple, s'ouvre, dans le présent et le futur, sur la vie de tous; le visage aimé est utile, il rayonne pour tous, effaçant les frontières de la chair, de l'espace et du temps.

J'ai eu longtemps un visage inutile,
Mais maintenant
J'ai un visage pour être aimé
J'ai un visage pour être heureux

« Poèmes pour la Paix » (juillet 1918).

. . . .
La bonté danse sur mes lèvres
. . . .
Ma saison est éternelle .

(1939).

. . . .
La grande règle
Ce qui est digne d'être aimé
Contre ce qui s'anéantit
. . . .
Je me construis entier à travers tous les êtres

(1940).

. . . .
Je n'ai rien séparé mais j'ai doublé mon cœur.
D'aimer, j'ai tout créé : réel, imaginaire,
J'ai donné sa raison, sa forme, sa chaleur
Et son rôle immortel à celle qui m'éclaire

(27 novembre 1946, veille de la mort de Nusch).

. . . .

Tu es venue l'après-midi crevait la terre
Et la terre et les hommes ont changé de sens

. . . .

« Dominique aujourd'hui présente » (1951).

Ainsi, infiniment sensible et traversée de malheur, la poésie d'Eluard demeure-t-elle un chant pur de bonheur; immédiate, spontanée, intime comme la respiration même du poète, elle parle pourtant le langage le plus fraternel, le plus universel; simple, faite des mots de tous les jours elle contient toutes les merveilles les plus rares, et les plus familières; elle est bien cette flamme qui embrase dans son unité, belle, généreuse, ardente, humaine, les éléments, les choses, les rêves et les êtres.

Je fus homme je fus rocher
Je fus rocher dans l'homme homme dans le rocher
Je fus oiseau dans l'air espace dans l'oiseau
Je fus fleur dans le froid fleuve dans le soleil
Escarboucle dans la rosée

Fraternellement seul fraternellement libre.

TRISTAN TZARA

Il y a loin des *Vingt-cinq poèmes* de Tzara[1] à ses récents recueils : *Entre-Temps, Terre sur Terre* ou *Le Signe de vie*; il y a loin de sa pièce *Le Cœur à Gaz* à son poème dramatique, *La Fuite*; il y a cette tragique marge qui sépare deux après-guerre. Si la poésie est ce signe — du langage — qui, le premier, révèle l'avènement d'un futur humain, l'œuvre de Tzara nous montre dans sa nécessaire évolution la voie d'une société qui d'abord s'est défaite pour, à présent, alors qu'à nos yeux nuit et chaos demeurent, amorcer sa forme nouvelle.

Les *Vingt-cinq poèmes* appartiennent comme d'ailleurs *La première et la deuxième — aventure céleste de M. Antipyrine, le Cinéma calendrier du cœur abstrait* ou *Le cœur à gaz,* à la première phase de la révolution poétique. Il s'agit alors de détruire le langage ou du moins ses formes sclérosées, ce système d'ornières qu'il est devenu où s'emprisonne l'esprit. Il faut rompre la syntaxe et les garde-fous de sa logique : « Comment, me dit-il, osez-vous galoper sur les champs réservés à la syntaxe ? La parole, lui dis-je, a cinquante étages, c'est un gratte-dieu » (Monsieur Aa l'antiphilosophe). A l'homme, ainsi, on enlèvera la monstrueuse

---

1. Né en 1896 en Roumanie, mort à Paris en décembre 1963. Œuvres : *La Première Aventure Céleste de M. Antipyrine* (Collection Dada, Zurich, 1916) ; *Vingt-cinq Poèmes* (Collection Dada, 1918 ; Ed. de la Revue Fontaine, 1946) ; *Cinéma Calendrier du Cœur Abstrait* (Au Sans Pareil, 1920) ; *De nos Oiseaux* (Ed. Kra, 1923) ; *Mouchoir de Nuages* (Galerie Simon, 1925); *Indicateur des Chemins de Cœur* (Jeanne Bucher, 1928); *L'Arbre des Voyageurs* (Ed. de la Montagne, 1930); *L'Homme Approximatif* (Ed. Fourcade, 1931); *Où boivent les Loups* (Les Cahiers Libres, 1932); *L'Antitête* (Denoël et Steele, 1933); *Grains et Issues* (Denoël et Steele, 1935); *La Deuxième Aventure Céleste de M. Antipyrine* (Les Réverbères, 1938); *Midis Gagnés* (Denoël, 1939); *Le Cœur à gaz* (G.L.M., 1946); *Le Signe de Vie* (Bordas, 1946); *Terre sur Terre* (Ed. des Trois Collines, Genève, 1946); *La Fuite* (Gallimard, 1947); *Phases* (Seghers, 1949); *Parler seul* (Maeght, 1950); *De mémoire d'homme* (Bordas, 1950); *Le Poids du Monde* (Au Colporteur, 1951); *La Face intérieure* (Seghers, 1953) ; *Choix de Poèmes 1939-1961* (Edizione Rapporti Europei, Rome, 1961). Références : *Tzara,* par René Lacôte (Ed. Seghers, Coll. Poètes d'aujourd'hui) ; *Morceaux choisis,* préface de Jean Cassou (Bordas).

assurance dont il s'affuble et dont les oripeaux proprement l'étouffent.

A lire ces *Vingt-cinq et un poème* plus de quarante ans après leur apparition, on est frappé par deux courants qui se font jour en eux. Le premier, le plus évident et le plus important par ses manifestations, répond à la volonté de faire de l'écriture poétique une arme et d'attaquer grâce à elle les racines mêmes d'une conception du monde. C'est là, proprement, la forme et la substance dadaïste de ces *Vingt-cinq et un poème* : ces rythmes syncopés, ces associations de mots ennemis, je veux dire jamais rapprochés dans le langage habituel — et de ce court-circuit à la Lautréamont naît l'étincelle violente, accusatrice de l'image, — ces suites de sons privés de sens témoignent du désir d'atteindre la poésie par la destruction du poème :

tuyaux tuyaux arrangez-vous
verticale coupée
interrompre
mécanisme drrrr rrrrrrrr barres écartées
ébranlement des rayons perce-nous trouve le chemin de la cité.

Le caractère majeur de tels vers est l'humour. Un humour acide qui ronge toute expression jusqu'à l'absurde. Mais voilà que, de loin en loin, après cette rage purificatrice, une poésie toute fraîche et vive peut enfin — et semble-t-il à l'insu du poète — jaillir. C'est là cet autre courant moins immédiatement perceptible que le premier mais qui, à travers la mise en œuvre dadaïste du recueil, laisse apparaître une constante que l'on retrouvera dorénavant comme un chant profond dans toute l'œuvre de Tzara.

Le sel et le vin les plaintes et les grands hurlements
étant debout de la nuit secrète étude
flambe
airin
solitude
le sexe au milieu planté au milieu des branches
dans leurs manteaux on a versé le tourbillon
spirales rouges soutenant la voix
et les barques avançant comme la divinité dans la chair
longuement.

Ces deux aspects contradictoires en apparence, en fait complémentaires d'une poésie, sont présents dans la pièce *Le cœur à gaz* qui fut jouée le 10 juin 1921 à la Galerie Montaigne avec Philippe Soupault (oreille), Georges Ribemont-Dessaignes (bouche), Théodore Fraenkel (nez), Louis Aragon (œil), Benjamin Péret (cou), Tristan Tzara (sourcil). C'est lors de la seconde représentation qui eut lieu au cours de la soirée du *Cœur à Barbe* au Théâtre Michel, le 6 juillet 1923, qu'une bagarre mit aux prises Breton et Tzara et consomma le divorce du dadaïsme et du surréalisme naissant.

L'humour encore et la recherche du scandale imposent leur règne dans cette pièce. Pourtant cette attitude d'agression poétique n'exclut pas une grâce toute naturelle et jeune où se retrouve l'authentique lyrisme de Tzara.

ŒIL

Clitemnestre femme d'un ministre, regardait à la fenêtre. Les violoncellistes passaient dans un carrosse de thé chinois, mordant l'air et les caresses à cœur ouvert. Vous êtes belle Clitemnestre, le cristal de votre peau éveille la curiosité de nos sexes. Vous êtes tendre et calme comme 2 mètres de soie blanche...

COU

Mandarine et blanc d'Espagne
Je me tue Madeleine, Madeleine.

Ce lyrisme la bride sur le cou galope dans l'*Indicateur des Chemins de Cœur :*

la lumière du jour s'allume à tes lèvres
vernies par le souriant avantage de ce jour
et tes lèvres s'allument à l'éclat des syllabes
qui s'échappent aux lumineuses défaillances de tes lèvres.

C'est un chant toujours libre, sûr, drainant une ample moisson de secrets humains recueillis aux limites où conscience et subsconcient s'unissent, qui fait le prix des recueils écrits par Tzara au cours des vingt dernières années.

Ce chant dont on pressentait l'élan, alors discontinu, dès les *Vingt-cinq poèmes*, ne cessait, dans les nombreux et beaux recueils qui ont suivi, — *Indicateur des chemins de cœur*, l'*Homme approximatif*, *La Fonte des Ans*, *Où boivent les loups*, par exemple — de gagner en étendue, en gravité; perçant soudain comme une source profonde la luxuriante végétation d'une écriture libérée du contrôle logique.

L'HOMME APPROXIMATIF

(fragments)

. . . .

de tes yeux aux miens le soleil s'effeuille
sur le seuil du rêve sous chaque feuille il y a un pendu
de tes rêves aux miens la parole est brève
le long de tes plis printemps l'arbre pleure sa résine
et dans la paume de la feuille je lis les lignes de ta vie

l'étiquette de la plante qui est une bouteille de ciel
et sur ton cœur aussi les étiquettes gardent leurs secrets
avec l'annonce silencieuse je reste aplati et collé à la pharmacie
de la terre grasse aplati la triomphale maladie des nuages
défonce l'horizon et s'écroule le château de cartes météorologiques
mais à quoi bon trompette des saisons
journal déployé à la terrasse du firmament
par où l'on filtre avec dédain l'équivoque brise des versions astrales

sommeil gros d'arbres las
sourdes tortures les ébats des chairs dans leur écorce meurtrie
des crépuscules furtifs les avalanches d'angéliques nudités
martèlent les jours du pas lourd de tes amours
tu laisses dans le nid de rêve le grain ailé de ton géant oiseau

sommeil gros d'arbres las
tressées couronnes de pics entrelacées avec les nues
lac coupé net dans l'humide front de la terre
loin loin tout près de la mort et intarissable
dans le ventre du sommeil qui ferme sur toi les doigts d'humbles hantises
se creusent sur la carte du passé les rivières de la vie géographique
sommeil gros arbres las
avec un œil un seul tourné à l'intérieur
soupape des danaïdes n'emplira jamais le sac la lueur
et sur ton émail lunaire dieu de rêve je gratterai la marche des caravanes
dont les longs sifflets assurent le départ brumeux
une fontaine dans la poitrine et l'inépuisable saveur à l'intérieur
vers les magiques insolences des paroles qui ne couvrent aucun sens
chevauchant les tortures prises dans leur corset de vallées par bonds et hoquets
lorsque j'ouvre le tiroir de ta voix fraîche sans nom
rubans dentelles des âges bracelet des dents
je le mets autour de mon poignet quand j'enfonce la porte du rêve
pour soritr au seuil du jour lacéré de battements de cœur et de tambour.

. . . .

Cependant l'éclosion de ce chant intérieur, conférant au poème une unité spontanée, demeurait intermittente. Maintenant l'humour, le rêve, la séduction des images, l'expérience verbale qui souvent éclipsaient entièrement cette voix instinctive ne font que prêter leurs riches ressources à son exigence.

Si l'on compare les poèmes d'*Entre-temps* (écrits de 1937 à 1940), de *Signe de vie* (1938-1942), de *Terre sur Terre* (1942-1945), de *La Face Intérieure* (1938-1943) à ceux de *Midis gagnés*, — ou plus exactement à ceux d'*Abrégé de la Nuit* (1934) et des *Mutations Radieuses* (1935-1936) qui composent les deux premières parties de *Midis gagnés*; — on est frappé par une organisation plus stricte du langage chez les premiers. Le rythme s'est fait plus serré, plus marqué. Alors que dans *Abrégé de la Nuit*, d'une beauté d'ailleurs sans faille de ciel nocturne, les poèmes semblaient traversés par un flux perpétuel d'images (« La mousse des regards, les végétations de cuir et les cœurs laborieux des rivières édentées se réunissent en un éclatant faisceau d'ailes qui tendent à la connaissance des âmes de gaze... »), les poèmes d'*Entre-temps* possèdent une unité, une progression interne, une sorte de rigueur dans la sobriété de leurs chances, non pas une rigueur volontairement imposée du dehors, mais approchée au cours même d'une longue, patiente, fidèle et sincère expérience poétique.

Qu'on y prenne garde pourtant, dépouillement ne veut pas dire pauvreté : Tzara conserve sa violence, son originalité, son humour, le jaillissement d'une riche inspiration d'où l'on ne peut qu'arbitrairement détacher tel ou tel fragment :

Il y a des boulangers dans la forêt des familles
et des savetiers qui savent le latin du ciel
ce sont encore des princes dans l'herbe des géants
mais le maraudeur baratte la solitude.

Mais on voit le mouvement de cette poésie tendre naturellement à un ordre, faire porter sa puissance en une seule direction, comme on voit le torrent incertain et partagé se faire fleuve aux rives pures, à l'unique élan.

Dans *Entre-temps* encore, le poème intitulé *Chapiteau* est significatif de cette domination sur soi-même que révèle la poésie de Tzara, domination qui ne va peut-être pas sans un désenchantement secret :

J'ai attaché au cou de la jeunesse
les grelots de la solitude
j'ai mis du temps dans mon vin
et fait taire la clarté

le dernier vers du poème :

la raison d'être non de vivre

peut sembler ramasser en ses quelques mots le drame de la métamorphose du poète qui passe avec les années des turbulentes raisons de vivre à l'austère et difficile raison d'être.

Le poème qui suit cette sorte de profession de foi : *Matu-*

rité, et dont le titre répond déjà à l'approfondissement comme à la mélancolie nouvelle de la poésie de Tzara, est un texte capital : d'une beauté à la fois simple et solennelle, il anime les paroles les plus fraîches, les plus neuves, alors qu'il naît sous l'aveu de l'amertume causée par le temps : cette blessure des hommes :

MATURITÉ

dans la profondeur le vent brise des cloches
les cristaux du vide personne pour écouter
parole ta saveur a fui le règne des humains
et le chant migrateur que j'ai suivi jusqu'aux portes de l'abîme

depuis que la joie ne fait plus la roue aux lèvres de soleil
le soleil couve sa ruse sous la cendre des rocs
sécheresse tout est sécheresse où le tendre archet de l'eau
tendre eau puisée à la parole effleura la nuit d'un homme

entends-tu blancheur de trop de veilles
ce nom à l'aile battant de branche en branche
sur le seuil de chaque rive ce sont toujours les mêmes
je suis resté sur place mes pas seuls sont ailleurs

le temps a fait son nid empreint de surdités
où les éponges éteintes et lourdes sans remords
un long déchirement tiennent lieu de mémoire
et d'abondants échos se brisent contre la vitre

dehors le paysage avance menaçant
les hêtres ont des gestes liés de durs reproches
que jettent par la fenêtre les brassées de colère
taciturne tu écoutes le désir remuer au cœur de l'hiver

c'est un feu contenu par des mains lentes et rares
fanées sont les attaches des mots dont s'éclairait
le front de velours aux yeux de l'amitié
rien n'échappe à l'éclat désemparé de sa flamme

chaque ombre à son âme reconnaît la lumière
et la proie ne pèse pas lourd dans la balance faussée
ruisselante de temps image défendue
que la mort guette au plus profond de ton rire.

Le Signe de Vie, Terre sur Terre, offrent les mêmes traits : sobriété donnant à ces vers leur pouvoir de pénétration et d'émotion, rythme confondu avec celui de la voix intérieure qui semble prononcer le poème, contenu simple et humain de l'inspiration.

Dans ces recueils on remarquera l'importance prise par le souvenir. Longtemps, la poésie de Tzara fut celle du présent — et souvent par sa rébellion contre celui-ci, était-elle encore appel du futur. On la voit, depuis plusieurs années, s'ouvrir au monde du passé et ranimer les visages disparus, les vestiges d'amours, ce qu'il y avait de plus sûr dans une jeunesse qui s'éloigne; acquérant ainsi une nouvelle dimension qui l'enrichit et l'approfondit.

Cet accueil de la mort n'a d'ailleurs rien d'étouffant, de négateur. Bien au contraire il rend plus efficace, plus touchant ce fidèle amour de la vie auquel reste le dernier mot dans les poèmes de Tzara; il peut être à l'origine de cette plus grande exigence, de ce choix devant le langage qui caractérise l'évolution formelle de l'œuvre : la poésie suivant cette courbe d'une vie et d'une conscience qui sous la menace de la mort, peu à peu, se cristallisent autour des seules données affectives qui leur sont essentielles.

Ces morts que chante dorénavant Tzara seront les témoins de l'amour, rendront éclatante sa primauté dans l'œuvre de l'ancien dadaïste.

Un de ces premiers « absents » fut Guillaume Apollinaire qui inspirait ces vers parus dans *De nos oiseaux* (1923) :

nous ne savons rien
nous ne savions rien de la douleur
la saison amère du froid
creuse de longues traces dans nos muscles.

Tzara demeure attaché à sa mémoire; un poème écrit à Prague en juillet 1938 et publié dans *Le Signe de Vie* reprend les thèmes des vers précédents en leur conférant une résonance à la fois plus grave et plus tendre :

je pense à toi Guillaume carrefour
chaleur des jours grossis aux bouches de métro
la mort rôde autour qu'importe l'hirondelle
nous parle de baleines parle à perdre haleine

parle à la pierre et à l'oreille du blé
qu'importe l'arbre veille

Mais le poète assassiné a maintenant, hélas, de nombreux frères. A ce propos, on peut voir que la question souvent posée : la poésie doit-elle ou ne doit-elle pas être liée à l'événement est un faux problème, car vient un temps où l'événement n'est autre que la mise à mort du poète. Et ce temps paraît capital dans l'évolution poétique de Tzara; on peut le marquer avec la pierre noire de la mort de Lorca. Cette mort a profondément retenti dans les œuvres poétiques modernes. On pourrait, je crois, discerner à dater de sa sombre découverte, sinon la naissance, du moins l'affirmation très franche d'un courant poétique nouveau, *consciemment solidaire* de la lutte soutenue par l'homme pour sauver ou pour gagner sa liberté.

La mémoire de Fédérico, on ne la séparera plus de l'admirable poème *Sur le chemin des étoiles de mer*, que Tzara dédia au poète du *Romancero Gitan* dans les *Mutations radieuses* :

quel vent souffle sur la solitude du monde
pour que je me rappelle les êtres chers
frêles désolations aspirées par la mort
au delà des lourdes chasses du temps
l'orage se délectait à sa fin plus proche
que le sable n'arrondissait déjà sa hanche dure
mais sur les montagnes des poches de feu
vidaient à coups sûrs leur lumière de proie
blême et courte tel un ami qui s'éteint
dont personne ne peut plus dire le contour en paroles
et nul appel à l'horizon n'a le temps de secourir
sa forme mesurable uniquement à sa disparition.

. . . .

pilleur de mers
tu te penches sous l'attente
et te lèves et chaque fois que tu salues la mer ivre à tes pieds
sur le chemin des étoiles de mer
déposées par colonnes d'incertitude
tu te penches tu te lèves
saluts brassés par bandes

et sur le tas il faut pourtant que tu marches
même en évitant les plus belles il faut pourtant que tu marches
tu te penches
sur le chemin des étoiles de mer
mes frères hurlent de douleur à l'autre bout
il faut les prendre intactes
ce sont les mains de la mer
que l'on offre aux hommes de rien
glorieux chemin sur le chemin des étoiles de mer
« alcachofas alcachofas » c'est mon beau Madrid
aux yeux d'étain à la voix fruitée
qui est ouvert à tous les vents
vagues de fer vagues de feu
il s'agit des splendeurs de la mer
il faut les prendre intactes
celles aux branches cassées renversées
sur le chemin des étoiles de mer
où mène ce chemin il mène à la douleur
les hommes tombent quand ils veulent se redresser
les hommes chantent parce qu'ils ont goûté à la mort
il faut pourtant marcher
marche dessus
le chemin des étoiles de mer par colonnes d'incertitude
mais on s'empêtre dans la voix des lianes
« alcachofas alcachofas » c'est mon beau Madrid aux feux bas
ouvert à tous les vents
qui m'appelle — longues années — des orties
c'est une tête de fils de roi fils de putain
c'est une tête c'est la vague qui déferle
c'est pourtant sur le chemin des étoiles de mer
que les mains sont ouvertes
elles ne parlent pas de la beauté de la splendeur
rien que des reflets de minuscules cieux
et les imperceptibles clignements des yeux autour
les vagues brisées
pilleurs de mers
mais c'est Madrid ouvert à tous les vents
qui piétine la parole dans ma tête
« alcachofas alcachofas »
chapiteaux des cris raidis

ouvre-toi cœur infini
pour que pénètre le chemin des étoiles
dans ta vie innombrable comme le sable
et la joie des mers
qu'elle contienne le soleil
dans la poitrine où brille l'homme du lendemain
l'homme d'aujourd'hui sur le chemin des étoiles de mer
a planté le signe avancé de la vie
telle qu'elle se doit de vivre
le vol librement choisi de l'oiseau jusqu'à la mort
et jusqu'à la fin des pierres et des âges
les yeux fixés sur la seule certitude du monde
dont ruisselle la lumière rabotant au ras du sol.

Dès lors, les poètes que leur mort même fait porteurs d'avenir, hanteront l'œuvre de Tzara : de Machado, dans *Le Signe de la vie* :

veillée des mers au front des sources
dans la paume de ta présence Collioure
j'ai caressé l'éternité j'ai cru en elle
et dans le vif silence de ta vigne
j'ai enterré le souvenir et l'amertume.

. . . .

A Desnos dans « Phases ».

. . . .

dans les bras que vague emporte
un oiseau rien de plus sauf la colère
un visage à ma fenêtre
une joie flotte
mon secret ma raison d'être
et le monde.

On voit par ces exemples que l'œuvre de Tzara est nourrie, depuis longtemps, par l'histoire, qu'elle ne se sépare pas de l'horreur ou de l'espérance qui se partagent notre temps[1], mais aussi qu'elle ne commet jamais la faute de n'être qu'un commentaire lyrique des circonstances.

---

1. Et peut-être, s'est-il trouvé là encore une cause d'ascèse pour cette poésie; la dureté terrible de notre époque ayant pu l'inciter à rejeter toute complaisance envers son propre jeu, aussi prestigieux fût-il.

Le tragique quotidien coule en elle comme le sang dans un corps; nulle abstraction, nulle éloquence, nul pittoresque ne viennent compromettre le poème; il n'est ici véritablement que poésie — « activité de l'esprit » et non pas « moyen d'expression » — grande poésie qui, à travers la destinée du poète, éclaire toute la condition humaine.

C'est dans cette naturelle communion, dans l'évidence de cette fraternité vécue que Tzara semble trouver l'équilibre entre l'attrait souvent douloureux du souvenir et sa soif d'un futur sans ténèbres.

Ainsi, malgré l'évolution de ses thèmes, de son langage, de la vision de l'univers dont elle témoigne, l'œuvre de Tristan Tzara demeure-t-elle fidèle à ses deux tendances originelles : la tendresse et la violence. *Terre sur Terre,* le titre de l'un de ses récents recueils, pourrait la définir dans son ensemble, tout entière attachée à révéler, sur cette terre incertaine et blessée, les sources d'un monde libre.

dansez la nuit des âges durs ô pierres
les nombres et leurs proies visibles ici-bas
jusqu'à éclater en rire de sang
que la terre advienne sur terre
et se multiplie la graine de son règne.

ARAGON

Le Surréalisme ne se voulut jamais école littéraire. Le malheur c'est qu'il faut bien, serait-ce pour écrire pis que pendre de la littérature, se servir des mots. Ainsi au bout du compte, voici écrivain qui écrivit. Que ce fut dans l'espoir d'en finir avec l'art, les lettres, n'y change rien. Et il se trouve que nombreux furent les surréalistes qui s'exprimèrent admirablement; eurent du style, — et quel style, fluide ou solennel, brillant ou ténébreux, — pour rejeter le style parmi les vieilles lunes. De tous ces auteurs si doués, le plus étincelant, le plus vif, le plus riche, le plus mordant, le plus caressant, le plus lyrique et le plus désinvolte, fut, sans doute possible, Louis Aragon[1]. Le plus frondeur aussi de ces irréductibles du surréel, après les avoir quittés, il deviendra l'écrivain le plus soumis au réalisme dans le roman, à la tradition dans les poèmes. Du défi à la tradition, tel semble bien être l'itinéraire de ce poète, de l'injure au *bel canto*, du libertinage à la règle conjugale. Jadis jeune prodige persifleur, ensuite à l'âge d'homme jouant à retrouver le secret des romances qu'on siffle dans la rue, et certes, plus d'une fois, se laissant prendre — et nous prenant alors — à son jeu.

« ET JE VOUS DÉFENDS DE RIRE — une certaine facilité que j'ai d'écrire (...) n'a jamais été pour moi que l'occasion du scandale... » Du sourire, de la légèreté, de la facilité! Aragon craint qu'on ne rie de cela, qu'on ne se moque, car lui

---

1. Né en 1897 à Paris. Œuvres principales : *Feu de Joie, 1917-1919* (Au Sans pareil, 1920); *Le Mouvement perpétuel, 1920-1924* (N.R.F., 1925); *La Grande Gaîté, 1927-1929* (N.R.F., 1929); *Persécuté Persécuteur, 1930-1931* (Ed. Surréalistes); *Le Crève-Cœur, 1939-1940* (N.R.F., 1940); *Les Yeux d'Elsa, 1940-1942* (Cahiers du Rhône, 1942, Ed. Seghers, 1959); *Brocéliande, 1942* (Ed. Cahiers du Rhône, 1943); *La Diane Française, 1942-1944* (Seghers, 1945); *Les Yeux et la Mémoire* (Gallimard, 1954); *Mes Caravanes* (Seghers, 1954); *Le Roman Inachevé* (Gallimard); *Elsa* (Gallimard, 1959) ; *Les Poètes* (Gallimard, 1960) ; *Le Fou d'Elsa* (Gallimard, 1963). *Aragon*, par Hubert Juin (Gallimard, La Bibliothèque Idéale).
Référence : *Aragon*, par Claude Roy (Ed. Seghers, Coll. Poètes d'aujourd'hui) ·

justement se moque de ce qui est en lui sourire, légèreté, facilité; il s'en moque : ces dons sont pour lui sans valeur parce qu'il les a trouvés en lui-même comme le legs d'un monde et d'un passé qu'il entend renier. Il s'en moque à moins qu'il ne s'en irrite, car il ne peut faire qu'ils ne soient siens et qu'il ne soit leur; d'où l'instabilité, la dualité, le mélange déconcertant, détonant d'humeur et d'humour qui sont plus d'une fois sa marque : d'où peut-être, enfin, par désir de surmonter tant de contradictions internes, par besoin de se sentir unifié et justifié, la soumission absolue à une règle extérieure (politique bien sûr, mais éthique aussi et esthétique) confondue avec la volonté de la classe ouvrière, d'une classe ennemie de la sienne. Mais on ne se quitte pas. Tant pis et tant mieux. Réaliste comme surréaliste, Aragon demeurera, des écrivains français contemporains, le plus séduisant — « il paraît que je suis, tout le monde l'assure, la séduction en personne » — et le plus irritant tour à tour, parfois même simultanément, ne cessant de charmer que pour provoquer, de chanter que pour ricaner et nous laissant plus d'une fois, en 1945 comme en 1925, quoique par d'autres moyens, l'impression qu'il se moque de nous, ou de lui-même, à moins que ce ne soit et de nous et de lui.

Mais si Aragon parfois est encore mal à l'aise, nous sommes loin cependant du fécond malaise surréaliste que le poète de *Persécuté Persécuteur* tentait de dépasser par une insolence et un brillant inégalables — celui d'une mousse superficielle de rayons, celui aussi du diamant extrait des profondeurs. Ce sont à vrai dire plus les proses que les vers surréalistes d'Aragon qui possèdent au plus haut point ces qualités, et aussi un extraordinaire lyrisme. Les vers se contentent trop aisément de légèreté — cette fois leur auteur aurait eu raison de se défier de sa *facilité* — et d'une pincée d'humour; leur intérêt, me semble-t-il, est du ressort, presque exclusivement, du domaine critique : il arrive en effet que s'y exercent certains procédés de langage : répétitions de sons, échos, rimes qu'Aragon reprendra et développera avec le bonheur qu'on sait dans *Le Crève-cœur* et les recueils qui suivirent.

POUR DEMAIN

Vous que le printemps opéra
Miracles ponctuez ma stance
Mon esprit épris du départ
Dans un rayon soudain se perd
Perpétué par la cadence

La Seine au soleil d'Avril danse
Comme Cécile au premier bal
Ou plutôt roule des pépites
Vers les ponts de pierre ou les cribles
Charme sûr La ville est le val

Les quais gais comme en carnaval
Vont au-devant de la lumière
Elle visite les palais
Surgis selon ses jeux ou lois
Moi je l'honore à ma manière

La seule école buissonnière
Et non Silène m'enseigna
Cette ivresse couleurs de lèvres
Et les roses du jour aux vitres
Comme des filles d'Opéra.

On aura remarqué au passage cet « esprit épris » qui « se perd-perpétué... » enfin cet « Opéra » qui au seizième et dernier vers rime avec le premier vers : « Vous que le printemps opéra. » Aragon se souviendra sans doute de ces *jeux* lorsqu'il notera dans *La Rime en 1940* : « Bien que peut-être le chef-d'œuvre de la poésie proprement surréaliste soit ces *Jeux de mots* que Robert Desnos, poursuivant une veine ouverte par Marcel Duchamp, poussa à la perfection et où tout est rimes, où la rime est prise à son comble... » Goût des rimes, de leur richesse sonore, dans ce sonnet du *Mouvement Perpétuel*; et le souvenir d'Apollinaire n'est pas seulement présent à la fin de la dernière strophe.

UN AIR EMBAUMÉ

Les fruits à la saveur de sable
Les oiseaux qui n'ont pas de nom
Les chevaux peints comme un pennon
Et l'Amour nu mais incassable

Soumis à l'unique canon
De cet esprit changeant qui sable
Aux quinquets d'un temps haïssable
Le champagne clair du canon

Chantent deux mots Panégyrique
Du beau ravisseur de secrets
Que répète l'écho lyrique

Sur la tombe Mille regrets
Où dort dans un tuf mercenaire
Mon sade Orphée Apollinaire

Dans un « poème de cape et d'épée », ne voit-on pas, n'entend-on pas des « Chevaliers de l'ouragan — qu'avez-vous fait de vos gants » qui « soupirent dans les soupentes », « soupirent aux soupiraux »! Mais :

Ulysse tandis que l'homme erre
. . . .
Ce sont toujours, les temps d'Homère

ces deux vers sont du *Crève-cœur*, non de la *Grande gaieté* (1927) où l'ancien combattant déclare :

J'ai fait le mouvement Dada
Disait le dadaïste
J'ai fait le mouvement Dada

Et en effet
Il l'avait fait.

Toujours de *La Grande gaité* et non des *Yeux d'Elsa* ces « Litanies » :

Elle a les plus beaux yeux du monde
Ah! la belle la belle la belle jambe
Que ça nous fait.

Ainsi par « Les plus doux seins », « les plus cruelles mains », « les plus mystérieuses dents », jusqu'à :

Elle a les plus fines jambes du monde
Ah la belle la belle la belle jambe
Que ça nous fait.

Mais laissons ces vers, il nous faut chercher ailleurs que dans leurs jeux la vraie poésie surréaliste, tantôt cinglante, tantôt majestueuse, tantôt lyrique d'Aragon, il nous faut la chercher dans les proses d'*Une vague de rêves*, du *Traité du style*, du *Paysan de Paris*. « Avec des lèvres de défi et un peu de dynamite dans le gousset », tel se peint lui-même l'auteur de ces livres d'étincelle ou de nuit, tel il devait être « ce mauvais jeune homme... » comme il dira plus tard — maniant le langage, sa sécheresse, son crépitement électrique, sa musique solennelle ou tendre, ses images vastes ou fines avec la précision et le dédain souverain d'un Lautréamont. « Aurai-je longtemps, se demandait-il, le sentiment du merveilleux quotidien ? » Certaines pages de ses romans, des *Voyageurs de l'Impériale*, d'*Aurélien*, ce livre couleur d' « amour couleur de Paris », répondent à cette question par l'affirmative. Mais, c'est sans aucun doute dans *Le Paysan de Paris* que le sentiment du merveilleux quotidien connaît une ampleur, une diversité, une grâce sans pareilles. Devant les attraits et les *mystères* de Paris, Aragon éprouve une passion, un enchantement qu'il nous communique avec une maîtrise qu'on oublie tant elle est parfaite. Fasciné par la rue, par la vie inquiétante, comme sous-marine, du Passage de l'Opéra, par les amours cachées, ou surprises, par le fantastique de la nuit, des jardins, il nous fascine à notre tour par ce « surréalisme, fils de la frénésie et de l'ombre ». « La clarté me vint enfin que j'avais le vertige du moderne », « La légende moderne a ses enivrements », « Il y a un tragique moderne; c'est une espèce de grand volant qui tourne et qui n'est pas dirigé par la main ». Aragon nous passe ce vertige, cette ivresse, ce sentiment tragique du moderne. « Un goût du désastre était en l'air. Il baignait, il teignait la vie. » Voilà d'où vient l'étrange lumière où nous pénétrons à la suite du poète :

Douce femme du vent, faneuse de lumières, toi dont les cheveux purs par un chemin rayé de comètes parviennent en fraude à mes yeux, encore une fois Alcyone, charmante Alcyone aux cils de soie, laisse-moi rénover le mythe de Moedler. Que le dard figuré des pesanteurs, blonde arborescence des abîmes du ciel, vienne encore une fois frapper ton sein, qu'il te pénètre, nudité d'amiante, encore une fois qu'il te pâme. Ainsi de temps en temps au cœur du carrousel la main qui groupe les attractions planétaires laisse échapper le nœud des ballons du soleil. Les lignes de force alors tombent en pleines Pléiades, et sous cette pluie Alcyone sourit. La clarté de ses dents illumine un instant la terre. C'est à cet instant que je rêve et que je vois dans l'air le spectre absurde de mon sort.

Ce spectre c'est l'ennui, jeune homme de toute beauté qui baye et se promène avec un filet à papillons pour attraper les poissons rouges. Il a dans la poche un podomètre et des ciseaux à ongles, des cartes et toutes sortes de jeux basés sur les illusions d'optique. Il lit à haute voix les affiches et les enseignes. Il sait les journeaux par cœur. Il raconte des histoires qui ne font pas rire. Il passe sur ses yeux une main de ténèbres. N'est-ce pas ? *disent les Français à tout bout de champ. Mais lui, une cheville terrible scande ses paroles :* A quoi bon ? *Il ne peut avoir un bouton électrique qu'il ne le tourne. Il ne peut voir une maison qu'il ne la visite, un seuil qu'il ne le passe, un livre qu'il ne l'achète. A quoi bon ? tout cela sans curiosité ni plaisir, mais parce qu'il faut faire quelque chose, après tout, et que nous voici tout de même après tout. Et qu'était ce TOUT qui s'enfle dans la voix qui le forme ?*

RIEN.

. . . .

Voici encore la Nuit, aux Buttes Chaumont :

Parmi les forces naturelles, il en est une, de laquelle le pouvoir reconnu de tout temps reste en tout temps mystérieux, et tout mêlé à l'homme : c'est la nuit. Cette grande illusion noire suit la mode, et les variations sensibles de ses esclaves. La nuit de nos villes ne ressemble plus à cette clameur des chiens des ténèbres latines, ni à la chauve-souris du moyen âge, ni à cette image des douleurs qui est la nuit de la Renaissance. C'est un monstre immense de tôle, percé mille fois de couteaux. Le sang de la nuit moderne est une lumière chantante. Des tatouages elle porte des tatouages mobiles sur son sein, la nuit. Elle a des bigoudis d'étincelles, et là où les fumées finissent de mourir, des hommes sont montés sur des astres glissants. La nuit a des sifflets et des lacs de lueurs. Elle pend comme un fruit au littoral terrestre, comme un quartier de bœuf au poing d'or des cités. Ce cadavre palpitant a dénoué sa chevelure sur le monde, et dans ce faisceau, le dernier, le fantôme incertain des libertés se réfugie, épuise au bord des rues éclairées par le sens social son désir insensé de plein air et de péril. Ainsi dans les jardins publics le plus compact de l'ombre se confond avec une sorte de baiser désespéré de l'amour et de la révolte.

. . . .

L'amour et la révolte, la révolte pour son goût du saccage. La violence de ce poème, extrait de *Persécuté Persécuteur*, le dernier livre surréaliste d'Aragon nous assure que ce goût du saccage tint longtemps lieu de sentiment révolutionnaire à l'auteur des *Beaux Quartiers*.

TANT PIS POUR MOI

Ainsi que le cœur qui se déchire au début de l'absence
le grisou sautera dans Paris
avec un long bruit de luxe brisé
Les enfants regarderont la dernière passe du bordel
éclaté comme une grenade
Puis joueront à une marelle révolutionnaire et philosophique
où CIEL se lira DRAPEAU ROUGE
et TERRE TERRE comme si de rien n'était

Les enfants ne connaîtront pas un mot de ce langage avec lequel
tu demandes ton chemin dans la rue
Monsieur *les fera rire et la Troisième Personne*
ce mythe domestique répondant aux sonnettes
étonnera la mémoire autant que les automobiles électriques
On ne se souviendra du monde de tous les jours
que par ces chromos de chasse où l'on voit
s'émerveiller des dames en bleu et rose d'un renard brandi par un vicomte

et le cerf mort aux pieds naturels des valets
dans un bazar Rue de la Gaieté
Ainsi que le cœur qui se déchire au début de l'absence
sans respect de l'amour sans respect des fruits et des fleurs
la Révolution tracera n'importe où sur la vitre
le trait de diamant qui séparera demain d'après-demain
il y aura des franges merveilleuses
comme le carmin des lèvres à la blessure fulgurante de la vie
Il y aura des grappes de désastres pour prix
de l'incendie incomparable
Et si l'œil du mourant pris à la charnière de l'univers ancien
aperçoit le printemps au-delà des fusillades

Qu'il regrette de ne pas vivre assez longtemps avec son corps et son amour
Qu'il le regrette bien tandis que le traverse avec la vitesse de la lumière
la baïonnette de la destinée
les enfants apprendront les mots incompréhensibles de l'histoire
Les enfants riront du Ritz et des frayeurs de la faim
Les enfants chanteront d'anciennes romances. Ce n'est que votre main
Madame
Ils compteront à celui qui s'y colle avec les mots désaffectés
Clairvaux La Petite Roquette
La Santé Le Cherche-Midi
Saint-Lazare
La Conciergerie
Ils compteront à celui qui s'y colle avec le nom de dieu
Ils compteront à celui qui s'y colle avec les pièces d'argent et d'or
Ils joueront aux billes avec les diamants
avec la tête des femmes qui se vendirent aux diamants
Ils joueront au cerceau les enfants avec la roue
qui écrase de nos jours les poètes
Ils joueront à saute-mouton par-dessus les fleuves de larmes
Ils joueront comme nous pleurons
lorsque le cœur qui se déchire au début de l'absence
ne sait plus retenir les fleuves des larmes par-dessus lesquels
l'Avenir joue un terrible saute-mouton

La phase constructive de la révolution inspire certes bien moins Aragon — et l'on pourrait saisir là les véritables rapports du sujet et du poème : Un poème peut fort bien avoir un sujet, je veux dire, il peut demeurer ainsi inspiré et inspirant. Il faut pour cela que le poète vive dans ses profondeurs, le sujet; qu'il ait éprouvé inconsciemment sa dynamique, sinon ce n'est que par impropriété de langage qu'on parle du sujet du poème, il conviendrait mieux de dire l'objet du poème. La révolution, future promesse de destruction de la classe originelle du poète est pour son poème un authentique sujet, appartient à sa mythologie subjective, alors que la technique d'après la révolution demeure un objet auquel volontairement, consciemment il applique son poème. Comment ne pas ressentir alors devant ces exercices, une impression de surenchère : l'auteur veut qu'on le croie à tout prix et s'écarte d'autant plus du ton qui serait susceptible de nous convaincre.

Il y a des conseils d'hygiène jusqu'
au fond de la nuit du charbon
Il y a
de l'idéologie en pagaye au déballez-moi ça des monts

(Hourra l'Oural, 1933-1934.)

ou encore dans le même poème

La
technique
dans la période
de reconstruction
décide
de
tout

Lorsque de 1939 à 1944, Aragon retrouvera un vrai *sujet* dans *l'amour malheureux,* celui des amants séparés par la guerre, et à travers leur passion celle de tout un peuple, de l'homme menacé par le monstre issu de ses propres cauchemars, de l'un de ses possibles délires, il redeviendra le poète qu'on sait. Mais son langage n'est plus alors celui du défi, il est celui de la tradition : l'alexandrin, la rime et mille réminiscences : Apollinaire, Hugo, Lamartine et Villon nouent leurs voix grandes ou tendres dans cette voix chantante qu'au sein des malheurs M. Rousseaux compare alors à celle de Charles d'Orléans. Ces plaintes, ces soupirs ou ces refrains riment aussi avec ceux de Musset, d'Henri Bataille, voire parfois avec ceux de Rostand... quand le vieux démon persécuté persécuteur, le mauvais génie de l'auteur, le penchant à la surenchère toujours — « ET JE VOUS DÉFENDS DE RIRE » — fait des siennes.

Mais il est tant de poèmes dont la jeunesse inaltérable est celle même de ces chants et de ces chansons qui ignorent le passage des siècles.

IL N'Y A PAS D'AMOUR HEUREUX

Rien n'est jamais acquis à l'homme Ni sa force
Ni sa faiblesse ni son cœur Et quand il croit
Ouvrir ses bras son ombre est celle d'une croix
Et quand il croit serrer son bonheur il le broie
Sa vie est un étrange et douloureux divorce
Il n'y a pas d'amour heureux

Sa vie Elle ressemble à ces soldats sans armes
Qu'on avait habillés pour un autre destin
A quoi peut leur servir de se lever matin
Eux qu'on retrouve au soir désarmés incertains
Dites ces mots Ma Vie Et retenez vos larmes
Il n'y a pas d'amour heureux

Mon bel amour mon cher amour ma déchirure
Je te porte dans moi comme un oiseau blessé
Et ceux-là sans savoir nous regardent passer
Répétant après moi les mots que j'ai tressés
Et qui pour tes grands yeux tout aussitôt moururent
Il n'y a pas d'amour heureux

Le temps d'apprendre à vivre il est déjà trop tard
Que pleurent dans la nuit nos cœurs à l'unisson
Ce qu'il faut de malheur pour la moindre chanson
Ce qu'il faut de regrets pour payer un frisson
Ce qu'il faut de sanglots pour un air de guitare
Il n'y a pas d'amour heureux

Il n'y a pas d'amour qui ne soit à douleur
Il n'y a pas d'amour dont on ne soit meurtri
Il n'y a pas d'amour dont on ne soit flétri
Et pas plus que de toi l'amour de la patrie
Il n'y a pas d'amour qui ne vive de pleurs

Il n'y a pas d'amour heureux
Mais c'est notre amour à tous deux

RICHARD II QUARANTE

Ma patrie est comme une barque
Qu'abandonnèrent ses haleurs
Et je ressemble à ce monarque
Plus malheureux que le malheur
Qui restait roi de ses douleurs

Vivre n'est plus qu'un stratagème
Le vent sait mal sécher les pleurs
Il faut haïr tout ce que j'aime
Ce que je n'ai plus donnez-leur
Je reste roi de mes douleurs

Le cœur peut s'arrêter de battre
Le sang peut couler sans chaleur
Deux et deux ne fassent plus quatre
Au Pigeon-Vole des voleurs
Je reste roi de mes douleurs

Que le soleil meure ou renaisse
Le ciel a perdu ses couleurs
Tendre Paris de ma jeunesse
Adieu printemps du Quai-aux-Fleurs
Je reste roi de mes douleurs

Fuyez les bois et les fontaines
Taisez-vous oiseaux querelleurs
Vos chants sont mis en quarantaine
C'est le règne de l'oiseleur
Je reste roi de mes douleurs

Il est un temps pour la souffrance
Quand Jeanne vint à Vaucouleurs
Ah coupez en morceaux la France
Le jour avait cette pâleur
Je reste roi de mes douleurs.

Retour à la tradition, mais par quel chemin intérieur? Telle était la question que je me posais lorsque paraissait *Le Crève-Cœur* et qui m'incita à relire les pages surréalistes d'Aragon.

Mots démonétisés qu'on lit dans le journal

. . . .

Ce sont des mots déments qui parlent du bonheur

. . . .

Elle seule surnage ainsi qu'octobre rousse

. . . .

A peine j'oubliais un peu cet abandon
Et jusqu'aux nonchalances noires que tu aimes
Que te voici encore et tout meurt à tes pas
A tes pas sur le ciel une ombre m'enveloppe
A tes pas vers la nuit je perds éperdument
Le souvenir du jour Charmante substituée
Tu es le résumé d'un monde merveilleux

. . . .

Et c'est toi qui renais quand je ferme les yeux

. . . .

Je cherche dans le lit ton poids et ta couleur

. . . .

La femme est dans le feu dans le fort dans le faible

. . . .

Et cet immense espoir qui s'est posé sur moi

. . . .

Je parlerai d'amour dans un lit plein de rêves

. . . .

Tous mes mots sont pour toi et sont ton apparence
Mes images ont pris leur glacis à tes ongles
A ta voix s'est soudé un langage dément
. . . .
Toi l'emprise du ciel sur mon limon sans forme
Tout m'est enfin divin puisque tout te ressemble
Et je sais par delà ma raison et mon cœur
Ce qu'est un lieu sacré pour moi ce qui le sacre.

C'est bien là n'est-ce pas cette fidélité formelle à Baudelaire, à Vigny, à... (voir plus haut), ce retour à la tradition de l'alexandrin français! A la tradition ? Sans doute mais d'abord à celle d'Aragon, car sur cette vingtaine de vers très réguliers où musique et rythme tombent si juste et la césure presque toujours à l'hémistiche, *quatre* seulement appartiennent à l'époque du *Crève-Cœur*, tous les autres je les découvris dans la prose du *Paysan de Paris* (1926); ces vingt-là et cent autres que vous pourrez rencontrer presque à chaque page, sans compter tant de phrases qui, sur onze, treize ou quatorze pieds tournent autour de la forme dodécasyllabique comme ombre autour du corps. Mais relisez donc « Raison, raison ô fantôme abstrait de la veille », « Là où l'homme a vécu commence la légende », « Rien ne peut arrêter cet orage adorable », « Je rêve d'un peuple changeant comme la moire », « Je ne suis qu'un moment d'une chute éternelle », « Je suis du même coup l'occident et l'aurore »... etc... etc... Va pour la tradition, mais Aragon n'a pas eu à revenir à elle, il est la tradition en personne, et comme Monsieur Jourdain faisait de la prose sans le savoir, lui parle en alexandrins admirablement *frappés* alors même qu'il pense écrire, qu'il écrit la prose de *l'avant-garde*. Dès qu'une passion — ici celle de Paris triomphal, là celle de l'amour et de la patrie blessés — l'accorde avec lui-même en l'arrachant à la trop grande conscience de soi, son lyrisme s'organise spontanément. harmonieusement selon le mètre le plus classique de la poésie française et draîne avec lui tout un héritage d'images et de musiques verbales. Du défi à la tradition écrivais-je en tête de ce chapitre, mais la tradition, l'héritage étaient premiers, seulement le poète ne se sentait pas le droit de les accepter, se faisait même un devoir de leur opposer un violent refus; devoir douloureux, d'une certaine manière même impossible puisque, chargé de l'exprimer, le langage, le langage du refus avait pour chair et pour sang le langage nérité et, en conséquence, tout le *patrimoine* d'idées, de mythes, d'histoire qui lui est consubstantiel. C'est pourquoi, à mon sens, dans le *Crève-Cœur* et les recueils suivants, s'il y a la souffrance, la colère et l'espoir d'un peuple, et la peine d'un amant, il y a encore, en filigrane, le chant apaisé d'un homme enfin réconcilié, sous l'unique pression de cette souffrance, de cette colère, de cet espoir communs et de cette peine personnelle, réconcilié avec soi, c'est-à-dire avec tout un passé qu'il n'avait pu jusqu'alors étouffer ni admettre en lui. Le blasphème on le sait peut être le cri de la croyance déçue. Aragon par le chemin révolutionnaire que lui avait indiqué le blasphème est parvenu à la louange de ce qu'il blasphémait et qui n'était autre que lui-même. Certains peut-être conclueraient, reprenant un mot de notre poète au temps surréaliste : « En France tout finit par des fleurs de rhétorique. » Sans doute, mais aussi par d'autres fleurs, hélas! celles des tombes, des charniers, des camps où finirent tant de ceux qui voulaient recommencer l'espoir. Des fleurs de rhétorique, il en est dans les vers d'Aragon; mais aussi de vraies fleurs où revit le souvenir des morts, où rêve l'amour des vivants.

DANS LE COURANT ET SUR LES RIVES DU SURRÉALISME

PHILIPPE SOUPAULT

Il était comme sa poésie, extrêmement fin, un rien distant, aimable et *aéré*.

ANDRÉ BRETON.

LE LAC

Le lac qu'on traverse avec un parapluie, l'irisation inquiétante de la terre, tout cela donne envie de disparaître. Un homme marche en cassant des noisettes et se replie par instants sur lui-même comme un éventail. Il se dirige vers le salon où l'ont précédé les furets. S'il arrive pour la fermeture, il verra des grilles sous-marines livrer passage à la barque de chèvrefeuille. Demain ou après-demain il ira retrouver sa femme qui l'attend en cousant des lumières et en enfilant des larmes. Les pommes véreuses, l'écho de la mer Caspienne usent de tout leur pouvoir pour garder leur poudre d'émeraude. Il a les mains douloureuses comme des cornes d'escargot, il bat des mains devant lui. Tout l'éclaire de son raisonnement tiède comme un corps d'oiseau à l'agonie; il écoute les crispations des pierres sur la route, elles se dévorent comme des poissons. Les crachats de la verrière lui donnent des frissons étoilés. Il cherche à savoir ce qu'il est devenu, depuis sa mort.

C'est par de tels textes *automatiques* qu'ils assemblèrent sous le titre *Les Champs magnétiques* qu'André Breton et Philippe Soupault[1] inaugurèrent l'activité surréaliste. Ainsi

---

1. Né à Chaville (Seine-et-Oise) en 1897. Œuvres : *Aquarium* (Au Sans Pareil, 1917); *Rose des Vents* (Au Sans Pareil, 1920); *L'Invitation au suicide* (hors commerce, 1921); *Les Champs Magnétiques*, en collaboration avec A. Breton (Au Sans Pareil, 1920); *Westwego* (Ed. Six, 1922); *Georgia* (Ed. des Cahiers libres, 1926); *Poésies Complètes* (G.L.M., 1937); *L'Arme Secrète* (Bordas, 1946). Référence : *Philippe Soupault*, par H.-J. Dupuy (Ed. Seghers, coll. Poètes d'aujourd'hui).

dès le début, cette activité fut celle d'un laboratoire spirituel d'où devaient sortir de multiples et curieux documents susceptibles d'élargir le domaine poétique. *Les Champs magnétiques* avec leur imagerie en liberté ne semblent pourtant pas avoir influencé les poèmes que Soupault signa de son seul nom. Il y a plus : ce fondateur du mouvement surréaliste, ce fervent admirateur de Rimbaud, de Lautréamont plus encore, écrit des poèmes où se font infiniment secrètes l'allure aussi bien que les préoccupations communes aux écrits de ses précurseurs et de ses amis. Ses images sont souvent pudiques, sa voix toujours juste, dénuée de toute emphase, de toute *littérature*. C'est peut-être dans cette absence de *littérature* que la poésie de Soupault répond à l'une des exigences formulées par le Surréalisme. Le dépouillement, le choix de moments simples, monotones souvent, mais purs; non pas *des* émotions mais *une* émotion ténue, fragile, voilà qui rapprocherait Philippe Soupault plus de Reverdy par exemple que des *voyants* et des *violents*. Il débute par une poésie plus impressionniste que romantique. Cependant la mélancolie légère qui se devinait dans les minces notations de la jeunesse ira s'approfondissant, le nouveau mal du siècle trouvera une expression voilée, un peu frêle dans les poèmes de *Rose des vents* (1920) : « Un coup de revolver serait une si douce mélodie », « Il faudrait arracher des nuages — s'en aller. » Le décor moderne, l'évasion par le voyage, on les rencontre dans le long poème de *Westwego* mais tempérés par une ironie tendre : « Je suis allé à Barbizon et j'ai relu les voyages du capitaine Cook. »

Une gentillesse, un goût d'enfance demeurent longtemps attachés à cette poésie toujours confiante, parfois familière comme certaines strophes de Supervielle :

Il pense aux oiseaux gris
aux valses lentes qui sont des oiseaux gris
il pense aux pays qu'il ne connaît pas
comme on pense à son chien endormi.

Le monde est pur comme aux premières années de la vie :

un éléphant dans sa baignoire
et les trois enfants dormant

singulière histoire
histoire du soleil couchant.

Le poète pressent et nous fait pressentir des secrets tout proches de lui, de nous, ceux de ce royaume intérieur qu'on devine en fermant les yeux.

LARMES DE SOLEIL
(fragment)

. . . .

Est-ce le soleil qui se couche
Est-ce le sommeil
Est-ce moi
Je ferme les yeux simplement
pour mieux voir
mon pays
mon royaume
Il n'y a plus rien autour de moi
mon pays du sommeil
que je découvre à tâtons
la reine a les yeux d'un vert spécial
presque tendre
il y a toujours de belles forêts
qui bercent le silence
Je vois des grands chemins très blancs
comme les lignes de la main
Rien ne sert de pleurer
les larmes éternelles sont les étincelles
qui brillent et qui creusent
les yeux d'un vert spécial
presque tendre
Toutes les fumées du ciel
Et tous les grains de sable
se ressemblent
et je dors tout près du soleil
ma bouche repose près d'un fleuve
qui va chantant
les louanges des femmes de ma race
celles qui le soir oublient leurs cheveux blancs
et qui laissent mourir leurs amants
en s'endormant

Le rire comme un paquebot
s'éloigne
du royaume
où naissent les étoiles
où les arbres hautains sont des prières
Le rire qui fait mal
et qui fait mal
et qui console
le rire de Dieu
Le sommeil est couché à mes pieds
et je me lève pour regarder
les yeux d'une reine
qui sont verts simplement
comme la mer où elle est née
et son royaume s'étend sur toute la terre
et sur toute les années.

Cette poésie, dont la devise pourrait être : « par douceur — par ennui », a le mérite de la fluidité, de la transparence. Mais sa retenue, sa voix discrète n'ont pas toujours obtenu toute l'admiration qui devrait s'attacher à une rare justesse du songe, de l'émotion et du ton. Les poèmes de Philippe Soupault sont pareils à de longs et lents chemins qui mènent à des clairières. Il est bon de lire et de relire à la suite maints de ces poèmes pour mieux percevoir, distincte et touchante, la voix qui les porte, la voix même, la voix nue de la poésie.

Après avoir emprunté aux vieilles chansons populaires leur naïveté et leurs grâces :

Monsieur Miroir marchand d'habits
est mort hier soir à Paris
Il fait nuit
Il fait noir
Il fait nuit noire à Paris.

Il semble que l'auteur de *Georgia* ait traversé des épreuves qui ont donné à sa poésie une gravité, et parfois une angoisse fort éloignées de la courtoise inquiétude qui jetait son voile sur les vers écrits au temps du Surréalisme. Après l'attente patiente, mélancolique, résignée de la Nuit, après ce repliement à la fois attristé et serein sur soi-même, le grand et beau poème *Il y a un océan* dans le recueil *Étapes de l'Enfer* est le chant poignant, désespéré, de la solitude sans merci, « celle qui ressemble à la soif ».

IL Y A UN OCÉAN

(fragment)

. . . .

Sous les arbres mauves
une nuit mauvaise
j'allais contre le froid
tous ceux que la faim faisait doucement gémir
tous ceux qui laissaient tomber les bras
guettaient dans l'ombre
Ils étaient là près de moi
Leurs yeux trop grands étaient des menaces
J'avais honte de savoir marcher
et une lumière plus douce que la neige
me tirait
Tu ne me quittais pas
tu dormais
et ta vie était cette nuit
que je respirais
Je savais par mes yeux mes mains mes pas
que tout s'effaçait
qu'il n'y avait plus que la terre
que la terre
et toi.

GEORGES RIBEMONT-DESSAIGNES

« Qu'est-ce que c'est beau ? Qu'est-ce que c'est laid ? Qu'est-ce que c'est grand, fort, faible ? Qu'est-ce que c'est Carpentier, Renan, Foch ? Connais pas. Qu'est-ce que c'est moi ? Connais pas, connais pas, connais pas », clamait Ribemont-Dessaignes du temps qu'il était dadaïste, se souvenait de Jarry et écrivait par exemple :

INTÉRÊTS

Le rat crevé qu'on a dans la cervelle et la cervelle de l'estomac
Les étoiles du Zambèze et l'oiseau des lèvres
La vertu américaine
L'alcool de peau et le pain des yeux
La richesse du riche et le vice d'hiver
Le rire tiède et l'algue d'urine
L'eau des genoux tristes
Les petits os cariés
Et les demoiselles des roseaux du sang
Tamtam du biberon et bonbons du cœur.

De ce dadaïsme et post-dadaïsme négateurs, dont sa jeunesse prit le parti, M. Georges Ribemont-Dessaignes est parvenu à cette ambition poétique : recréer par le langage un univers humain. Périple peu étonnant; il faut souvent commencer par crier « non » à ce monde, et s'éloigner ainsi de lui, pour pouvoir ensuite le contempler avec un regard neuf et tenter alors de nommer son étrange alliance de grandeur et de violence.

---

1. Né en 1884. Œuvres principales : Pièce de théâtre, *Empereur de Chine;* poèmes, *Ecce Homo* (N.R.F., 1945); *Déjà jadis, ou du mouvement dada à l'espace abstrait* (Julliard, 1958).

Du ton agressif, absurde — agressif dans l'absurde — M. Ribemont-Dessaignes est passé à un tour à la fois familier et lyrique, solennel et populaire — celui des poèmes recueillis sous le titre *Ecce Homo*. A ces accents complémentaires, répond dans la forme des poèmes, l'alternance d'amples versets au rythme sinueux et de vers brefs qui ont assez souvent une cadence proche de la chanson. Mais avec ses préludes, ses récitatifs, ses refrains, son final, tout le livre semble former un seul chant, dont non seulement le titre mais encore la secrète musique, ont quelque chose de religieux. L'homme qui hante ces pages est un être perdu entre d'aveugles divinités : les princes de lumière et de ténèbres :

> *Ils sont jardiniers qui cultivent le cœur*
> *Et le cœur pousse toutes ses terribles fleurs.*

Des mythes retrouvés se lient à des symboles personnels pour tracer une histoire poétique de l'homme. La nostalgie des origines, la découverte de l'amour, une anxieuse question toujours posée au cœur de l'être, sur son sens, ou non-sens, donnent à cette histoire ses thèmes fondamentaux. Malgré les moments de beauté d'une vie, le pessimisme et la soif de pureté qui incitaient jadis le jeune disciple de Dada à la révolte, réapparaissent et dictent au poète, au-dessous des mille et trois masques de l'homme, sa vision finale, désespérée, de notre univers :

> *Vois ce chien, le vaste univers,*
> *Rongeant sans frein ses propres os,*
> *Suçant sans fin ses propres os,*
> *Et quand tombe la fin dernière,*
> *Du grand, de l'immense univers*
> *Il ne reste plus rien qu'un os.*

Dans ce livre, le caractère généreux de l'inspiration a parfois pour rançon un certain manque de densité et aussi d'harmonie qui nuit à quelques passages où l'on trouve alors plutôt que la poésie, une intention poétique. Cependant la haute ambition de cette œuvre est souvent servie par un souffle remarquable, par la souplesse de l'expression, par la force et l'authenticité des images.

A LA TOURTERELLE

Oh, pourquoi ris-tu, tourterelle des ténèbres ?
— Je ris de tes larmes de plâtre, de ton visage sévère,
De ton habit d'appariteur,
De cette cage d'oiseau prophète
Que tu caches dans ton cœur.
— O tourterelle, démon noir aux ailes blanches,
Mon prince!
— Je ris, quoi, c'est mon chant, le rire,
Connais-tu pas l'oiseau-rire ?
C'est ma manière à moi d'annoncer l'heure dernière.

Perché sur l'épaule du grand Juge
Au bord de Josaphat,
Je ris de ton malheur, de ta lampe de mineur,
De ton travail dans le charbon du malheur,
De ton sérieux, compère,
Je ris, c'est moi, l'oiseau-rire,
J'étais en cage chez un notaire.

Ah, tourterelle que j'ai dans la tête,
Dans le cercueil de plomb, dans le mur du temps,
Je sens remuer toutes les grandeurs de la terre,
Dans mes os, dans ma propre chair,
Ont passé ces messieurs de la hauteur.
Ah, tourterelle, j'ai du plomb dans la cervelle,
Du grain pour rire de tourterelle!

BENJAMIN PÉRET

Les routes du Surréalisme sont multiples, celle du lyrisme, celle du fantasque, celle du merveilleux, celle de l'innocence, celle de la rage... et d'autres encore... Et bien sûr toutes s'entrecroisent, se complètent, mais le temps passant, le poète qui appartenait à la voie lyrique par exemple se trouve très éloigné de celui qui s'agrippait au chemin de la colère. C'est le domaine le plus agressif du Surréalisme que n'a cessé d'arpenter Benjamin Péret[1], qu'il explore un fantastique burlesque ou qu'il se livre à une drôlerie à l'état brut. Cette agressivité a pu parfois s'exercer à bon escient, ça n'a pas été le cas lorsque Benjamin Péret a cru devoir publier *Le Déshonneur des Poètes* dont l'*argument* est d'ailleurs contraire à la thèse que défendait André Breton dans son *Discours aux Étudiants français de l'Université de Yale* en 1942 : dans ce discours, le poète de *Nadja* n'opposait pas, bien au contraire, la poésie à l'esprit de Résistance.

Il y a dans Benjamin Péret un Lewis Carroll qui serait féroce — d'ailleurs le père d'*Alice au pays des Merveilles* n'était pas sans cruauté, mais sans doute l'ignorait-il, — son humour n'est certes pas rose, il n'est pourtant pas *l'humour noir*, me semble-t-il, tel que l'a rendu présent dans son anthologie Breton, car l'Umour de Vaché ou de Duchamp a quelque chose de sec dans sa perfection — sec comme un coup de feu — alors que celui de Péret est

1. Né à Rezé (Loire-Inférieure) en 1899. Mort en 1959. Œuvres principales : *Le Passager du Transatlantique* (Au Sans Pareil, 1921) ; *Immortelle Maladie* (Littérature, 1924) ; *Il était une boulangère* (Kra, 1925) ; *Dormir, Dormir dans les Pierres* (Ed. Surréalistes, 1927) ; *De derrière les Fagots* (Ed. Surréalistes, 1934) ; *Le Grand Jeu* (N.R.F., 1928) ; *Et les seins mouraient* (Cahiers du Sud, 1928) ; *Je sublime* (Ed. Surréalistes, 1936) ; *Main forte* (Ed. Fontaine). Référence : *Benjamin Péret*, par J. L. Bédouin (Ed. Seghers, Coll. Poètes d'aujourd'hui).

Rappelons que Benjamin Péret dirigea avec Pierre Naville « La Révolution Surréaliste ».

volumineux et musclé; il a *main forte*. Henri Michaux n'est pas très éloigné des récits de Péret, mais celui-ci a moins de rigueur et plus de gratuité.

« Se réveiller dans le fond d'une carafe abruti comme une mouche, voilà une aventure qui vous incite à tuer votre mère cinq minutes après votre évasion de ladite carafe. » Tel est le début de *Corps à Corps*, où le héros dialogue avec un porc puis une forêt, et voilà comment cela finit :

. . . .

Le porc s'était aperçu de mon trouble et reprenant ses questions me dit :

— Quel est-il et qui suis-je ?

— Le même sans doute, l'inventeur des wagons à bestiaux ainsi appelés parce qu'ils servent surtout au transport des cartes à jouer, et principalement des trèfles qu'on est obligé d'étendre lors de la belle saison dans les prés verts, afin qu'ils acquièrent les qualités de souplesse et d'endurance que n'ont pas les autres cartes.

L'animal partit d'un grand éclat de rire et murmura dédaigneusement :

— Plaisantin.

Puis il se mit à chanter :

Dans la plaine il y a une serrure
une serrure que je connais
Elle brille et se gondole
quand les oiseaux tournent autour

Dans la plaine il y a un chameau
un chameau qui n'a pas de dents
Je lui en ferai avec un miroir
et ses bosses seront mon bénéfice

Dans la plaine il y a un tuyau
où se cache mon destin

Dans la plaine il y a un fauteuil
Je m'assiérai dans le fauteuil
et les tribunes seront à mes pieds
Il fera chaud il fera froid

J'élèverai des scolopendres
que je donnerai aux couturières
et j'élèverai des bâtons de chaise
que je donnerai aux bicyclettes.

Longtemps encore il continua sur ce ton, ce qui était loin de me rassurer. Soudain, comme nous approchions d'une forêt qui depuis longtemps barrait l'horizon, je vis la forêt quitter le sol et venir galoper à nos côtés après s'être inclinée avec respect devant mon compagnon qui, à cet instant, me parut plein d'une insupportable suffisance. Ils eurent une longue conversation dont je pus saisir quelques mots qui ne me donnèrent aucune idée de ce dont il était question!

— ... Là-bas, dans ce pavillon... Que veulent donc dire ces lettres : S.G.D.G... Si nous visitions la section maritime... Pourvu que nous arrivions à bon port... etc...

Cependant je devinais qu'il s'agissait de moi et ne doutais pas qu'ils eussent résolu de me faire un mauvais parti, aussi m'apprêtai-je à me défendre. Je n'en eus pas le temps. La forêt me saisit par derrière, m'immobilisa en un rien de temps, puis me rentra la tête dans le ventre, me colla les bras sur les fesses et m'emporta en me faisant rouler comme un tonneau qu'on pousse devant soi.

. . . .

Et depuis ce jour je parcours le monde.

On rencontre dans maints textes de Péret une sorte de cocasserie énorme et méchante. Les mots y présentent une vie animale, remuent, cognent, grognent :

MÉMOIRES DE BENJAMIN PÉRET

Un ours mangeait des seins
Le canapé mangé l'ours cracha des seins
Des seins sortit une vache
La vache pissa des chats
Les chats firent une échelle
La vache gravit l'échelle
Les chats gravirent l'échelle
En haut l'échelle se brisa

L'échelle devint un gros facteur
La vache tomba en cours d'assises
Les chats jouèrent la Madelon
et le reste fit un journal pour les demoiselles enceintes.

Parfois ce désordre ne va pas sans lyrisme, celui par exemple des vers de *Dormir, dormir dans les pierres,* ou bien lyrisme amoureux de *Je sublime* dont l'éclatement d'images ne va pas sans faire songer à l'*Union libre* d'André Breton.

ALLO

Mon avion en flammes mon château inondé de vin du Rhin
mon ghetto d'iris noirs mon oreille de cristal
mon rocher dévalant la falaise pour écraser le garde-champêtre
mon escargot d'opale mon moustique d'air
mon édredon de paradisiers ma chevelure d'écume noire
mon tombeau éclaté ma pluie de sauterelles rouges
mon île volante mon raisin de turquoise
ma collision d'autos folles et prudentes ma plate-bande sauvage
mon pistil de pissenlit projeté dans mon œil
mon oignon de tulipe dans le cerveau
ma gazelle égarée dans un cinéma des boulevards
ma cassette de soleil mon fruit de volcan
mon rire d'étang caché où vont se noyer les prophètes distraits
mon inondation de cassis mon papillon de morille
ma cascade bleue comme une lame de fond qui fait le printemps
mon revolver de corail dont la bouche m'attire comme l'œil d'un puits scintillant
glacé comme le miroir où tu contemples la fuite des oiseaux-mouches de ton regard
perdu dans une exposition de blanc encadrée de momies
je t'aime.

HANS ARP

Le poète peintre Hans Arp[1] qui fut un des premiers dadaïstes a fait preuve tout au long de son œuvre *Le Siège de l'air* (1915-1945) — œuvre de peu de pages mais non de peu d'attrait — d'une originalité certaine. M. Alain Gheerbrandt a fort bien dit de lui qu'il savait « fouiller cet au-delà du raisonnable et prouver l'inexistence de l'impossible » et aussi qu' « en toute situation *fabuleuse*, il est à *son aise* » qu'enfin, « au subjectivisme de l'homme (il) a substitué le subjectivisme du monde ».

L'humour est chez Arp le ressort poétique par excellence, par lui tout est rendu plausible, toutes les qualités des éléments, des choses et des êtres deviennent interchangeables dans le voisinage du coutumier et de l'insolite : dans *Chair de rêve* (1915) si le plus habituellement du monde « des ailes frôlent les fleurs », plus étrangement mais avec non moins d'évidence « les arbres se font leurs oiseaux sur mesure » et « des sources bougent dans les yeux des sangliers ».

Arp est le poète de ce que je nommerais volontiers les *métamorphoses en chaîne.*

De ces métamorphoses par réciprocité, le poème est la synthèse. Ici, « *les mots font l'amour* » bien sûr, plus, ils se font des enfants. Tout est fécond : « le ciel est un œuf ». Arp sous un regard magique pose quelques éléments ou objets puis en tire toutes les combinaisons possibles, un bloc universel. C'est travail de peintre dans le langage :

La table la chaise
le feu
la nature la voix

---

1. Né en 1887, à Strasbourg. Œuvres : *Poésies Légères* (1930) ; *Sciure de gammes* (Parisot, 1938) ; *Le Blanc aux Pieds de Nègre* (Fontaine, 1945) ; *Le Siège de l'Air* (Vrille, 1946) ; *Souffle* (Bibliophiles Alésiens, 1950) ; *Notre Petit Continent* (PAB, Alès, 1958).

. . . .
les tables attendent jusqu'à ce qu'il leur pousse des chaises
les chaises attendent jusqu'à ce qu'il leur pousse des tables
. . . .

et pour finir :

la voix sur la table
la voix sur la chaise

ou bien :

les cheveux blancs des pierres, les cheveux noirs des eaux,
les cheveux verts des enfants, les cheveux blancs des yeux

donnent au terme du poème :

cheveux en pierre, cheveux en eau, cheveux en enfant,
cheveux en yeux.

Logique délirante ou délire logicien ? Parfois le jeu se fait plus léger, Arp est alors un bien séduisant conteur, comme dans cette *Histoire arabesque* dont voici le début :

deux petits Arabes adultes et arabesques
qui jouaient sur deux petits violons d'ingres
se promenaient dans les rides de deux petits violons runiques
lorsqu'une pipe surgit brusquement
devant les deux petits Arabes adultes et arabesques
une pipe à papa sur des pieds de poupée
. . . .

« *Le conte des trois carafes, des trois petites horloges et de la petite table* » commence ainsi :

Il y avait une fois trois carafes
la première était aimable
la deuxième était invisible
et la troisième était en paille
leurs têtes ressemblaient à la langue de la minute
qui n'arrive jamais à payer son jour et sa nuit
rubis sur l'ongle.

L'humour apporte à Hans Arp bien des trouvailles poétiques, celle-ci par exemple de pur langage;

les nuages sont nus les nuages sont sans âge

celle-là de comique de mouvement;

la puce porte son pied droit à son oreille gauche
sa main gauche dans sa main droite
et saute sur son pied gauche par-dessus son oreille droite.

Mais voilà qui est moins rassurant :

La nuit n'a cure du ciel, elle scie le plafond en deux
le ciel n'a cure de la nuit il scie le plancher en deux.

Dans ses poèmes les plus récents, la voix d'Hans Arp s'est faite plus tendre, elle a porté une sorte d'apaisement à ce qui était travail perpétuel du langage — comme on dit d'un vin qu'il *travaille*

J'ai entendu respirer la douceur
et soupirer la sève

nous confie le poète. Et il nous communique sa

JOIE NOIRE

les fleurs sont noires de joie
le ciel est beau comme une flamme
je m'envole par une journée de fleur
voulez-vous voler avec moi

voulez-vous une journée d'éclair
voulez-vous une fleur comme un ciel
voulez-vous des fleurs comme des éclairs
voulez-vous un ciel de flamme

qui vole au-dessous de moi
vous belle journée de fleur
qui vole au-dessus de moi
vous belle flamme noire de joie

RENÉ CREVEL

L'année 1922 fut pour le Surréalisme l'époque des *sommeils* qui aboutit aux grands discours hypnotiques de Desnos. René Crevel[1] qui avait reçu un début d'initiation spirite se trouva à l'origine de ces recherches. Il fut l'un des plus sincères héros de ce groupe auquel on reprocha souvent de ne pas mettre ses actions en accord avec ses paroles. Crevel lui ne mérite pas cette critique. Il appartient à la cohorte pure et désespérée dont la disparition confirme tragiquement ce que le Surréalisme avait, pour une part, d'inconciliable avec la vie, il rejoignit cette franc-maçonnerie de l'ironie mortelle et pure où se rencontrent les ombres de Raymond Roussel, de Jacques Vaché, de Jacques Rigaud, d'Arthur Cravan, d'André Gaillard, il témoignera de ce que la *vraie vie est absente* en se retirant de ce monde dont il avait attendu la purification par la violence.

En 1915, à une enquête surréaliste sur le suicide il avait répondu ceci :

On se suicide, dit-on, par amour, par peur, par vérole? Ce n'est pas vrai. Tout le monde aime, ou croit aimer; tout le monde a peur, tout le monde est plus ou moins syphilitique. Le suicide est un moyen de sélection. Se suicident ceux-là qui n'ont point la quasi universelle lâcheté de lutter contre certaine sensation d'âme si intense qu'il la faut bien prendre, jusqu'à nouvel ordre, pour une sensation de vérité. Seule cette sensation permet d'accepter la plus vraisemblablement juste et définitive des solutions : le suicide.

Le suicide de Crevel fut-il une solution quasi mystique ou bien encore, l'acte gratuit par excellence, ou l'authenti-

---

1. Né en 1900 à Paris. Mort en 1935. Œuvres principales : *Détours* (N.R.F., 1924); *Mon Corps et moi* (Kra, 1925); *La Mort difficile* (Kra, 1927); *Babylone* (Kra, 1927); *Etes-vous fous ?* (N.R.F., 1929); *Les Pieds dans le plat* (Ed. du Sagittaire, 1933).

fication de la parole par le silence final ? Ou si c'était aveu tragique du dégoût : le vent du désert n'a pu changer ce monde, alors il ne reste plus au poète qu'à *déserter* définitivement puisque c'est en vain qu'il avait cru à la puissance salubre du

GRAND SIROCO

C'est le mérite des époques dites de décadence que d'éclairer d'une lumière exceptionnellement violente le conflit entre ce qui est et ce qu'il faudrait qu'il fût. Les contraires, la glace et la flamme, brûlent d'un même feu. Le monde s'embrase d'antithèses. Il semble alors que la terre fécondée par les orages qui l'ont visée durant des mois, des années, des lustres, des siècles, la terre s'ouvre soudain. Elle va fleurir de tous les chauds dangers sous forme d'arbres de soufre, d'arbres de souffrance, d'arbres de liberté, de fontaines de sang. La glaise des chemins enliseurs se soulève d'elle-même, comme si de l'intérieur, elle était pétrie, travaillée d'un mouvement qui va défaire les ornières, rendre à la circulation ce qui, créé pour elle, ne bougeait plus.

Le siroco, l'animal aux gigantesques foulées qui ne se laisse pas voir tous les jours, alors, au lieu de souffler une haleine dont s'effrayait la nuque mal protégée de l'homme, le grand siroco se couche sur les places publiques aussi *vastes que son désert originel et, de ses lèvres en rubans d'équateur, il donne l'assurance que ne sera point empêché d'être ce qui doit être. Il ne ment point. D'explosions en explosions régénatrices, se poursuit la terreur rouge. Les hommes ne s'emberlificotent plus dans des serpentins métaphysiques. Ils ont déjà rompu les entraves de l'hypocrisie. La faute n'a plus rien à voir avec le péché, rien à voir donc avec le méli-mélo de répercussions abstraites dans l'au-delà. Il s'agit simplement de supprimer certaines conditions de vie et certains êtres tels que les ont faits ces conditions de vie, tels aussi qu'ils ont permis à ces conditions de vie de se continuer.*

ANDRÉ GAILLARD

Nous ne voudrions pas croire aux poètes maudits, il faut pourtant bien voir que plus de menaces pèsent sur le poète que sur ses frères les hommes, parce qu'il est à la proue de l'aventure humaine, jeté contre tous les dangers : de la société qui résiste à sa voix et à son désir de pureté, aussi bien que de sa propre condition intérieure dont il tente sans cesse de dépasser les limites.

Dans l'émouvante préface qu'il a écrite pour l'œuvre de son ami André Gaillard [1], Léon Gabriel Gros exalte à juste titre cette volonté d'héroïsme qui fut celle des poètes pendant les années qui suivirent la guerre de 1914-1918. A la suite de Rimbaud, leur poésie est bien plus qu'une esthétique une éthique, et, comme Rimbaud, plusieurs d'entre eux sur cette voie aboutirent à l'arrêt brutal, à la rupture : silence ou suicide.

Gaillard et quelques-uns de ces compagnons furent éperdument fidèles à eux-mêmes, ils eurent la fidélité du cri. L'accent de sincérité qui vibre dans les poèmes d'André Gaillard nous arrache au monde médiocre de l'habitude pour nous lancer vers l'absolu. Seule la possession de ce dernier pourrait apaiser l'auteur de *La Terre n'est à Personne*, il sera donc toujours en proie aux flammes de son cœur, de sa chair et de son esprit. De ce combat acharné que Gaillard soutint contre le monde et contre lui-même, Léon Gabriel Gros parle excellemment : « Entre l'homme-vivant et l'homme-machine, écrit-il, entre le moi de la vie profonde et le Il de l'activité extérieure, une lutte constante est engagée. Qu'importe si la chair s'épuise, si la raison se perd, l'aventure valait d'être vécue. Aussi bien y a-t-il là le seul principe moral, qui, ayant un sens autre que social, ne consacre pas une abdication; la morale de ceux qui pour

---

1. Né en 1894. Mort en 1929. *Œuvres poétiques* (Cahiers du Sud, 1940).

sauver leur vie n'hésitent pas à la perdre. » D'où le choix volontaire de la chute préférée à l'enlisement quotidien.

Ah que les arbres m'enchaînent
Et que leurs branches s'enroulent
Nids d'astres torturés
Aux herbes mortes de ma chair

Entends mon cœur l'eau des étoiles
Entends ma chère
Le grincement des veines
Hisse ma chair des seaux de sang

Moi je tombe
Arbres ma mémoire et les robes de l'air
Tout fuit et rien ne me retient
— Voulez-vous me lâcher la main.

L'amour, la mort résonnent sous les plaintes ou les colères du *Fond du Cœur*, de *La Terre n'est à Personne*, de *L'ombre et la Proie*, des *Chemins de la Passion*; un amour, une mort, traquenards où tomber à chaque instant et que le poète voulut en vain transcender par le don de soi qu'il fit à l'être aimé. Le thème majeur de l'œuvre est ce supplice que subit celui qui, assoiffé d'éternité, garde, jusqu'à la hantise, la conscience de l'éphémère, de la descente vertigineuse dans le temps.

Et rien ne lui répond le temps l'eau ni le vent
N'ont tenu leurs serments ni livré leurs secrets
Seule au cou de l'amour épouse du silence
La chair qui se déchire épuise l'avenir.

Il y a dans les recueils d'André Gaillard une franchise, une présence de la douleur, un dépouillement qui les délivrent des décors dont le Surréalisme, malgré sa nécessité, fut parfois chargé, et leur confèrent la solitude de la pureté.

Il nous faut écouter cette voix si nue :

Une morte demeure plus vivante en mon cœur
Que la plus belle des vivantes,
Et vous mes femmes à venir, mes femmes d'aujourd'hui,

Mes femmes de tous les âges
Reculez
Reculez dans la ruse et le pardon.

Si je m'oublie elle vous efface, elle nous sépare
Elle vous défie de son extrême absence
Elle n'est plus mais elle est ma maîtresse
Comme jamais je ne serai votre maître.

Je passe dans votre gorge,
Je glisse à travers vos bras
Je traverse votre regard
Mais nulle de vos mains ne m'arrête.

Défense de saisir, défense de me saisir :
Même une épaule est trahison,

Jamais je ne m'endormirai sur vos seins
Je ne dormirai plus, je veille.

. . . .

RENÉ DAUMAL
ET ROGER-GILBERT LECOMTE

Parmi les groupes satellites du mouvement surréaliste, l'un des plus importants fut celui de la revue *Le Grand Jeu* qu'animèrent Roger-Gilbert Lecomte[1], René Daumal[2], Roger Vailland, Rolland de Renéville (on trouvera une étude sur ce poète dans *Les Nouveaux Poètes Français* de Jean Rousselot). Pour ces poètes à tendance mystique, Rimbaud était le seul soleil, alors que pour les Surréalistes, Lautréamont était *le vrai dieu.* Il régnait dans le groupe du *Grand Jeu* une exigence spirituelle plus à l'abri des retours plus ou moins camouflés à la *littérature* que ne le fut, malgré ses violences anti-artistiques, la morale surréaliste. Pour Roger-Gilbert Lecomte et René Daumal, le langage a une valeur mystique, il est possibilité d'une révélation, possibilité toujours approchée mais aussi toujours dérobée; la parole est promesse de connaissance, mais promesse dont l'échéance est indéfiniment repoussée.

Pourtant, dans ses poèmes, Roger-Gilbert Lecomte s'enivre douloureusement d'un pouvoir du verbe.

LES QUATRE ÉLÉMENTS

à A. Rolland de Renéville.

Si je dis Feu mon corps est entouré de flammes
Si je dis Eau l'Océan vient mourir à mes pieds

Vaisseau vide immergé dans un cristal solide
Creuse momie aux glaces prise et je dis Air

---

1. Né en 1907 à Reims. Mort en 1943 à Paris. Œuvres : *La Vie, L'Amour, La Mort, Le Vide et Le Vent* (Cahiers Libres, 1933); *Le Miroir Noir* (Ed. Fernand Marc, 1939).
2. Né en 1908. Mort en 1944. Œuvres : *Contre-Ciel, La Grande Beuverie* (N.R.F.); *Le Mont Analogue* (N.R.F., 1952); *Poésie Noire, Poésie Blanche* (Gallimard, 1954).

Terre et le naufragé prend racine et s'endort
Sous les feuilles au vent de l'arbre de son corps

De sa bouche le songe engendre un rameau d'or
De sa bouche terreuse expirant ses poumons
Retournés vers le ciel tonnante frondaison

Moisson rouge au soleil de minuit et de mort

« Toute la nuit, écrivait René Daumal, il essaya de s'arracher du cœur le mot imprononçable, mais le mot grossissait dans sa poitrine et l'étouffait et lui montait dans la gorge et tournait toujours dans sa tête comme un lion en cage. » Si la poésie rimbaldienne eut tant de prestige sur le groupe du *Grand Jeu*, c'est qu'elle aboutit au silence. Le poète est soumis à un double vertige : celui de ce silence et celui du verbe. René Daumal savait suggérer tout le vertige, toute l'angoisse des mots. Dans son long poème *La Guerre Sainte* il a donné corps au souci anxieux de purification qui, toute la vie, le hanta, la conscience y est tourbillon comme celui qui entraîne images et vocables.

La guerre sainte — et le Surréalisme ne fut-il pas une guerre sainte ? — c'est la guerre intérieure que l'homme peut, doit mener à ses masques, la guerre incessante pour un langage vrai, un esprit unifié, un être juste et justifié, enfin dépouillés des ombres de leur lâcheté. On se trouve en présence d'une étonnante alliance entre la fougue des rythmes et la précision des mots, qui, ainsi portés, lancés, deviennent de véritables armes, des armées en marche détruisant en cadence des pans de plus en plus larges de la mauvaise conscience.

Daumal se prétendait non-poète, parce que, disait-il, « le vrai poète, s'il était ici... dans le grand silence il ouvrirait un petit robinet, le tout petit robinet du moulin à paroles, et par là nous lâcherait un poème, un tel poème qu'on en deviendrait vert ».

Du moins il savait admirablement ce qu'on est en droit d'attendre de la poésie : la plénitude.

« *Contre vous, fantômes, toute la lumière! que j'allume la lampe, et vous vous tairez. Que j'ouvre un œil, et vous disparaîtrez. Car vous êtes du vide sculpté, du néant grimé. Contre vous, la guerre à outrance. Nulle pitié, nulle tolérance. Un seul droit : le droit du plus être.* »

MICHEL LEIRIS

« Viendra-t-il jamais à l'esprit d'une de ces innocentes salopes de se traîner pieds nus dans les siècles pour pardon de ce crime : nous avoir enfantés ? »

Sur ces lignes s'achève un poème de Michel Leiris[1] intitulé *La mère.*

Leiris — du moins le Leiris de l'époque surréaliste — ne croit pas à la valeur de l'action; il se replie sur lui-même et s'abandonne au rêve afin de déceler ses « sédiments les plus secrets ». De même, dans son œuvre, le langage n'est plus aboutissement de l'action ni ordonné par son rythme, il est instrument de recherche onirique; on pourrait dire que dans de nombreux poèmes de Leiris les mots rêvent, appelant ainsi à la vie des paysages étranges et désordonnés qui tracent le portrait intérieur du poète, face d'ombre qui fait pendant au portrait en clair que Leiris a donné de lui-même dans cette confession si aiguë et minutieuse : *L'Age d'Homme.* A lâcher ainsi les brides au langage, on perd et l'on gagne. Du côté perte, on notera chez Leiris une certaine incohérence dans le flux des images qui menace l'unité du poème, le divise, le déroute selon plusieurs voies qui se nuisent mutuellement. Cette façon d'aller pêcher des mots sous la nuit de l'inconscient et de les jeter en vrac dans le poème, ce goût aussi de l'image insolite que rien ne laissait pressentir, que rien ne vient prolonger, ce laisser-aller du langage enfin un peu mollement épandu parfois, sont d'ailleurs moins des défauts propres à quelques vers de Michel Leiris que des signes distinctifs du Surréalisme.

---

1. Né en 1901 à Paris. Œuvres principales : *Haut Mal* (Gallimard, 1943) ; *Simulacre* (Galerie Simon, 1925) ; *Aurora* (N.R.F., 1946) ; *Nuit sans Nuit* (Fontaine, 1945) ; *L'Afrique fantôme* (1934) ; *L'Age d'homme* (Gallimard, 1938) ; *Biffures* (Gallimard) ; *Fourbis* (Gallimard, 1955); *Nuits sans Nuit* suivi de *Jours sans Jour* (Gallimard, 1961); *Grande Fuite de Neige* (Mercure de France, 1964).

Du côté gain, *Haut-Mal* — le recueil des poèmes de Leiris — se signale par une sincérité troublante, la poésie y étant la voix des aveux. Cette poésie a souvent un caractère magique; le flux des images, à ses meilleurs moments, tend à s'imposer avec une puissance hallucinatoire; le lecteur se trouve alors hanté par le poème. On peut distinguer certains éléments qui donnent une unité organique à la matière poétique de *Haut-Mal* et esquissent ce portrait intérieur du poète que nous avons indiqué : c'est d'abord la cruauté, cruauté contre la vie, contre les autres, et plus volontiers encore contre soi-même, que l'on remarque non seulement en tant que sentiment majeur de tel ou tel poème, mais encore latente sous le choix irrationnel des mots (couteaux, ciseaux, blessures, morsures, mâchoires, herses, etc... sont, en effet, des mots-clefs) et des images qui, souvent, évoquent des mutilations.

A ce sens de la cruauté sado-masochiste vient s'ajouter un penchant au solennel, un goût du sacré : puisque la vie est vaine, puisqu'elle n'est que vide, on ne pourra la supporter qu'en inventant des rites complexes, des sacrifices qui revêtiront d'une forme tragique notre informe existence. Là encore tantôt cette tendance sera explicite; elle poussera Michel Leiris à écrire une suite de poèmes : *Abanico para los toros*, qui tentent de « forger un équivalent poétique de quelques-uns des mouvements » dont se compose une course de taureaux; tantôt elle se confondra avec le jaillissement poétique même.

Enfin, et ce troisième élément, plutôt qu'il ne s'ajoute aux précédents apparaît comme leur résultante, un érotisme foncier marque cette poésie : rite de l'amour, il est lié à cette horreur de la nature et du naturel qui fait de notre auteur un baudelairien. La femme est partout présente, Idole néfaste, à la fois admirée et haïe.

Voici un beau poème qui me semble offrir ce pouvoir magique fait de cruauté, de solennel et d'érotisme, à mon sens, caractéristique de *Haut-Mal* :

LÉGENDE

Aujourd'hui les portes s'agitent
les serrures ne dorment pas tranquilles dans leur obscurité
plus calme qu'une mer d'huile

Grandes tentures harnachées d'yeux de femmes
vous croulez comme un nuage rideau qui se déchire
et démasque le soleil qui n'est qu'un bûcher de prunelles

Une Inquisition sourde épouvantait la pièce
tenailles des boiseries délavées
pilori de la table
noyade du plafond
Les ciseaux ouvraient toutes grandes leurs mâchoires
en bâillements de veuve inconsolée
mais leurs branches lancées au hasard
ne coupaient que le vide
un vide hagard que la hauteur elle-même avait abandonné

Alors trois bûches se calcinèrent dans la cheminée
le lit s'ouvrit
et j'aperçus sortant à mi-corps de sa grève
une femme belle et dénudée
qui jetait à la mer ses vêtements défaits
Grande figure fière
tu ne fus pas longue à t'engloutir dans les sables mouvants
Tes boucles elles-mêmes ne furent pas épargnées
Tout entière tu disparus et la grève refermée
ne garda même pas l'odeur exquise de ton corps
vapeur d'ivresse souterraine
qui aurait pu encore atteindre les narines de l'univers
serrer ses tempes aériennes et même le dépraver

Seuls les vêtements cinglèrent vers d'autres sommeils

O buste aux flammes douces et mortes enlisées
le monde manque d'une pâture ardente
pour nourrir ses troupeaux enchantés

Abanico para los toros (Éventail pour les taureaux) et les poèmes plus récents de Leiris, ceux de *la Rose du désert*, écrits en 1939-1940, au lieu de poursuivre cet abandon au langage tendent, au contraire, à ne disposer des mots qu'à la manière de rares et frêles jalons, lancés au-dessus du silence. La présence de la poésie est alors évidente et pure, comme à travers un cristal, une source, et il semble même que les passions et les angoisses qui déchiraient le poète parviennent, dans l'harmonie du poème, à atteindre, elles aussi, une sorte de trêve ardente :

Écarter ce contre quoi l'on bute
rejeter les scories
et d'un coup de poing
pulvériser les fioritures

retrouver la source première

GISÈLE PRASSINOS

Le Surréalisme fut souvent retour à l'esprit d'enfance, nostalgie de sa lumière, de son innocence, de sa toute-puissance; en elle doit résider le *secret* que les adultes ont perdu et que recherchent en tâtonnant les poètes. Aussi le hasard — sur lequel Breton et ses amis, comme sur l'amour, le désir, et le rêve, misèrent souvent avec bonheur — fit-il bien les choses en plaçant la vérité surréaliste dans la bouche d'une enfant — prodige — Gisèle Prassinos[1]. Ce qu'elle disait à quatorze ans était oracle désinvolte, aérien. André Breton fit de « l'écolière ambiguë » ce portrait : « ... c'est une enfant qui rit de peur dans la nuit; ce sont tous les peuples primitifs qui lèvent la tête pour voir si leurs ancêtres, à l'air un peu fatigué, qu'ils viennent de faire monter à l'arbre et auxquels ils ont tiré l'échelle avant de secouer vont tomber. C'est la *révolution permanente* en belles images coloriées à un sou — elles n'existent plus — mais le ton de Gisèle Prassinos est unique : tous les poètes en sont jaloux. Swift baisse les yeux, Sade referme sa bonbonnière. »

Et voici par exemple ce que disait la bouche enfantine :

RÉCLAME

Un monsieur qui prenait le métro tenait sous son bras un très gros paquet d'où sortait un morceau de toile verte. Comme tout le monde le regardait, il dit en délaçant son

---

1. Née en 1920. Œuvres principales : *La Sauterelle arthritique* (G.L.M., 1935) ; *Le Feu maniaque* (1939) ; *Quand le Bruit travaille* (G.L.M., 1937) ; *La Lutte double* (1938) ; *Calamités des origines* (G.L.M., 1937) ; *Félicité crépusculaire* (Debresse, 1937) ; *Le Rêve* (Fontaine, 1947-1950) ; *Le Cavalier* (Plon, 1961). Référence : *Anthologie de l'Humour Noir*, par André Breton (Sagittaire).

soulier : « Employez l'encre Waterman. » Puis il descendit les marches de l'escalier en boitant.

Arrivé en bas, il s'assit sur un banc avec les pieds sous son derrière. Et là, il commença de déballer son paquet. Mais il n'en sortit rien, pas même un morceau de toile verte.

Quand le train entra en gare, il partit en courant avec son paquet sous le bras. Mais il n'y avait plus de toile verte. Seule une crête de poule pendait. Le train siffla.

De loin, on entendit une voix graisseuse : « C'est une très bonne marque. »

Près de moi, un monsieur devint vert.

SURRÉALISTES BELGES

De même que le symbolisme au siècle dernier avait connu en Belgique un accueil favorable et attiré d'authentiques poètes, de même le Surréalisme suscita dans ce pays un intérêt des plus vifs.

E.L.T. Mesens publia en 1933 *Femme Complète* et *Alphabet sourd aveugle* préfacé par Paul Eluard. Voici extrait du premier recueil :

A TORT OU A RAISON

A tort ou à raison
Les trésors sont toujours cachés
A deux pas des chansons assises

Voulez-vous un trésor caché
Voici cinq doigts
Voici une main
Voici cinq doigts et cinq chemins
Et voici cinq trésors cachés

Voulez-vous cinq trésors perdus
Voici dix doigts
Voici cinq mains
Et cent chevelures dénouées

Ne comptez pas sur vos dix doigts
Les cent chemins d'une chevelure
Car les chevaux de ma raison
Sont morts d'avoir foulé en vain
Tes cheveux mon trésor certain.

A Paul Nougé on doit *Quelques écrits et quelques dessins de Clarisse Juranville*, livre illustré par René Magritte. « L'on passe sans difficulté, nous avertit l'auteur, de la vie de Clarisse Juranville à ses dessins, à ses écrits : ou de ces derniers, à ses entreprises aventureuses. Une ressemblance secrète devient évidente, qui joint le geste à la parole. »

Maintenant
C'est moi qui tiendrai compagnie aux hommes et aux femmes de mauvaise volonté
Je me constituerai leur prisonnier
Je m'installerai dans leur mensonge dans leur souvenir dans les chambres variables de leur vie
Je m'insinuerai dans leur disgrâce
Je débrouillerai leurs ressentiments
Je soufflerai sur leur colère
Je les pousserai sur la place
Je me tiendrai derrière leur dos
Ils ne reconnaîtront ni leurs gestes ni leur cri
Ils trahiront fidèlement leur parole

Belges également : Cl. Pansaers, ce dadaïste qui disparut jeune, et Marcel Lecomte, Louis Scutenaire, l'auteur de *Mes Inscriptions*. Vers les années 20, Franz Hellens dirigeait la revue surréalisante *Le Disque vert* qui reparaît de nos jours.

C'est encore en Belgique qu'en 1947, fut formulée par Christian Dotremont, une nouvelle thèse tendant à renouer des relations entre marxisme et surréalisme. Ce texte *Le surréalisme révolutionnaire* a été publié dans le cahier *Les Deux Sœurs*, n° 3, au sommaire duquel on relevait les noms de Battistini, Bonnefoy, Bourgoignie, Brauner, Breton, Char, Charpier, Chavel, Desnos, Frédérique, Gagnaire, Helman, Henein, Hérold, Jaguer, Kober, Lely, Marauzac, Meizi, Pastoureau, Roux, Scutenaire, Tanguy et Tarnaud.

LES PEINTRES

Si de nombreux textes surréalistes n'ont de poème que le nom, et demeurent mots éparpillés, catalogues d'images, les tableaux surréalistes ont échappé à ce défaut d'unité. L'un des mérites du mouvement a été d'ouvrir à la peinture des domaines nouveaux, ou plutot de lui redonner d'admirables contrées qui étaient jadis ses terres d'élection, et d'avoir trouvé dans la peinture une grande source d'inspiration poétique.

Inséparables des poètes, ces peintres, ces sculpteurs : Max Ernst, Salvador Dali, Hans Arp, Yves Tanguy, Chirico, Giacometti, Picasso, Magritte, Brauner, Miro, Man Ray, et pour eux la poésie-activité de l'esprit peut aussi bien choisir pour se manifester la page blanche que la toile.

On sait le rôle d'inspirateurs que tinrent ces artistes auprès de leurs amis poètes, en particulier Max Ernst et Salvador Dali. De ce dernier voici un argument de ballet portugais, intitulé : *Guillaume Tell.*

La joueuse de harpe, ayant préalablement arrosé le tas de pain du contenu de trois bouteilles d'encre Pélican, se chausse de grands souliers métalliques et commence à exécuter une danse brutale en écrasant avec un grand bruit le pain, comme si elle était prise d'un délire pédestre de vendange. Cette femme devra avoir de grands et beaux seins qui déborderont de la chemise au cours de ses opérations turbulentes.

Au moment le plus exalté de la danse, le rideau du fond sera subitement intercepté par une douzaine de motocyclettes, le moteur en marche, se balançant à l'extrémité de cordes appropriées, en même temps que quelques machines à coudre et aspirateurs, tombant du cintre, viendront s'écraser sur la scène et le rideau se fermera lentement.

LES REVUES

Dadaïstes, surréalistes eurent de nombreuses revues, petites ou grandes, éphémères ou durables, notamment, *391*, *Cannibale*, que dirigeait Picabia, *Proverbe* et *l'Invention et Proverbe* dirigés par Eluard, *Littérature*, avec Aragon, Breton et Soupault: *l'Œuf dur*, directeur : Gérard Rosenthal[1], *Le Grand Jeu*, animé par R. Gilbert-Lecomte, René Daumal, J. Sima et R. Vailland, exprimait une tendance plus mystique.

Mais les organes officiels du mouvement furent : *La Révolution surréaliste*, puis *Le Surréalisme au Service de la Révolution*, *Minotaure*, enfin.

Pendant la guerre, en France, le groupe surréaliste de *La Main à Plume* que dirigeait Noël Arnaud publia *Poésie et Vérité 1942* de Paul Eluard, ainsi que des cahiers collectifs.

Voici de Noël Arnaud :

POÉSIE

Des fruits de fourrure
gonflent ce miroir béant
où naissent parfois
des doigts de feu gris

Une femme en robe de paille
flambe dans une barque
au fond d'un fleuve gelé

---

1. Né en 1903 à Paris. Œuvres principales, sous le nom de Francis Gérard : *Les Dragons de Vertu* (Kra, 1927); *Poèmes*, dans l'*Œuf Dur* (revue), dans la Révolution Surréaliste.

Entre deux plaies humides
un aigle mort tombe
dans un puits de laine.

Au même groupe de la « Main à Plume » appartinrent Marc Patin et J.-F. Chabrun. Du premier ce poème publié en 1942 :

AMÈRE

La femme qui passait dans la rue
Étoile de feuillage et de soleil
Avait une libellule humide sur chaque sein

L'homme qui passait dans l'avenue
Large de vitre et de vieille pierre
Avait un peu de sable dans chaque main

Un peu d'air une huître verte
Mourait
Entre deux coquilles de chair.

De J.-F. Chabrun enfin :

LES NUAGES ONT LA MÉMOIRE COURTE

Elle avait une robe de grand vent
Des yeux pour voir et des cris d'oiseaux dans les yeux
Elle avait l'air d'être faite pour marcher sur la terre

Je ne pouvais plus mettre de nom sur son visage
Je ne pouvais plus la reconnaître qu'à mon amour.

Après la Libération, de nouvelles « petites revues » surréalistes ou surréalisantes virent le jour; citons : *IIIe Convoi, La Révolution la Nuit, Qui vive, Néon, Les Deux Sœurs Medium.*

* * *

De Marcel Noll à Max Morise, de Delteil à Boiffard, de

Jean Mayoux à Georges Henein, de Mabille à Thirion, de Pierre Brasseur à Dédé Sunbeam, d'Ernest Gengenbach (« Judas ou le Vampire surréaliste ») à Georges Limbour, de Gilbert Lély à Léo Malet, de Maxime Alexandre[1] à Pierre Unik, de Gui Rosey — qui écrivit en 1934 un poème « épique » intitulé *André Breton* — à Roger Vitrac[2] dont le théâtre importe à mon sens plus que les poèmes — de Pierre Naville à Henri Pastoureau, de Francis Gérard, à Mathias Lubeck[3], les surréalistes — les uns d'un jour, les autres de toujours — furent trop nombreux et trop divers pour que chacun d'eux pût faire l'objet d'une étude, d'autant plus que s'ils furent pour la plupart des esprits attachants, ils n'en furent pas pour cela tous poètes . « On a pu penser que l'écriture automatique rendait les poèmes inutiles, notait Eluard dans *Donner à voir*. Non : elle augmente, développe seulement le champ de l'examen de conscience poétique, en l'enrichissant. Si la connaissance est parfaite, les éléments que l'écriture automatique extrait du monde intérieur et les éléments du monde extérieur s'équilibrent. Réduits alors à l'égalité, ils s'entremêlent, se confondent pour former l'unité poétique. » Trop de textes surréalistes, malheureusement, demeurent sans cette conscience parfaite dont parle Eluard et n'ont autre valeur que documentaire. Par contre, le surréalisme a marqué la jeunesse de poètes authentiques qu'on ne trouvera pas dans cet ouvrage parce qu'ils figurent dans *Les Nouveaux Poètes Français* de Jean Rousselot[4] qui étudie la poésie française à partir du Surréalisme. Je songe notamment à Desnos, ce très grand lyrique, à Raymond Queneau, l'écrivain français le plus personnel, le plus original, le plus *jeune*, au populaire Prévert, à Antonin Artaud dont le destin appartint intégralement au tragique surréaliste, à Francis Ponge qui, à sa manière, fait de l'ancienne connaissance irrationnelle de l'objet un classicisme, à René Char dont le surréalisme a

---

1. Né en 1898. Œuvres principales : *L'Amour Image* (Sagittaire, 1946); *Cassandre de Bourgogne* (Corréa, 1939); *Secrets* (Impr. Ducos et Colas, 1932); *Les Desseins de la Liberté* (1927); *Le Corsage* (Ed. Surréaliste, 1931); *Mes respects* (1931).

2. Né à Pinsac en 1889. Mort à Paris en 1952. Œuvres principales : *Le Mystère de l'Amour* (N.R.F., 1925); *Humoristiques* (N.R.F., 1926); *Connaissance de la Mort* (N.R.F., 1926); *Cruautés de la Nuit* (Cahiers du Sud, 1927).

3. Né en 1903 à Paris. Mort en 1944 (fusillé par les Allemands). Œuvre principale : *Poèmes et Proses de « L'œuf dur »*, préface de Gérard Rosenthal (Julliard, Coll. Les Lettres Nouvelles, 1963).

4. Ouvrage publié aux mêmes Editions Seghers.

pu jadis développer la « conscience poétique » mais qui est parvenu à faire du poème le feu éblouissant de cette conscience, je songe encore à Yvan Goll, à « l'Eau fine » des poèmes de Georges Hugnet, à Jacques Baron, à Maurice Blanchard, à *l'exemple* de Joë Bousquet, à René Laporte aux miniatures magiques de Fernand Marc, à la voix pure de Georges Schéhadé. Par ces vrais poètes, comme par l'œuvre de ses fondateurs, le Surréalisme poursuit ses mutations; si parfois, il ne se montre plus à visage découvert dans leurs poèmes, il n'en continue pas moins de vivre en eux. Sans que ce soit là le mode d'occultation souhaité par André Breton au Surréalisme, ces nouvelles et diverses et souples formes en quoi la vie a transmué ce qui à l'origine fut un mouvement unique et strict, n'en sont pas moins promesses d'autres naissances pour l'*esprit* surréaliste. Cet esprit, en ce monde qui cherche désespérément un ordre mais ne sait que rouler au chaos, est synonyme d'espoir pour qui se refuse encore à séparer les chances de l'homme, de la poésie et de la justice. On veut croire André Breton lorsqu'il remarque : « L'*esprit* qui anima tour à tour ces civilisations échappe en quelque mesure au processus de destruction qui accumule derrière nous les ruines matérielles. Tout au plus le voyions-nous s'occulter de plus en plus profondément au cours des siècles, mais les fins énigmatiques de cette occultation ne laissaient pas elle-mêmes d'exercer la sagacité humaine et le secret de quelque grandeur était là.

Le retrait, l'effondrement de ces perspectives oblige qui veut continuer à honorer le nom d'homme à se replier sur soi-même, à s'interroger sans faiblesse sur les nouvelles conditions faites à la pensée. »

NOTE

« Dans une large mesure (le Surréalisme) est encore et toujours *notre poésie : la poésie moderne tout entière prenant conscience d'elle-même et allant jusqu'au bout.* »

GAËTAN PICON.

Le mouvement surréaliste porta à ses ultimes limites la soif de conquête révolutionnaire qui animait et possédait la poésie française depuis la fin du Romantisme. Après une si longue, si constante et enfin si farouche progression de l'esprit de recherche, après l'apothéose que fut pour un tel esprit le Surréalisme, la poésie française devait se trouver pour longtemps, d'une part enrichie et marquée par « l'alchimie du verbe » — et des images — à laquelle se vouèrent si obstinément à la suite de Rimbaud, les meilleurs des poètes pendant plus d'un demi-siècle, d'autre part détournée du goût de l'expérimentation comme du démon de l'aventure à cause de la plénitude même de ce goût ainsi que de la toute puissance de ce démon parmi les générations poétiques antérieures.

Aussi voit-on, après l'éclatement du Surréalisme, plusieurs poètes tenter d'intégrer ses conquêtes verbales ou spirituelles en un lyrisme et un humanisme que la machine infernale d'André Breton et de ses amis avait voulu détruire. Cette évolution ne peut cependant pas être considérée comme un gain des tendances classiques sur celles du romantisme, car si l'on note un retour à l'unité du poème, on ne peut pourtant pas parler de classicisme à propos d'une poésie qui s'élève en un temps tragique, au milieu d'un monde en ruines, avant, pendant ou après des catastrophes guerrières, et qui doit user d'un langage qui ne peut plus, depuis longtemps, être le lieu commun des pensées ou des sentiments d'une société cohérente.

Quoi qu'il en soit, n'est-il pas significatif que trois des poètes les plus justement admirés quarante ans après l'éclosion des premiers textes d'écriture automatique, soient d'anciens Surréalistes ? Aragon, fidèle dans ses romans (en prose comme en vers) au lyrisme des images et de l'amour, René Char dont la sérénité domine une *beauté convulsive,* Raymond Queneau enfin dans l'œuvre duquel l'humour et l'insolite font surgir le *surréel* de la vie en apparence la plus quotidienne.

INDEX DES NOMS CITÉS

J

K

L

M

N

TABLE

Photos de la 4e page de couverture :
Portrait de Rimbaud (détail de « Le coin de table » par Fantin-Latour, 1872)
Portrait d'André Breton (Phot. Harlingue-Viollet)

ACHEVE D'IMPRIMER
LE 28 AOUT 1964
SUR LES PRESSES DE
GERARD & Co, A
VERVIERS (Belgique)
POUR LE COMPTE DE
PIERRE SEGHERS
EDITEUR A PARIS

No d'Editeur : 1317

Printed in Belgium.

Extrait du catalogue :

Collection Poètes d'Aujourd'hui

Chaque volume de la collection comporte un important essai, un choix de textes, des inédits, des photographies et documents, une bibliographie complète **6,90** F
7,10 F (T.l.c.)

*Les titres marqués d'un * ont fait l'objet d'un disque 33 tours* **10.27** F (T.l.c.)

- * 1. **Paul Eluard,** par Louis Parrot
- * 2. **Aragon,** par Claude Roy
- * 3. **Max Jacob,** par André Billy
- * 4. **Jean Cocteau,** par Roger Lannes
- * 5. **Henri Michaux,** par René Bertelé
- * 6. **Lautréamont,** par Ph. Soupault
- * 7. **F.-G. Lorca,** par Louis Parrot
- * 8. **Apollinaire,** par André Billy
- 9. **Walt Whitman,** par Paul Jamati
- * 10. **Paul Claudel,** par Louis Perche
- * 11. **Blaise Cendrars,** par Louis Parrot
- * 12. **Arthur Rimbaud,** par C.-E. Magny
- * 13. **Francis Carco,** par P. Chabaneix
- 14. **R.-M. Rilke,** par Pierre Desgraupes
- 15. **Jules Supervielle,** par Claude Roy
- * 16. **Robert Desnos,** par Pierre Berger
- 18. **André Breton,** par J.-L. Bedouin
- 19. **Léon-Paul Fargue,** par C. Chonez
- * 20. **Francis Jammes,** par Robert Mallet
- * 21. **Gérard de Nerval,** par Jean Richer
- * 22. **René Char,** par Pierre Guerre
- 23. **Tristan Corbière,** par J. Rousselot
- 24. **Alfred Jarry,** par J.-H. Levesque
- 25. **Pierre Reverdy,** par Manoll et Rousselot
- 26. **Pierre Mac Orlan,** par P. Berger
- * 27. **Victor Hugo,** par Louis Perche
- 28. **Saint Pol Roux,** par Th. Briant
- 29. **Lewis Carroll,** par Henri Parisot
- * 30. **Jules Laforgue,** par M.-J. Durry
- * 31. **Baudelaire,** par Luc Decaunes
- 32. **Tristan Tzara,** par René Lacôte
- 33. **Jules Romains,** par André Figueras
- 34. **Verhaeren,** par Franz Hellens
- * 35. **Saint-John Perse,** par A. Bosquet
- 36. **Holderlin,** par Leonhard et Rovini
- 37. **André Frénaud,** par G.-E. Clancier
- * 38. **Paul Verlaine,** par Jean Richer
- 39. **Edgar Allan Poe,** par Rousselot
- 40. **Pablo Neruda,** par Jean Marcenac
- * 41. **René Guy Cadou,** par M. Manoll
- 42. **P.-J. Toulet,** par P.-O. Walzer
- 43. **Bertolt Brecht,** par R. Wintzen
- 44. **Guillevic,** par Pierre Daix
- 45. **Max Elskamp,** par Robert Guiette
- 46. **Desbordes-Valmore,** par J. Moulin
- 47. **Charles Cros,** par Jacques Brenner
- 48. **Pierre Jean Jouve,** par René Micha
- 49. **Jean Follain,** par André Dhotel
- 50. **Yvan Goll,** par Jules Romains, Brion Carmody et Exner
- * 51. **Paul Valéry,** par Jacques Charpier
- 52. **Norge,** par Robert Rovini
- 53. **André Salmon,** par Pierre Berger
- 54. **Pouchkine,** par Hubert Juin
- 55. **Emily Dickinson,** par A. Bosquet
- * 56. **Alfred de Musset,** par Ph. Soupault
- * 57. **Maurice Fombeure,** par Rousselot
- 58. **Philippe Soupault,** par H.-J. Dupuy
- 59. **Nietzsche,** par Pierre Garnier
- * 60. **Charles Péguy,** par Louis Perche
- 61. **Alexandre Blok,** par S. Laffitte
- 62. **Joë Bousquet,** par Suzanne André, Hubert Juin, Gaston Massat.
- 63. **Boris Pasternak,** par Yves Berger
- 64. **Henri Heine,** par Pierre Garnier
- 65. **Essénine,** par Sophie Laffitte
- 66. **Antonin Artaud,** par Georges Charbonnier
- 67. **Pierre Emmanuel,** par A. Bosquet
- 68. **Frédéric Mistral,** par S.-A. Peyre
- 69. **Charles Vildrac,** par Menanteau et Bouquet
- 70. **Paul Gilson,** par Germaine Decaris
- 71. **Jean Rousselot,** par André Marissel
- 72. **Raymond Queneau,** par J. Queval
- 73. **Fernando Pessoa,** par A. Guibert
- 74. **Jehan Rictus,** par Th. Briant
- 75. **Antonio Machado,** par Tunon de Lara
- 76. **Paul Fort,** par Pierre Béarn
- * 77. **François Mauriac,** par Marc Alyn
- 78. **Benjamin Péret,** par J.-L. Bédouin
- 79. **La Tour du Pin,** par Eva Kushner

Collection Poètes d'Aujourd'hui *(suite)*

80. **Rabindranath Tagore,** par O. Aslan
81. **Leopardi,** par Mario Maurin
* 82. **Léopold Sedar Senghor,** par Armand Guibert
83. **Louis Emié,** par A. Loranquin
84. **André Spire,** par Paul Jamati
85. **Aimé Césaire,** par Lilyan Kesteloot
86. **Lucien Becker,** par Gaston Puel
87. **Maurice Maeterlinck,** par Roger Bodart
88. **Loys Masson,** par Charles Moulin
* 89. **Marie Noël,** par André Blanchet
90. **Lionello Fiumi,** par Roger Clerici
91. **Louise de Vilmorin,** par André de Vilmorin
92. **Dylan Thomas,** par Hélène Bokanowski et Marc Alyn
93. **Léo Ferré,** par Charles Estienne
94. **Stéphane Mallarmé,** par P.O. Walzer
95. **Francis Ponge,** par Philippe Sollers
96. **Franz Hellens,** par André Lebois
97. **J.-S. Pons,** par Yves Rouquette
98. **Juan Ramon Jimenez,** par René L. F. Durand
99. **Georges Brassens,** par Alphonse Bonnafé
100. **Valery Larbaud,** par Bernard Delvaille
101. **Gabriele d'Annunzio,** par Pierre de Montera
102. **Victor Ségalen,** par J.-L. Bedouin
103. **Gabriela Mistral,** par M. Pomès
104. **Tudor Arghezi,** par L.-A. Marcel
105. **Miguel Hernandez,** par J.-L. Guerena
106. **Max-Pol Fouchet,** par Jean Queval
107. **Iqbal,** par Luce-Claude Maître
108. **Trakl,** par Robert Rovini
109. **Jean Tardieu,** par E. Noulet
110. **Chevtchenko,** par Guillevic.
111. **Nicolas Guillen,** par Claude Couffon
112. **Rabemananjara,** par E. Boucquey de Schutter
113. **Cavafy,** par Georges Cattaui
114. **Langston Hughes,** par F. Dodat
115. **Hofmannsthal,** par E. Coche de la Ferté
116. **Anna de Noailles,** par L. Perche
117. **Alain Bosquet,** par Ch. Le Quintrec
118. **William Blake,** par J. Rousselot

Collection des Panoramas Illustrés

100 illustrations en 2 couleurs

Cette collection consacrée à l'évolution des Lettres et des Arts au cours d'un siècle de l'histoire, s'applique à éclairer les origines, les événements historiques, les étapes, les grands mouvements littéraires et artistiques en France. Ecrit par un éminent spécialiste, chaque volume de la collection, *très largement illustré*, retrace de façon *vivante* et *exacte* le panorama du siècle traité.

Parus :

XIVe ET XVe SIECLES FRANÇAIS, Les Sources de l'Humanisme, par Albert-Marie SCHMIDT, Professeur à la Faculté des Lettres de Lille.

XVIe SIECLE FRANÇAIS, La Renaissance, par Frédéric BOYER.

XVIIe SIECLE FRANÇAIS, Le Grand Siècle, par Jacques ROGER, Professeur à la Faculté des Lettres de Poitiers.

XVIIIe SIECLE FRANÇAIS, Le Siècle des Lumières, par Louis FORESTIER, assistant à la Faculté des Lettres de Dijon.

XIXe SIECLE FRANÇAIS, Le Siècle Romantique, par Jacques ROBICHEZ, Professeur à la Faculté des Lettres de Lille.

XXe SIECLE FRANÇAIS, Les Temps Modernes, par Michel DECAUDIN, Professeur à la Faculté des Lettres de Toulouse.

Chaque volume, couverture laquée quadrichromie, 256 pages en deux couleurs, plus de 100 illustrations .... **7,80 F**
8,00 F (T. l. c.)

Collection Écrits

★

A travers les grands auteurs du présent et du passé, les clefs nécessaires pour vivre dans notre temps et pour en comprendre l'évolution.
Des ouvrages de 192 pages, format 135 X 160, couverture laquée 2 couleurs

4.40 - 4,50 F (T.l.c.)

1. **ECRITS SUR L'EUROPE**
   De Robert Schuman à Hésiode, la « légende des siècles » de l'Europe.
2. **ECRITS SUR L'ATOME**
   De Démocrite à la bombe d'Hiroshima, d'Epicure à Joliot-Curie, le dialogue de l'homme et de l'atome.
3. **ECRITS SUR L'ANGOISSE**
   De la Bible à Heidegger, le combat des hommes face à leur solitude métaphysique et quotidienne.
4. **ECRITS SUR LE SOCIALISME**
   De Platon à Léon Blum, l'évolution du Socialisme à travers l'histoire, qu'il s'agisse du socialisme utopique, scientifique, économique ou humaniste.
5. **ECRITS SUR L'ORIGINE DE L'HOMME**
   De Pindare à Rostand et Teilhard de Chardin, les réponses que l'homme à données à la plus troublante question qu'il se soit jamais posée.
6. **ECRITS SUR LA LIBERTE**
   De Platon à Sartre, les diverses expressions de l'idée de Liberté à travers l'histoire.
7. **ECRITS SUR LE COMMUNISME**
   L'évolution de l'idée communiste de Platon à Khrouchtchev.
8. **ECRITS SUR L'HEREDITE**
   Les origines et les progrès d'une science moderne et pourtant ancienne.
9. **ECRITS SUR LA VIE**
   Les secrets de la vie demeurent inviolés. Pour combien de temps encore? Ce livre groupe des documents essentiels et soulève quelques voiles.
10. **ECRITS SUR L'ANARCHIE**
    De Protagoras aux anarchistes espagnols et de Diogène à Bakounine, la position actuelle de l'Anarchie.

Collection
Philosophes de tous les temps

★

Cette Collection publie une série d'études consacrées à des auteurs dont la pensée a marqué l'histoire philosophique de l'humanité.

Chaque volume comporte une présentation de 80 pages de la main des meilleurs spécialistes écrivains ou professeurs. Un choix de textes d'une centaine de pages, accompagné d'une bibliographie précise, permet une initiation directe à la lecture de l'auteur.

1. **BOUDDHA,** par André Bareau, Directeur d'Etudes de Philologie Bouddhique à l'Ecole Pratique des Hautes Etudes
2. **HEGEL,** par Kostas Papaioannou
3. **CONFUCIUS,** par Daniel Leslie, Professeur à l'Institut des Etudes Avancées de l'Université Nationale Australienne
4. **LEIBNIZ,** par André Robinet, maître de Recherches au Centre National de la Recherche Scientifique
5. **KIERKEGAARD,** par Georges Gusdorf, Professeur de Philosophie Générale à la Faculté des Lettres de Strasbourg
6. **SPINOZA,** par Robert Misrahi, Chargé de travaux pratiques à la Faculté des Lettres et des Sciences Humaines de l'Université de Paris
7. **UNAMUNO,** par Alain Guy, Assistant d'Histoire de la Philosophie à la Faculté des Lettres et Sciences Humaines de Toulouse
8. **SÉNÈQUE,** par Jean-Marie André et Pierre Aubenque, Professeurs à la Faculté des Lettres et Sciences Humaines de Besançon
9. **JAURÈS,** par André Robinet, Chargé de Recherches au C. N. R. S.
10. **NICOLAS DE CUES,** par Giuseppe Bufo
11. **EPICTÈTE,** par Joseph Moreau, Professeur de Philosophie à la Faculté des Lettres et Sciences Humaines de Bordeaux

Chaque volume de 192 pages, format 135 × 160, sous couverture couleur laquée avec de nombreuses illustrations hors texte.

6,90 F
7,10 F (T. l. c.)